TUDO É ÓBVIO*

***DESDE QUE VOCÊ SAIBA A RESPOSTA**

DUNCAN J.WATTS

TUDO É ÓBVIO*

*DESDE QUE VOCÊ SAIBA A RESPOSTA

(COMO O SENSO COMUM NOS ENGANA)

Tradução: Letícia Della Giacoma de França

7ª edição

PAZ & TERRA
Rio de Janeiro
2023

Título original: *Everything is Obvious*

Editora Paz e Terra Ltda.
Rua Argentina, 171 – Rio de Janeiro, RJ – 20921-380 – Tel.: (21) 2585-2000
www.pazeterra.com.br

Seja um leitor preferencial Record.
Cadastre-se e receba informações sobre nossos lançamentos e nossas promoções.

Atendimento e venda direta ao leitor:
sac@record.com.br

Texto revisto pelo novo Acordo Ortográfico da Língua Portuguesa.

CIP-BRASIL. CATALOGAÇÃO NA FONTE
SINDICATO NACIONAL DOS EDITORES DE LIVROS, RJ

Watts, Duncan J.
Tudo é óbvio : quando você sabe a resposta / Duncan J. Watts ; tradução Letícia Della Giacoma de França. – 7ª ed – Rio de Janeiro: Paz e Terra, 2023.

Título original: Everything is obvious : once you know the answer.
Bibliografia
ISBN 978-85-7753-191-2

1. Pensamento 2. Raciocínio 3. Senso comum I. Título.

11-11343 CDD-153.42

Para Jack e Lily

Sumário

Prefácio

O PEDIDO DE DESCULPAS DE UM SOCIÓLOGO

EM JANEIRO DE 1998, MAIS OU MENOS na metade do ano seguinte àquele em que concluí a pós-graduação, o colega com quem eu dividia uma casa entregou-me uma cópia da revista *New Scientist* contendo uma resenha escrita pelo físico e escritor John Gribbin. O livro resenhado se chamava *Tricks of the Trade*, do sociólogo Howard Becker, de Chicago, e tratava essencialmente de uma coleção das reflexões de Becker sobre como realizar pesquisas produtivas no âmbito das ciências sociais. Estava claro que Gribbin tinha odiado o livro, julgando as ideias do autor como o tipo de revelação evidente que "cientistas de verdade aprendem no berço". E não parava por aí. Mais adiante, ele notava que o livro meramente reforçara sua ideia de que todas as ciências sociais são "mais ou menos como um oximoro" e que "qualquer físico ameaçado pelo corte de verbas deve considerar uma carreira nas ciências sociais, nas quais é possível solucionar, num instante, os problemas que tanto preocupam os cientistas sociais".[1]

Havia uma razão para meu colega ter me trazido justamente essa resenha para ler e para essa frase em particular ter ficado na minha cabeça. Sou formado em física e quando li a resenha de Gribbin tinha acabado de concluir meu doutorado em engenharia. Minha tese foi sobre a lógica daquilo que hoje é chamado de teoria do mundo pequeno.[2] Mas apesar de minha formação ter sido em física e matemática, meus interesses voltavam-se mais e mais na direção das ciências sociais, e eu estava dando início ao que acabou por se tornar uma carreira na sociologia. Senti que, de certa forma, estava embarcando em uma versão em miniatura do experimento proposto por Gribbin. E, para ser honesto, eu talvez tenha suspeitado que ele estava certo.

Entretanto, depois de doze anos, acho que posso dizer que os problemas que "tanto preocupam" os sociólogos, economistas e outros cientistas sociais não serão solucionados em um instante, nem por mim nem por uma legião de físicos. Digo isso porque desde o fim dos anos 1990 centenas — se não milhares — de físicos, cientistas da computação, matemáticos e outros pesquisadores do núcleo duro da ciência interessaram-se por questões que tradicionalmente eram pertinentes às ciências sociais — questões acerca da estrutura de redes sociais, da dinâmica de formações de grupo, da propagação de informação e influência ou da evolução de cidades e mercados. Surgiram na década passada áreas de pesquisa com nomes ambiciosos, como "ciência de redes" e "econofísica". Bancos de dados de proporções imensas foram analisados, inúmeros novos modelos teóricos foram propostos e milhares de artigos foram publicados, muitos dos quais nas principais revistas científicas do mundo, como *Science*, *Nature* e *Physical Review Letters*. Programas de financiamento inéditos foram criados para apoiar essas novas linhas de pesquisa. Conferências sobre tópicos como "ciência computacional social" cada vez mais oferecem a oportunidade de cientistas interagirem para além dos velhos limites de suas disciplinas. E, sim, diversos novos empregos surgiram, oferecendo a jovens cientistas a chance de explorar problemas que antigamente eram considerados inferiores à sua formação acadêmica.

A soma total dessas atividades excede em muito a quantidade de esforços que o comentário descabido de Gribbin indicava ser necessária. Então o que aprendemos sobre esses problemas que mantiveram os cientistas sociais tão ocupados em 1998? O que realmente sabemos hoje a respeito da natureza do comportamento desviante, das origens de práticas sociais ou das forças que modelam normas culturais — o tipo de problemas sobre os quais fala Becker em seu livro — que não sabíamos naquela época? Que novas soluções essa ciência nascente trouxe aos problemas do mundo real, como ajudar organizações de assistência a atender com mais eficiência desastres humanitários em lugares como o Haiti ou Nova Orleans, ou ajudar agências de segurança pública a deter o terrorismo, ou auxiliar agências de regulamentação financeira a policiar Wall Street e reduzir os riscos sistêmicos? E quanto a todos os milhares de artigos publicados por cientistas na década passada, quão próximo estão de responder às grandes questões das ciências sociais, como o desenvolvimento econômico das nações, a globalização da economia ou a relação entre imigração, desigualdade e intolerância? Peguem um jornal e julguem vocês mesmos, mas eu diria que não muito.[3]

Se há alguma lição aqui, talvez seja, poderíamos pensar, a de que os problemas da ciência social são difíceis não apenas para os cientistas sociais, como também para os físicos. Mas essa lição me parece ainda não ter sido aprendida. Muito pelo contrário, na verdade: em 2006, a senadora norte-americana Kay Bailey Hutchison, uma republicana do Texas, propôs que o Congresso cortasse todo o orçamento do departamento de ciência social e comportamental da National Science Foundation. Hutchison, é importante dizer, não é contra a pesquisa científica — em 2005, ela propôs dobrar as verbas para as ciências médicas. É exclusivamente a pesquisa científica *social* que ela pensa não ser "o destino que devemos dar aos recursos [da NSF] neste momento". A proposta acabou sendo derrubada, mas poderíamos nos perguntar o que a boa senadora estava pensando. Imagina-se que ela não acredita que os *problemas* sociais não são importantes — certamente ninguém diria que imigração, desenvolvimento econômico e desigualdade não são problemas que não merecem nossa atenção. O que parece é que, assim como Gribbin, ela não considera problemas sociais como problemas *científicos*, dignos da atenção prolongada de cientistas sérios. Ou como um colega de Hutchison do Oklahoma, o senador Tom Coburn, definiu três anos depois em uma proposta semelhante: "Teorias sobre comportamento político devem ficar a cargo da CNN, de pesquisas de opinião, historiadores, candidatos, partidos políticos e eleitores."[4]

Os senadores Hutchison e Coburn não são os únicos céticos em relação àquilo que a ciência social tem a oferecer. Desde que me tornei sociólogo, já muitas vezes ouvi perguntas de leigos curiosos sobre o que a sociologia tem a dizer sobre o mundo que uma pessoa inteligente não poderia ter concluído sozinha. É uma pergunta coerente, mas como o sociólogo Paul Lazarsfeld notou há quase sessenta anos, também revela uma concepção equivocada da natureza da ciência social. Lazarsfeld estava escrevendo sobre *The American Soldier*, um estudo com mais de 600 mil soldados realizado pela divisão de pesquisa do departamento de guerra durante e imediatamente após a Segunda Guerra Mundial publicado pouco antes. Para defender seu ponto de vista, Lazarsfeld listou seis descobertas do estudo que elegeu como representativas do relatório. Por exemplo, o número dois dizia que "homens de origem rural geralmente se mantinham em um melhor estado de espírito durante a vida militar em comparação com os soldados de origem urbana". "Ahhh", diz o leitor imaginário de Lazarsfeld, "isso faz todo sentido. Os homens de origem rural nos anos 1940 estavam acostumados a condições de vida mais pesadas e a mais trabalho físico que os homens da cidade, então naturalmente se adaptaram de maneira mais fácil. Por que precisávamos de um estudo tão vasto e tão caro para dizer o que poderíamos ter concluído sozinhos?"

Realmente, por quê? Lazarsfeld, revela, então, que todas as seis "descobertas" eram na verdade o exato oposto daquilo que a pesquisa revelava. Eram os homens de origem urbana, não os de origem rural, os mais bem-adaptados durante o período no Exército. É claro que se o leitor soubesse as respostas verdadeiras logo de partida, ele poderia facilmente tê-las associado com outras informações que acreditava já conhecer. "Os homens da cidade estão mais acostumados a trabalhar em meio a multidões e em corporações, com hierarquia de comando, padrões rígidos de vestimenta e etiqueta social etc. Isso é óbvio!" Mas é exatamente isso o que Lazarsfeld queria demonstrar. Quando toda resposta e *seu oposto* parecem igualmente óbvios, então, nas palavras de Lazarsfeld, "algo está errado com todo o argumento da 'obviedade'".[5]

Lazarsfeld estava falando da ciência social, mas o que eu defendo neste livro é que sua ideia é igualmente relevante para qualquer atividade — seja na política, nos negócios, no marketing, na filantropia — que envolva entendimento, previsões, mudanças ou reação ao comportamento das pessoas. Políticos tentando decidir como lidar com a pobreza urbana sentem que já têm uma boa ideia da razão pela qual as pessoas são pobres. Marqueteiros planejando uma campanha de publicidade sentem que já têm uma boa noção daquilo que os consumidores querem e como fazê-los querer mais daquilo. E legisladores planejando novas formas de reduzir os custos da saúde, aumentar a qualidade do ensino público, diminuir o número de fumantes ou melhorar a conservação da energia sentem que já podem fazer um bom trabalho atraindo os incentivos corretos. As pessoas nessas posições não esperam fazer tudo certo o tempo todo. Mas também sentem que os problemas que visualizam estão dentro de sua capacidade de resolvê-los — que não se trata de um problema da astronáutica, como se poderia acreditar.[6] Bem, eu não me dedico à astronáutica e tenho um respeito imenso pelas pessoas que conseguem pousar uma máquina do tamanho de um carro pequeno em outro planeta. Mas a triste verdade é que somos muito melhores no planejamento da rota de voo de um foguete interplanetário do que no gerenciamento da economia, na fusão de duas empresas ou mesmo na previsão do número de exemplares que um livro vai vender. Então por que é que a astronáutica *parece* difícil, enquanto problemas que envolvem pessoas — que, discutivelmente, são muito mais complicados — *parecem* ser apenas uma questão de senso comum? Neste livro, argumento que a chave para esse paradoxo é o próprio senso comum.

É preciso dizer que criticar o senso comum é algo arriscado, no mínimo por ser algo universalmente considerado bom — quando foi a última vez que alguém lhe disse para *não* recorrer a ele? Bem, vou lhes dizer isso muitas vezes. Como veremos, sem dúvida o senso comum se adapta de maneira extraordinária para lidar com o tipo de complexidade que surge nas situações do dia a dia. Nesses casos, ele é de fato bom, como se alega. Mas "situações" envolvendo empresas, culturas, mercados, Estado-nações e instituições globais apresentam um tipo muito diferente de complexidade em relação às situações do dia a dia. E sob essas circunstâncias, o senso comum acaba sofrendo uma variedade de desvios que sistematicamente nos enganam. Ainda assim, devido à maneira que aprendemos com a experiência — mesmo experiências que nunca se repetem ou que acontecem em outro tempo e lugar —, são raros os fracassos de sua lógica que nos são aparentes. Em vez disso, ele se manifestam simplesmente como "coisas que até então não sabíamos", mas que parecem óbvias em retrospectiva. Dessa forma, o paradoxo do senso comum é que mesmo que nos ajude a dar sentido ao mundo, ele pode minar nossa habilidade em compreendê-lo. Se você não entendeu muito bem o que essa última frase significa, tudo bem, porque explicá-la, assim como suas implicações para a política, o planejamento, as previsões, as estratégias de negócio, o marketing e a ciência social, é a que o restante deste livro se propõe.

Antes de começar, porém, gostaria de ressaltar algo relacionado ao que vinha dizendo: conversando com amigos e colegas de trabalho a respeito deste livro, percebi um padrão interessante. Quando eu descrevia o argumento *abstratamente* — dizendo que a maneira como percebemos o mundo pode, ao contrário, nos impedir de compreendê-lo —, eles balançavam a cabeça, concordando de maneira enfática. "Sim", diziam, "sempre achei que as pessoas acreditam nas ideias mais idiotas para sentirem que entendem coisas sobre as quais na verdade não sabem nada". Entretanto, quando o mesmo argumento direcionava-se a uma crença particular dessas mesmas pessoas, elas invariavelmente mudavam o tom: "Tudo o que você está dizendo sobre as armadilhas do senso comum e da intuição pode estar certo", diziam, "mas isso não ameaça minhas crenças". É como se o fracasso da lógica do senso comum fosse o fracasso apenas da lógica das outras pessoas, nunca de si mesmos.

É claro que as pessoas cometem esse tipo de engano o tempo todo. Cerca de 90% dos americanos acreditam que são motoristas acima da média, e um número de pessoas tão impossível quanto esse diz que é mais feliz, mais popular e mais propensa a se dar bem do que a maioria das pessoas. Em um estudo, inacreditáveis 25% dos entrevistados se consideraram parte do 1% que tem capacidade de liderança.[7] Esse efeito de "superioridade ilusória" é tão comum e tão conhecido que tem até mesmo um bordão — o efeito Lake Wobegone, em referência à cidade fictícia do programa de rádio apresentado por Garrison Keillor no filme *A última noite*, onde "todas as crianças são acima da média". Portanto, não é de surpreender que as pessoas tendam mais a acreditar que os outros têm crenças enganosas a respeito do mundo do que a aceitar que as próprias crenças estejam erradas. Contudo, a triste verdade é que o que se aplica a "todo mundo" necessariamente se aplica a nós também. Ou seja, as falácias incorporadas em nosso pensamento e explicações cotidianas, as quais discutirei com maiores detalhes adiante, *devem* ser aplicadas a muitas de nossas próprias — talvez profundamente arraigadas — crenças.

Nada disso é para dizer que devemos abandonar tudo e começar do zero. Trata-se de colocá-las sob um holofote e suspeitar delas. Por exemplo, eu *acho* que sou um motorista acima da média — mesmo sabendo que, estatisticamente, cerca de metade das pessoas que pensam o mesmo estão erradas. Apenas não posso evitar ter essa opinião. Sabendo disso, entretanto, posso pelo menos considerar a possibilidade de estar enganado e então tentar prestar atenção aos momentos em que cometo erros e aos momentos em que os outros cometem erros. Assim poderei começar a aceitar que nem todo acidente é culpa do outro motorista, mesmo que eu ainda esteja inclinado a acreditar que seja. E talvez possa aprender com essas experiências a determinar o que eu deveria fazer diferente, bem como o que os outros deveriam fazer diferente. Mesmo depois de tudo isso, não posso garantir que eu seja um motorista acima da média. Mas posso pelo menos dirigir melhor.

Da mesma maneira, quando desafiamos nossos pressupostos sobre o mundo — ou, ainda mais importante, quando percebemos que estamos fazendo uma afirmação que nem sabíamos que estávamos fazendo —, podemos ou não mudar nossas crenças. Mas mesmo que não mudemos, o exercício de desafiá-las deve pelo menos nos forçar a perceber nossa teimosia, o que, por sua vez, deve nos fazer hesitar. Questionar nossas crenças dessa maneira não é fácil, mas é o primeiro passo na formação de crenças novas e, espero, mais acertadas. Isso porque as chances de já estarmos certos sobre tudo o que acreditamos são nulas. Na verdade, o argumento de Howard Becker naquele livro sobre o qual li há tantos anos — um argumento que, obviamente, passou despercebido por seu resenhista e naquela época por mim também — era que aprender a pensar como um sociólogo significa aprender a questionar justamente seus instintos sobre como as coisas funcionam, e se possível desaprendê-los. Então, se a leitura deste livro confirmar o que você pensava que já sabia sobre o mundo, peço desculpas. Como sociólogo, não terei feito meu trabalho.

PARTE I

O SENSO COMUM

1
O mito do senso comum

Todos os dias, 5 milhões de pessoas utilizam o metrô de Nova York. Partindo de suas casas e passando pelos distritos de Manhattan, Brooklyn, Queen e Bronx, elas se derramam por centenas de estações, espremem-se nos milhares de trens que abarrotam o labirinto escuro do sistema de túneis do transporte metropolitano, voltando a inundar as plataformas e escadarias — um rio subterrâneo de gente procurando urgentemente a saída mais próxima e o céu do lado de fora. Como qualquer um que já tenha participado desse ritual diário pode comprovar, o sistema de metrô de Nova York está entre o milagre e o pesadelo, uma engenhoca de Rube Goldberg feita de máquinas, concreto e pessoas que, mesmo com inúmeros problemas técnicos, atrasos inexplicáveis e anúncios públicos indecifráveis, faz mais ou menos todos chegarem a seus destinos, não sem antes exaurir a psique dos usuários. A hora do *rush* em certas partes de um buraco urbano infernal é uma mistura de trabalhadores cansados, mães exaustas e adolescentes rudes e barulhentos, todos disputando espaços, tempo e oxigênio limitados. Não é o tipo de lugar a que alguém vai para beber da fonte da generosidade humana. Não é o lugar onde se espera que um homem jovem, perfeitamente saudável e fisicamente apto dirija-se a você e peça para se sentar em seu lugar.

No entanto, foi exatamente isso que aconteceu um dia no início dos anos 1970, quando um grupo de estudantes de psicologia entrou no metrô seguindo a sugestão de seu professor, o psicólogo social Stanley Milgram. Milgram já era famoso por seus estudos controversos sobre a "obediência", realizados alguns anos antes na Universidade de Yale, nos quais ele demonstrou que pessoas comuns levadas para um laboratório descarregavam o que acreditavam ser choques elétricos mortais em um ser humano (na verdade, era um ator fingindo ser eletrocutado) simplesmente porque um pesquisador de jaleco branco que dizia realizar um experimento sobre aprendizado lhes mandava fazer isso. A descoberta de que cidadãos a princípio respeitáveis poderiam, sob circunstâncias pouco extraordinárias, realizar o que se considerariam atos moralmente incompreensíveis foi perturbadora para muitas pessoas — e a expressão "obedecer à autoridade" passou a carregar uma conotação negativa desde então.[1]

Porém, o que as pessoas não ressaltaram é que seguir as instruções de figuras de autoridade é, como regra geral, indispensável para o funcionamento adequado da sociedade. Imaginem se alunos discutissem com seus professores, trabalhadores desafiassem seus chefes e motoristas ignorassem os guardas de trânsito toda vez que lhes fosse dito para fazer algo que não lhes agradasse. O mundo se tornaria um caos em menos de cinco minutos. É evidente que há momentos em que é apropriado resistir à autoridade, e muitas pessoas concordariam que a situação que Milgram criou no laboratório é um desses momentos. Mas o que o experimento mostrou também foi que a organização social que ignoramos no dia a dia é mantida, em parte, por regras ocultas que nem ao menos percebemos existir até que tentemos quebrá-las.

Baseado nessa experiência e tendo se mudado para Nova York, Milgram começou a perguntar-se se havia uma "regra" similar para se pedir o assento das pessoas no metrô. Assim como a regra de obedecer a figuras de autoridade, essa regra nunca foi realmente enunciada, nem um usuário típico do metrô a mencionaria se lhe pedissem para descrever as regras de utilização do transporte público. E ainda assim essa regra existe, como os alunos de Milgram logo descobriram quando iniciaram o experimento. Apesar de mais da metade dos usuários acabar levantando de seus assentos, muitos deles mostraram-se irritados ou pediram alguma explicação. Todos reagiram com surpresa, até mesmo espanto, e os observadores por vezes fizeram comentários disparatados. Porém, ainda mais interessante que a reação dos usuários do metrô foi a reação dos próprios pesquisadores, que, para começar, consideraram extremamente difícil realizar o experimento. A relutância foi tão grande, na verdade, que eles precisaram agir em duplas, um pesquisador garantindo o apoio moral para o outro. Quando os estudantes relataram seu desconforto para Milgram, ele zombou deles. Mas quando ele mesmo tentou realizar o experimento, o simples ato de se dirigir a um desconhecido e pedir para sentar em seu lugar fez Milgram se sentir literalmente enojado. Em outras palavras: por mais trivial que possa parecer, essa regra não é mais facilmente violada que a "regra" da obediência à autoridade que Milgram tinha exposto anos antes.[2]

Como se vê, uma cidade grande como Nova York é cheia desse tipo de regras. Num trem lotado, por exemplo, não é um problema estar espremido entre outras pessoas. Mas se alguém fica grudado em você quando o trem está vazio, é algo um tanto desagradável. Reconhecida ou não, há claramente alguma regra que nos encoraja a nos afastarmos o máximo possível no espaço disponível, e violações dessa regra podem causar desconforto extremo. Do mesmo modo, imagine como você se sentiria desconfortável se alguém entrasse no elevador e se posicionasse à sua frente, olhando para o seu rosto, em vez de se virar e encarar a porta. As pessoas encaram-se o tempo todo em espaços pequenos, incluindo vagões de metrô, e ninguém pensa muito sobre isso. Mas num elevador essa atitude seria muito esquisita, como se a outra pessoa tivesse violado alguma regra — mesmo que nunca tenha ocorrido a você que essa regra existia até aquele momento. E o que dizer das regras que seguimos ao ultrapassar alguém na calçada, segurar a porta para o outro passar, formar fila na padaria, reconhecer o direito de outra pessoa ao primeiro táxi que chega, fazer apenas o contato visual estritamente necessário com motoristas ao passar por um cruzamento movimentado, e, em geral, respeitar os demais seres humanos ao mesmo tempo que garantimos nosso direito de usufruir nossos tempo e espaço?

Não importa onde vivemos, nossa vida é guiada e modelada por regras que não estão escritas em nenhum lugar — tantas delas, na verdade, que não poderíamos registrar todas se tentássemos. Contudo, esperamos que pessoas razoáveis conheçam todas. Para complicar ainda mais, também esperamos que pessoas razoáveis saibam quais das diversas regras que *foram* registradas podem ser ignoradas. Quando terminei a escola, por exemplo, ingressei na Marinha e passei os quatro anos seguintes completando meu treinamento na Academia de Defesa Australiana. Naquela época, a academia era um lugar intenso, repleto de instrutores gritando ordens, sessões de abdominais antes do nascer do sol, corridas carregando rifles sob a chuva forte e, é claro, muitas e muitas regras. A princípio essa nova vida parecia bizarramente complicada e confusa. Entretanto, logo aprendemos que mesmo que algumas dessas regras fossem importantes, passíveis de serem ignoradas por sua conta e risco, muitas eram reforçadas com algo como uma piscadela e um aceno de cabeça. Não que as punições não fossem severas. Poderíamos facilmente ser condenados a marchar sete dias por causa de alguma infração pequena como chegar atrasado a uma reunião ou ter alguma dobra na coberta da cama. Mas o que devemos compreender (apesar de nunca poder admitir que compreendemos, é claro) é que a vida na academia era mais um jogo que vida real. Às vezes vencíamos, às vezes perdíamos, e neste caso, íamos parar na quadra de exercícios; mas independentemente do que acontecesse, não deveríamos levar para o lado pessoal. E sem dúvida, após cerca de seis meses de adaptação, situações que teriam nos apavorado na chegada pareciam completamente naturais — e então era o resto do mundo que parecia estranho.

Todos já tivemos experiências como essa. Talvez não tão extremas quanto a academia militar — uma experiência que, vinte anos depois, às vezes me parece ter acontecido em outra vida. Mas seja aprender a se encaixar em uma nova escola, ou aprender a rotina em um novo emprego, ou a viver em outro país, todos tivemos de aprender a negociar com novos ambientes que a princípio pareceram estranhos, intimidadores e cheios de regras que não entendíamos, mas que após certo tempo tornaram-se familiares. Muitas vezes as regras formais — aquelas que foram registradas — são menos importantes que as informais, as quais, como a regra dos assentos do metrô, podem nem ser articuladas até que as quebremos. Do mesmo modo, regras que de fato conhecemos podem não ser cumpridas, ou podem ser cumpridas às vezes, dependendo de outra que não conhecemos. Quando pensamos em como esses jogos da vida podem ser complexos, parece incrível que sejamos capazes de jogar todos eles. No entanto, do mesmo modo que crianças aprendem um novo idioma aparentemente por osmose, aprendemos a navegar entre os mais complicados ambientes sociais meio que sem saber que estamos fazendo isso.

A peça miraculosa da inteligência humana que nos habilita a solucionar esses problemas é o que chamamos de senso comum. É um conceito muito banal quando nos falta, mas é absolutamente essencial para funcionarmos em nosso dia a dia. É por ele que sabemos o que vestir quando vamos trabalhar de manhã, como nos comportar na rua ou no metrô e como manter relações harmoniosas com amigos e colegas de trabalho. Ele nos diz quando obedecer às regras, quando sutilmente as ignorar e quando nos levantar e desafiá-las. É a essência da inteligência social, e também está profundamente enraizado em nosso sistema legal, na filosofia política e no treinamento profissional.

Para algo a que nos referimos tantas vezes, porém, o senso comum é extremamente difícil de descrever.[3] Falando grosseiramente, é o conjunto pouco organizado de fatos, observações, experiências, revelações e gotas de sabedoria adquirida que cada um de nós acumula ao longo da vida, na trajetória de encontros, enfrentamentos e aprendizados das situações rotineiras. No entanto, o termo tende a resistir a uma classificação fácil. Alguns dos conhecimentos do senso comum são bastante generalizantes por natureza — o que o antropólogo americano Clifford Geertz chamou de "emaranhado de práticas recebidas, crenças aceitas, julgamentos habituais e emoções que não foram ensinadas".[4] Mas o senso comum pode também se referir a um conhecimento mais especializado, como o da rotina de trabalho de um profissional — um médico, um advogado ou um engenheiro —, que se desenvolve ao longo de anos de treinamento e experiência. Em seu discurso no encontro anual da Sociedade Americana de Sociologia em Chicago, em 1946, Carl Taylor, o então presidente da associação, definiu como ninguém:

> Por senso comum eu me refiro ao conhecimento que detêm aqueles que vivem em meio a e são parte de situações e processos sociais que sociólogos tentam compreender. O termo assim utilizado pode ser sinônimo de conhecimento popular, ou pode ser o conhecimento de engenheiros, políticos, daqueles que buscam e publicam notícias, ou de qualquer um cujo trabalho exija a interpretação e a previsão do comportamento de pessoas e grupos.[5]

A definição de Taylor chama atenção para duas características que parecem diferenciar esse conceito de outros tipos de conhecimento humano, como a ciência e a matemática. A primeira dessas características é que, ao contrário dos sistemas formais de conhecimento, que são fundamentalmente teóricos, ele é predominantemente *prático*, o que significa que se concentra mais em encontrar respostas para perguntas do que em investigar como se chegou a essas respostas. Na perspectiva do senso comum, é suficiente saber que algo é verdadeiro ou que é assim que as coisas acontecem. Ninguém precisa saber o porquê para desfrutar do conhecimento, e talvez até seja melhor que não nos preocupemos muito com isso. Em contraste com o conhecimento teórico, em outras palavras, o senso comum não reflete sobre o mundo; em vez disso, tenta lidar com o mundo simplesmente "como ele é".[6]

A segunda característica que o diferencia do conhecimento formal é que enquanto o poder dos sistemas formais reside em sua habilidade de organizar suas descobertas específicas em categorias lógicas descritas por princípios gerais, o poder do senso comum está em sua habilidade de lidar com cada situação concreta em particular. Por exemplo, é uma questão de senso comum saber que o que vestimos ou dizemos na frente de nosso chefe será diferente da maneira como nos comportamos diante de amigos, de nossos pais, dos amigos de nossos pais ou dos pais de nossos amigos. Mas enquanto um sistema formal de conhecimento tentaria descrever o comportamento apropriado em todas essas situações a partir de uma única lei generalizante, o senso comum apenas "sabe" o que é apropriado fazer em cada situação em particular, sem saber como sabe disso.[7] É em grande parte por essa razão que o conhecimento do senso comum se mostrou tão difícil de ser replicado em computadores — porque, em contraste com o conhecimento teórico, ele requer um número relativamente grande de regras para lidar até mesmo com um número pequeno de casos especiais. Digamos, por exemplo, que você queira programar um robô para circular no metrô. Parece uma tarefa relativamente simples. Mas como você logo descobrirá, até mesmo um único componente dessa tarefa, como a "regra" que nos impede de pedir o assento de outra pessoa, acaba dependendo de uma variedade complexa de outras regras — relativas à organização dos assentos no metrô em particular, ao comportamento educado em público de forma geral, à vida em cidades grandes e a normas gerais de cortesia, generosidade, justiça e propriedade — que, à primeira vista, parecem ter pouco a ver com a regra em questão.

Tentativas de formalizar esse conhecimento encontraram versões diferentes do problema: para ensinar a um robô imitar mesmo uma variedade pequena de comportamentos humanos, seria preciso, de certa forma, ensinar a ele *tudo* sobre o mundo. Sem isso, as distinções sutis e intermináveis entre as coisas que importam, as coisas que deveriam importar mas não importam e as coisas que importam ou não dependendo de outros fatores acabariam sempre confundindo até mesmo o mais sofisticado dos robôs. Assim que ele se encontrasse em uma situação minimamente diferente daquela com que foi ensinado a lidar, o robô não teria ideia de como agir. Ele seria como um disco arranhado. Estaria sempre fazendo besteira.[8]

As pessoas que não partilham do senso comum são um pouco como o robô infeliz, pois nunca parecem compreender ao que deveriam estar prestando atenção, e nunca parecem compreender o que é que não entendem. E exatamente pela mesma razão que torna difícil programar robôs, é incrivelmente trabalhoso explicar a alguém que não partilha do senso comum o que ele está fazendo de errado. Podemos recapitular todas as vezes em que a pessoa falou ou fez a coisa errada, e talvez ela consiga evitar cometer exatamente o mesmo erro de novo. Mas assim que algo se mostre diferente, ela estará de volta à estaca zero. Tivemos alguns cadetes assim na academia: mesmo sendo perfeitamente inteligentes e competentes, não conseguiam descobrir como jogar o jogo. Todos sabiam quem eles eram, e todos podiam ver que eles simplesmente não entendiam. Mas como não era exatamente claro o que é que eles não tinham entendido, não podíamos ajudá-los. Desorientados e oprimidos, a maioria deles abandonou a academia.

Comum coisa nenhuma

Por mais extraordinário que seja, o senso comum exibe algumas peculiaridades misteriosas, sendo uma das mais curiosas sua mudança ao longo do tempo e de uma cultura para outra. Há muitos anos, por exemplo, um empreendedor grupo de economistas e antropólogos decidiu testar como culturas diferentes jogam um tipo específico de jogo chamado jogo do ultimato. Funciona mais ou menos assim: primeiro, duas pessoas são escolhidas e cada uma delas recebe cem dólares. Essa pessoa deve, então, propor uma divisão do dinheiro com o outro jogador escolhido, divisão essa que pode ir desde dar ao outro todo o dinheiro até não dar nada. O outro jogador, por sua vez, pode aceitar a proposta ou rejeitá-la. Se aceita a proposta, os dois recebem o que foi oferecido ao primeiro e ambos seguem tranquilamente seu caminho. Mas se o segundo rejeita a oferta, nenhum deles fica com o dinheiro; eis o "ultimato".

Em centenas de experimentos como esse realizados em sociedades industrializadas, pesquisadores já haviam demonstrado que a maioria dos jogadores propõe uma divisão meio a meio e que ofertas menores de trinta dólares costumam ser rejeitadas. Os economistas acham esse comportamento surpreendente, pois entra em conflito com a noção típica de racionalidade econômica. Até mesmo um dólar, segundo essa lógica, é melhor que nada, então, segundo uma perspectiva estritamente racional, o segundo jogador deveria aceitar qualquer oferta acima de zero. E, sabendo disso, o primeiro jogador, sendo racional, deveria oferecer o mínimo possível — ou seja, um dólar. É claro que se refletirmos um momento veremos por que as pessoas jogam da maneira que jogam — porque não parece justo explorar uma situação apenas porque você pode. Diante da proposta de menos de um terço do dinheiro, portanto, as pessoas optam por rejeitar uma soma substancial de dinheiro para ensinar uma lição aos mesquinhos. E, prevendo essa reação, a tendência é propor o que se acredita que será considerado uma divisão justa.

Se sua reação a essa descoberta revolucionária é dizer que os economistas precisam sair um pouco do seu mundo, você não está sozinho. Se algo aqui parece senso comum, é que as pessoas se preocupam com justiça e também com dinheiro — às vezes até mais com a justiça do que com dinheiro. Mas quando os pesquisadores aplicaram o jogo em pequenas quinze sociedades pré-industriais em cinco continentes, descobriram que pessoas em diferentes sociedades têm ideias muito diferentes do que é justo. Em um extremo, na tribo Machiguenga, do Peru, tendeu-se a oferecer apenas um quarto do valor total, e quase nenhuma oferta era rejeitada. No outro extremo, nas tribos Au e Gnau, da Papua Nova Guiné, geralmente propunham dar ao outro mais que a metade, entretanto, surpreendentemente, essas ofertas "hiperjustas" em geral eram rejeitadas tanto quanto as injustas.[9]

O que explica essas diferenças? Na verdade, as tribos Au e Gnau têm costumes muito antigos de troca de presentes, de modo que receber um presente obriga a pessoa a dar algo em troca no futuro. Por não haver nenhum equivalente do jogo do ultimato nas sociedades Au ou Gnau, elas simplesmente enxergaram a nova interação de acordo com a troca social mais similar que conhecia — nesse caso, a troca de presentes — e responderam de acordo. Assim, o que poderia parecer dinheiro sem esforço para um ocidental era uma obrigação indesejada para os membros da Au ou da Gnau. Já os machiguenga vivem em uma sociedade na qual o único tipo de relacionamento que pressupõe lealdade é aquele que se tem com parentes. Dessa forma, ao jogarem o jogo do ultimato com um desconhecido, os machiguenga — novamente encarando o desconhecido pela lógica do conhecido — não se viram obrigados a fazer ofertas justas, e experimentaram muito pouco do ressentimento que um ocidental experimentaria ao receber a oferta de uma divisão evidentemente desigual. Para eles, mesmo as ofertas baixas eram vistas como bom negócio.

Uma vez que compreendemos essas características das culturas au, gnau e machiguenga, seu comportamento intrigante começa a parecer inteiramente lógico — até mesmo senso comum. E é exatamente isso. Assim como entendemos a justiça e a reciprocidade como princípios do senso comum em nosso mundo que, de maneira geral, devem ser respeitados e defendidos quando violados sem uma boa razão, também os membros dessas quinze sociedades pré-industriais têm o próprio conjunto implícito de entendimentos sobre a maneira como o mundo deve funcionar. Esses entendimentos podem ser diferentes dos nossos. Mas uma vez aceitos, sua lógica do senso comum funciona da mesma maneira que a nossa. É simplesmente o que qualquer pessoa racional faria se tivesse crescido naquela cultura.

O que esses resultados revelam é que o senso comum é "comum" apenas enquanto duas pessoas dividem experiências sociais e culturais suficientemente similares. O senso comum, em outras palavras, depende daquilo que o sociólogo Harry Collins chama de conhecimento coletivo tácito, o que significa que ele está codificado nas normas sociais, nos costumes e nas práticas do mundo.[10] De acordo com Collins, a aquisição desse tipo de conhecimento se dá apenas quando participamos da própria sociedade — e é por essa razão que é tão difícil ensiná-lo para máquinas. Mas isso também significa que, mesmo entre humanos, o que parece lógico para um soa curioso, bizarro ou até mesmo repugnante, para outro. Por exemplo, como o antropólogo Clifford Geertz descreve, o tratamento destinado a crianças hermafroditas variou drasticamente em diferentes épocas e culturas. Os romanos abominavam e matavam-nas; os gregos toleravam-nas; os navajos reverenciavam-nas; e a tribo Pokot do oeste africano entendia-as simplesmente como "enganos", que deveriam ser mantidos por perto ou descartados da mesma maneira que poderiam guardar ou jogar fora uma vasilha lascada.[11] Da mesma forma, práticas como a escravidão humana, sacrifícios, canibalismo, amarração de pés e mutilação da genitália feminina, que são rejeitadas na maior parte das culturas contemporâneas, foram todas (e, em alguns casos, ainda são) consideradas inteiramente legítimas em diferentes épocas e lugares.

Outra importante consequência da natureza socialmente incorporada ao senso comum é que discordâncias acerca desse tema podem ser surpreendentemente difíceis de resolver. Por exemplo, pode parecer extraordinário para pessoas que cresceram com a impressão de que Nova York é uma fossa de altos índices de criminalidade, ou uma cidade fria, dura e cheia de pessoas em quem você não pode confiar, que, de acordo com uma matéria recentemente publicada, haja uma pequena região em Manhattan na qual os moradores não trancam suas portas. Como o artigo deixa claro, a maioria das pessoas da cidade pensa que "essa gente que não tranca a porta" é maluca. Como disse uma das entrevistadas: "Eu moro em um arranha-céu com porteiro, estou aqui há quinze anos e nunca fiquei sabendo de roubo nenhum no prédio. Mas uma coisa não tem absolutamente nada a ver com a outra — é senso comum [trancar a porta de casa]." No entanto, a única coisa que parece chocante para as pessoas que não trancam suas portas é alguém ficar chocado com isso.[12]

O mais curioso dessa história é que a linguagem das pessoas envolvidas replica quase perfeitamente as experiências de Geertz, que notou em seu estudo sobre feitiçaria em Java que "quando a família inteira de um garoto javanês contou que a razão para ele ter caído de uma árvore e quebrado a perna era porque o espírito de seu finado avô o havia empurrado, já que um ritual em homenagem ao parente morto tinha sido esquecido; isso, até onde eles sabem, é o começo, o meio e o fim do problema: é precisamente o que eles pensam que aconteceu, e eles ficaram perplexos apenas com minha perplexidade diante da falta de perplexidade deles". Discordâncias acerca de questões do senso comum, em outras palavras, são difíceis de resolver porque não está claro para nenhum dos lados sobre quais bases alguém pode minimamente conduzir uma discussão racional. Seja um antropólogo ocidental discutindo feitiçaria com tribos pré-industriais na Indonésia, sejam habitantes de Nova York discordando acerca de fechaduras de portas, ou seja o NRA discordando da Brady Campaign acerca dos tipos de armas que os americanos deveriam estar autorizados a comprar, quando se acredita ser uma questão de senso comum, as pessoas acreditam com certeza absoluta. Elas ficam perplexas apenas com o fato de outras pessoas discordarem.[13]

Algumas reservas

O fato de o que é evidente por si só para uma pessoa poder parecer tolo para outra pode nos dar a oportunidade de refletir sobre a confiabilidade do senso comum como base para compreender o mundo. Como podemos estar confiantes de que aquilo em que acreditamos é o certo quando outra pessoa está tão convencida quanto nós de que aquilo está errado — especialmente quando não conseguimos articular as razões para estarmos certos? É claro, podemos sempre tachá-las de loucas ou ignorantes, ou coisa do tipo, e assim dizer que elas não são dignas de nossa atenção. Mas quando entramos nesse caminho, fica cada vez mais difícil justificar as razões de nós mesmos acreditarmos no que fazemos. Considere, por exemplo, que desde 1996 o apoio do público em geral para a permissão do casamento entre pessoas do mesmo sexo quase duplicou, passando de 25% para 45%.[14] Presumivelmente, aqueles que mudaram de opinião de lá para cá não pensam que os favoráveis à ideia há quatorze anos eram loucos, mas certamente pensam que estavam errados. Então, se algo que parecia tão óbvio acabou se revelando errado, o que mais que acreditamos ser evidente agora vai nos parecer errado no futuro?

Quando começamos a analisar nossas crenças, de fato torna-se cada vez mais obscuro como as várias crenças que defendemos em um dado momento se encaixam. A maioria das pessoas, por exemplo, considera sua visão sobre política derivada de uma única e coerente visão do mundo: "Sou um liberal moderado" ou "Sou um conservador teimoso", e por aí vai. Se isso fosse verdade, entretanto, era de esperar que as pessoas que se identificassem como liberais tendessem a defender a perspectiva "liberal" na maioria das questões, e que os conservadores defendessem uma visão de fato distinta. Ainda assim, pesquisas revelaram que embora as pessoas se identificassem como liberais ou conservadoras, o que elas pensam acerca de uma questão — digamos, o aborto — tem relativamente pouca relação com aquilo em que elas acreditam sobre outras questões, como a pena de morte ou a imigração ilegal. Em outras palavras, temos a impressão de que nossas crenças particulares são todas derivadas de alguma filosofia abrangente, mas a realidade é que chegamos a elas mais ou menos de forma independente e, por vezes, desorganizada.[15]

A mesma dificuldade de reconciliar o que individualmente parecem ser crenças autoevidentes aparece com mais clareza nos provérbios que invocamos para entender o mundo. Como os sociólogos adoram apontar, muitos desses provérbios parecem contraditórios entre si. Todos somos farinha do mesmo saco, mas os opostos se atraem. É certo que o que está longe dos olhos está perto do coração, mas o que os olhos não veem o coração não sente. Pense duas vezes antes de agir, mas quem pensa demais vive de menos. Mas isso não é necessariamente uma contradição, pois invocamos diferentes provérbios em diferentes circunstâncias. Mas como nunca especificamos as condições sob as quais um provérbio se aplica e outro não, não temos como descrever o que realmente pensamos ou por que pensamos. Em outras palavras, o senso comum não é tanto uma visão do mundo quanto é um saco de crenças logicamente inconsistentes, por vezes contraditórias, cada qual parecendo apropriada em um momento, mas sem garantias de que estará certa em qualquer outro instante.

O mau uso do senso comum

A natureza fragmentária, inconsistente e até mesmo contraditória, por si só, do senso comum não costuma ser um problema em nosso dia a dia. Isso porque o dia a dia é dividido em pequenos problemas, fundados sobre contextos muito específicos que podemos resolver mais ou menos independentemente uns dos outros. Sob tais circunstâncias, conseguir conectar nossos processos de pensamento de maneira lógica não é de fato o objetivo. Não importa realmente que aquilo que está longe dos olhos permanece perto do coração em uma situação, e que o que os olhos não veem o coração não sente em outra. Em qualquer situação sabemos o que queremos ressaltar, ou a decisão que queremos defender, e escolhemos a sabedoria do senso comum que seja apropriada para se aplicar a cada momento. Se tivéssemos que explicar como todas as nossas explicações, nossas atitudes e nossas crenças do senso comum se encaixam, acabaríamos nos deparando com todo tipo de inconsistência e contradições. Mas como nossa experiência de vida raramente nos obriga a isso, não importa realmente como tal tarefa poderia ser difícil.

Isso começa a importar, porém, quando usamos o senso comum para resolver problemas que *não* estão fundamentadas no aqui e agora imediatos da vida cotidiana, problemas que envolvem a antecipação ou o gerenciamento do comportamento de um grande número de pessoas, em situações que estão distantes de nós no tempo ou no espaço. Pode parecer algo incomum a se fazer, mas na verdade é o que fazemos o tempo todo. Toda vez que lemos um jornal e tentamos entender os eventos que estão acontecendo em outros países — o conflito entre Israel e Palestina, a insurgência no Iraque ou o conflito, ao que parece, eterno no Afeganistão —, implicitamente estamos usando nossa lógica do senso comum para inferir sobre as causas e explicações dos eventos sobre os quais lemos. Toda vez que formamos uma opinião sobre a reforma do sistema financeiro ou a política de saúde pública, estamos implicitamente usando nossa lógica do senso comum para especular sobre como diferentes regras e incentivos vão afetar o comportamento dos envolvidos. E toda vez que discutimos sobre política, economia ou direito, estamos implicitamente usando nossa lógica do senso comum para chegar a conclusões sobre como a sociedade será afetada por alguma política ou proposta que esteja sendo debatida.

Em nenhum desses casos estamos usando o senso comum para refletir sobre como devemos nos comportar aqui e agora. Em vez disso, estamos usando-o para refletir sobre como outras pessoas comportaram-se — ou vão se comportar — em circunstâncias sobre as quais temos, na melhor das hipóteses, um entendimento incompleto. Em algum nível, entendemos que o mundo é complicado e que tudo está, de alguma forma, ligado. Mas quando lemos alguma matéria sobre a reforma do sistema de saúde pública, sobre os lucros dos banqueiros ou sobre os conflitos entre Israel e Palestina, não tentamos entender como esses diferentes problemas se encaixam. Apenas nos focamos em um pequenino pedaço da enorme tapeçaria subjacente ao mundo que está sendo apresentado a nós naquele momento, e formamos nossa opinião em conformidade. Dessa maneira, podemos virar as páginas do jornal enquanto tomamos nosso café pela manhã e desenvolver vinte diferentes opiniões sobre vinte diferentes tópicos sem esforço. É apenas senso comum.

Podem não importar muito, é claro, as conclusões às quais os cidadãos comuns chegam sobre o estado do mundo na privacidade de suas casas, baseadas no que eles leem no jornal ou discutem com os amigos. Portanto, não importa muito que a maneira como raciocinamos sobre os problemas do mundo seja pouco adequada à natureza dos próprios problemas. Mas cidadãos comuns não são os únicos a aplicar a lógica do senso comum a problemas sociais. Quando políticos se sentam com o propósito de, digamos, elaborar algum projeto para diminuir a pobreza, eles invariavelmente confiam em suas próprias ideias do senso comum sobre as razões para pessoas pobres serem pobres e, assim, como melhor ajudá-las. Assim como todas as explicações do senso comum, é provável que todos tenham as próprias opiniões, e que essas opiniões sejam logicamente inconsistentes ou mesmo contraditórias. Alguns podem acreditar que as pessoas são pobres porque lhes faltam certos valores necessários de trabalho e planejamento financeiro, enquanto outros podem pensar que elas são geneticamente inferiores, e outras ainda poderão atribuir sua falta de riqueza à falta de oportunidades, a sistemas deficientes de assistência social ou a outros fatores do ambiente dessas pessoas. Todas essas crenças vão levar a diferentes soluções propostas, algumas das quais podem não estar certas. No entanto, políticos com poderes para aprovar planos abrangentes que afetarão milhares ou milhões de pessoas não são menos tentados a confiar em sua intuição sobre as causas da pobreza do que o cidadão comum que lê o jornal.

Um breve olhar sobre a história sugere que, quando o senso comum é usado fora do cotidiano, ele pode falhar espetacularmente. Como o cientista político James Scott escreveu em *Seeing Like a State*, o fim do século XIX e o início do século XX foram caracterizados pela crença otimista e generalizada, por parte de engenheiros, arquitetos, cientistas e tecnocratas do governo, de que os problemas da sociedade poderiam ser resolvidos da mesma forma que os problemas da ciência e da engenharia foram resolvidos durante o Iluminismo e a Revolução Industrial. De acordo com esses "altos modernistas", o desenho das cidades, a administração de recursos naturais, até mesmo o gerenciamento de toda uma economia estavam todos sob o escopo do planejamento "científico". Como um dos indiscutíveis papas do modernismo, o arquiteto Le Corbusier, escreveu em 1923, "o plano é gerador; sem ele, a pobreza, a desordem e a rebeldia reinarão supremas".[16]

Naturalmente, os altos modernistas não descreveram o que estavam fazendo como um exercício de uso do senso comum, preferindo, em vez disso, disfarçar suas ambições com a linguagem da ciência. Mas, como Scott aponta, essa aura científica era uma ilusão. Na verdade, não havia nenhuma ciência do planejamento — apenas as opiniões de planejadores individuais que confiaram em sua intuição para especular sobre como seus planos funcionariam no mundo real. Ninguém duvida de que homens como Le Corbusier eram pensadores brilhantes e originais. No entanto, os resultados de seus planos, como a coletivização soviética ou o planejamento de Brasília, foram por vezes desastrosos; e alguns deles, como a engenharia social do nazismo ou o *apartheid* na África do Sul, são agora considerados grandes males do século XX. Além disso, mesmo quando esses planos tiveram de fato sucesso, por vezes isso aconteceu apesar dos próprios planos, pois indivíduos em sua base descobriram maneiras de criar um resultado razoável ignorando, contornando ou mesmo minando as orientações.[17]

Em retrospectiva, pode parecer que os fracassos do alto modernismo — sejam economias ou cidades centralmente planejadas — são coisa do passado, produto de uma crença inocente e simplista na ciência que já foi superada. Contudo, políticos, burocratas e arquitetos continuam a cometer essencialmente o mesmo erro o tempo todo. Como o economista William Easterly argumentou, a comunidade de ajuda estrangeira foi dominada nos últimos cinquenta anos, pelo menos, por organizações burocráticas, geridas por pessoas poderosas cujas ideias sobre o que deve e não deve funcionar inevitavelmente desempenham um grande papel na determinação de como os recursos serão usados. Assim como os altos modernistas que o precederam, esses "empreendedores", como o Ocidente os chama, são pessoas bem-intencionadas, inteligentes e muitas vezes devotas apaixonadas da tarefa de ajudar as pessoas do mundo em desenvolvimento. No entanto, apesar dos trilhões de dólares que os empreendedores dedicaram ao desenvolvimento econômico, há, surpreendentemente, poucas evidências de que os beneficiários estão em melhor situação.[18]

Numa realidade mais próxima e mais ou menos do mesmo período, urbanistas nos Estados Unidos repetidamente tentaram "solucionar" o problema da pobreza urbana e repetidamente fracassaram. Como a jornalista e ativista urbana Jane Jacobs apontou há cinquenta anos, "há um mito melancólico que diz que se ao menos tivéssemos dinheiro suficiente — o mito gira em torno de centenas de bilhões de dólares —, poderíamos nos livrar de todos os nossos bairros miseráveis em dez anos... Mas veja o que construímos com nossos primeiros bilhões: projetos de baixo custo que se tornaram centros de delinquência, vandalismo e desesperança social ainda piores que os bairros miseráveis que deveriam substituir".[19] É irônico que ao mesmo tempo que Jacobs chegou a essa conclusão, começaram as obras da Robert Taylor Homes em Chicago, o maior projeto de habitação pública já construído. E certamente, como o sociólogo Sudhir Venkatesh descreve em *American Project*, o que começou como um nobre e cuidadosamente pensado plano para ajudar famílias — em sua maioria afro-americanas — moradoras dos centros urbanos a ascender à classe média tornou-se uma derrocada de edifícios em ruínas, apartamentos e parquinhos superlotados, concentração de pobreza e, por fim, violência de gangues.[20]

A natureza fragmentária dos planos em larga escala de desenvolvimento econômico e urbano torna-os especialmente propensos ao fracasso, mas muitas das mesmas críticas foram feitas aos planos do governo para melhorar a educação pública, reformar os serviços de saúde, gerenciar os recursos públicos, planejar a regulamentação local ou decidir sobre a política externa.[21] Tampouco são os governantes os únicos a sofrer com o extremo fracasso dos planos. Corporações raramente são tão grandes quanto governos, por isso seus fracassos tendem a não atrair o mesmo tipo de escrutínio — apesar de o quase colapso do sistema financeiro entre 2008 e 2009 ter chegado perto disso. Além disso, há bem mais corporações que governos, logo, é sempre possível encontrar histórias de sucesso, perpetuando assim a ideia de que o setor privado é melhor em planejamento do que o Estado. Mas conforme um grupo de pesquisadores de gerenciamento demonstrou recentemente, planos corporativos — sejam apostas estratégicas, fusões e aquisições ou campanhas de marketing — também falham, e com frequência, muitas vezes pelas mesmas razões que os planos governamentais.[22] Ou seja, em todos esses casos, um número pequeno de pessoas sentadas em salas de conferência está usando sua intuição do senso comum para prever, gerenciar ou manipular o comportamento de milhares ou milhões de pessoas distantes e diversas cujas motivações e circunstâncias são muito diferentes das suas.[23]

A ironia disso tudo é que mesmo quando observamos os erros de políticos, planejadores e outros, nossa reação não é criticar o senso comum, e sim exigir mais dele. Por exemplo, no Fórum Mundial Econômico em Davos, no início de 2009, durante o período mais sombrio da crise financeira global, um homem indignado, na plateia, anunciou: "O que precisamos agora é recuperar o senso comum!" É uma ideia atraente, que provocou muitos aplausos naquele momento, mas não pude deixar de me perguntar o que foi que ele quis dizer com isso. Afinal, dois anos antes, na reunião de Davos de 2007, um grupo mais ou menos igual de empresários, políticos e economistas estava parabenizando uns aos outros por ter gerado níveis surpreendentes e sem precedentes de riqueza e estabilidade no setor financeiro. Será que ninguém suspeitou que eles houvessem de alguma forma esquecido o senso comum? Se não, como exatamente poderia ser de alguma ajuda recuperá-lo? Na verdade, o que a história das crises financeiras, seja antes ou depois do advento das transações altamente informatizadas, deveria nos ensinar é que — como a verdade na guerra — é o senso comum, e não modelos de computador, a primeira vítima de um afobamento financeiro.[24] O mesmo acontece com as falhas na política, nos negócios e no marketing. As coisas ruins não acontecem porque esquecemos de recorrer ao senso comum, mas porque a sua incrível eficácia na resolução dos problemas da vida cotidiana nos leva a colocar mais fé nele do que ele pode suportar.

Intuição demais

Mas se o senso comum é tão ruim para se lidar com fenômenos sociais complexos como conflitos políticos, planos econômicos da saúde pública ou campanhas de marketing, por que seus defeitos não são óbvios para nós? Afinal, no que diz respeito ao mundo científico, também usamos muito nossa intuição para solucionar problemas do dia a dia — pensem em toda a ciência intuitiva necessária para perseguir e agarrar uma bola de beisebol. Mas, diferentemente do mundo social, aprendemos ao longo do tempo que nossa "ciência do senso comum" pode facilmente se enganar. Por exemplo, o senso comum diz que objetos pesados caem com a força da gravidade. Mas considere o seguinte: um homem está parado num terreno plano; ele segura uma bala na mão esquerda e uma pistola carregada com uma bala idêntica na mão direita. Segurando tanto a pistola quanto a bala na mesma altura, ele simultaneamente dispara a arma e solta a bala. Qual das balas vai chegar ao chão primeiro? As noções básicas de ciência que aprendemos no ensino médio dirão que, na verdade, as duas chegarão ao chão exatamente no *mesmo* momento. Mas mesmo sabendo disso, é difícil não pensar que a bala da arma não é de alguma maneira mantida no ar por mais tempo devido a sua velocidade.

O mundo da física está repleto de exemplos como esse, que desafiam a lógica do senso comum. Por que quando desce pelo ralo a água do vaso sanitário forma espirais que giram para um lado no hemisfério norte e para o outro no hemisfério sul? Por que vemos mais estrelas cadentes depois da meia-noite? Quando cubos de gelos que flutuam na água derretem no copo, o nível da água sobe ou desce? Mesmo que você entenda a física por trás de algumas dessas questões, ainda assim é fácil errar, e elas não são nada comparadas aos fênomenos realmente estranhos da mecânica quântica e da relatividade. Porém, por mais frustrante que isso seja para os estudantes de física, a quantidade de vezes que o senso comum nessa área nos engana traz uma grande vantagem para a civilização humana: o impulso a fazer ciência. Na ciência, aceitamos que se quisermos descobrir como o mundo funciona, precisamos testar nossas teorias com observações cuidadosas e experimentos, e só então confiar nos dados, não importando o que nossa intuição nos diz. E por mais trabalhoso que possa ser, o método científico é responsável por essencialmente todos os avanços que a humanidade fez nos últimos séculos na compreensão do mundo natural.

Mas no que diz respeito ao mundo humano, onde nossa intuição nua e crua funciona tão melhor do que na física, raramente temos necessidade de usar o método científico. Por exemplo: por que a maioria dos grupos humanos é tão homogênea em termos de raça, nível de educação e até mesmo gênero? Por que algumas coisas se tornam populares e outras não? Quanto a mídia influencia a sociedade? Ter mais opções é melhor ou pior? Os impostos realmente estimulam a economia? Cientistas sociais não se cansam de ficar perplexos com essas questões, e ainda assim muitas pessoas acham que são capazes de elaborar explicações perfeitamente satisfatórias. Todos temos amigos, a maioria de nós trabalha, e de forma geral todos compramos coisas, votamos e assistimos à TV. Estamos constantemente imersos na economia, na política e na cultura, e assim estamos familiarizados com seu funcionamento — ou pelo menos é o que pensamos. Diferentemente dos problemas na física, na biologia etc., quando o tópico é o comportamento humano ou social, portanto, a ideia de conduzir estudos "científicos" caros e demorados para descobrir aquilo que mais ou menos já sabemos parece totalmente desnecessária.

Como o senso comum nos engana

Sem dúvida, a experiência de participar do mundo social facilita muito nossa habilidade de entendê-lo. Se não fosse pelo conhecimento íntimo de nosso processo de pensamento, somado às inúmeras observações de palavras, ações e explicações dos outros — tanto vivenciadas pessoalmente quanto aprendidas por via de terceiros —, os vastos intrincamentos do comportamento humano poderiam muito bem ser impenetráveis. No entanto, a combinação de intuição, experiência e sabedoria recebida, nas quais nos baseamos para gerar explicações de senso comum sobre o mundo social, também disfarçam alguns erros de raciocínio que são tão sistemáticos e generalizados quanto os erros da física do senso comum. A primeira parte deste livro dedica-se a explorar esses erros, que se dividem em três grandes categorias.

O primeiro tipo de erro é que quando pensamos sobre as razões para as pessoas fazerem o que fazem, invariavelmente nos focamos em fatores como incentivos, motivações e crenças, sobre as quais estamos conscientemente alertas. Por mais sensível que possa parecer, décadas de pesquisa em psicologia e ciência cognitiva têm demonstrado que essa visão do comportamento humano abrange apenas a ponta do iceberg proverbial. Não nos ocorre, por exemplo, que a música tocando ao fundo pode influenciar nossa escolha de qual vinho comprar na loja de bebidas, ou que a origem de certa enunciação pode torná-la mais ou menos crível; então não levamos esses fatores em consideração na antecipação da maneira como as pessoas vão reagir. Mas eles têm, sim, bastante importância, assim como outros fatores aparentemente triviais ou irrelevantes. Na verdade, como veremos, é provável que seja impossível prever tudo o que pode ser relevante em uma situação específica. O resultado é que por mais cuidado que tenhamos ao nos colocar no lugar de outra pessoa, tendemos a cometer erros graves ao prever como ela vai se comportar em circunstâncias diferentes do aqui e agora.

Se o primeiro tipo de erro do senso comum são as falhas sistemáticas de nosso modelo mental de comportamento individual, o segundo tipo é ter um modelo mental de comportamento coletivo ainda pior. O problema básico, nesse caso, é que sempre que as pessoas se reúnem em grupos — seja em eventos sociais, locais de trabalho, organizações voluntárias, mercados, partidos políticos ou mesmo enquanto sociedades inteiras —, elas interagem umas com as outras, dividindo informações, espalhando rumores, fazendo recomendações, comparando-se com os amigos, parabenizando e criticando o comportamento uns dos outros, aprendendo com a experiência alheia e, de forma geral, influenciando mutuamente as perspectivas sobre o que é bom e ruim, barato e caro, certo e errado. Conforme os sociólogos têm discutido há muito tempo, essas influências acumulam-se de formas inesperadas, gerando um comportamento coletivo que é "emergente" no sentido de que ele não pode ser entendido somente em termos de seus componentes. Diante de tal complexidade, entretanto, as explicações do senso comum instintivamente retornam à lógica das ações individuais. Por vezes invocamos "indivíduos representativos" fictícios, como "o povo", "o mercado", "os trabalhadores" ou "o eleitorado", cujas ações representam as ações e interações de todo um grupo. E por vezes destacamos "pessoas especiais", como líderes e visionários, ou "influências", a quem atribuímos toda a ação. Seja qual for o truque que usamos, porém, o resultado é que nossas explicações sobre o comportamento coletivo se sobrepõem àquilo que está realmente acontecendo.

O terceiro e último tipo de problema da lógica do senso comum é que aprendemos menos com a história do que imaginamos, e que essa falsa ilusão, por sua vez, afeta nossa percepção do futuro. Sempre que algo interessante, dramático ou terrível acontece — mocassins tornam-se populares novamente, um livro de um autor desconhecido é sucesso de vendas internacional, a bolha do mercado imobiliário estoura ou terroristas jogam aviões contra o World Trade Center —, instintivamente procuramos explicações. Mas como procuramos explicar esses eventos apenas depois dos acontecimentos, nossas explicações enfatizam demais o que efetivamente aconteceu, em detrimento do que poderia ter acontecido. Além disso, como só tentamos explicar acontecimentos que nos parecem interessantes o suficiente, nossas explicações dão conta de apenas uma fração minúscula das coisas que de fato acontecem. Como resultado, o que parecem ser explicações causais são, na verdade, apenas histórias — descrições do que aconteceu que nos dizem muito pouco, se é que dizem alguma coisa, sobre os mecanismos em funcionamento. Contudo, como essas histórias têm a forma de explicações causais, nós as tratamos como se tivessem poder de previsão, e assim nos convencemos de que podemos fazer previsões impossíveis, mesmo em princípio.

Portanto, a lógica do senso comum não sofre de uma única limitação primordial, mas de várias limitações, que reforçam e até mesmo disfarçam umas às outras. O resultado é que ele é maravilhoso para *dar sentido* ao mundo, mas não necessariamente para compreendê-lo. Por analogia, em tempos antigos, quando nossos antepassados eram surpreendidos por raios caindo dos céus, acompanhados de trovões, eles aplacavam seus temores com histórias elaboradas sobre deuses cujas lutas, muito humanas, eram responsabilizadas por aquilo que agora entendemos serem processos inteiramente naturais. Ao explicar fenômenos estranhos e assustadores por meio de histórias que podiam compreender, eles conseguiam dar sentido ao mundo, criando com eficiência uma ilusão de compreensão que era suficiente para fazê-los sair da cama pela manhã. Até aí tudo bem. Mas eu não diria que nossos antepassados "entendiam" o que estava acontecendo, no sentido de ter uma teoria científica embasada. Na verdade, tendemos a considerar as mitologias antigas, no máximo, divertidas.

Entretanto, o que não compreendemos é que o senso comum por vezes funciona exatamente como a mitologia. Ao oferecer explicações prontas sobre quaisquer circunstâncias que o mundo nos apresente, ele nos dá confiança para viver dia após dia e nos livra da obrigação de nos preocuparmos se algo que pensamos saber é realmente verdadeiro ou apenas algo em que, por acaso, acreditamos. O custo, entretanto, é que pensamos ter compreendido coisas que na verdade só temos ocultado com uma história aparentemente plausível. E como essa ilusão de compreensão, por sua vez, enfraquece nossa motivação para tratar de problemas sociais da mesma maneira que tratamos os problemas na medicina, na engenharia e na ciência, o lamentável resultado é que o senso comum chega a inibir nossa compreensão do mundo. Abordar esse problema não é fácil, mas na segunda parte do livro darei algumas sugestões, junto com exemplos de abordagens que já estão sendo testadas no mundo dos negócios, da política e das ciências. O ponto principal, entretanto, é que assim como uma crença inquestionada na correspondência entre eventos naturais e feitos divinos devem abrir espaço para explicações "reais" se desenvolverem, também as explicações reais do mundo social vão nos obrigar a investigar o que há no senso comum que nos faz pensar que sabemos mais do que realmente sabemos.[25]

2

Pensando sobre o pensar

Em muitos países, é comum que o Estado pergunte a seus cidadãos se eles desejam ser doadores de órgãos. A doação de órgãos é um desses tópicos que despertam fortes reações. Por um lado, é uma oportunidade de transformar a perda de uma pessoa na salvação de outra. Por outro, é mais do que um tanto perturbador fazer planos para seus órgãos que não envolvam você. Dessa forma, não é surpresa que as pessoas tomem decisões diferentes, nem que o número de doadores de órgãos varie consideravelmente de país para país. Entretanto, pode ser surpreendente a grande variação entre países. Em um estudo realizado há alguns anos, dois psicólogos, Eric Johnson e Dan Goldstein, descobriram que o número de pessoas que consentiram em doar seus órgãos variava nos diferentes países europeus, indo desde 4,25% até 99,98%. O que é ainda mais notável é que essas diferenças não estavam espalhadas por todo o espectro, elas foram agrupadas em dois grupos distintos — um grupo com índices de doação de órgãos em apenas um dígito e outro com índices na casa dos noventa —, com quase nenhum meio-termo.[1]

O que poderia explicar uma diferença tão grande? Essa foi a pergunta que fiz a uma turma de excelentes estudantes da Universidade da Columbia não muito tempo após a publicação desse estudo. Na verdade, o que pedi foi que eles considerassem dois países anônimos, A e B. No país A, cerca de 12% dos cidadãos concordavam em doar seus órgãos, enquanto no país B o percentual foi 99,9%. Então, o que eles achavam que era diferente nesses dois países que poderia influenciar a escolha de seus cidadãos? Como estudantes espertos e criativos, eles elaboraram muitas possibilidades. Talvez um dos países fosse laico e o outro, extremamente religioso. Talvez um tivesse medicina mais avançada e, portanto, melhores índices de transplantes de órgãos bem-sucedidos do que o outro. Talvez o índice de mortes acidentais em um dos dois países fosse maior, resultando em mais órgãos disponíveis. Ou talvez um dos países tivesse uma cultura mais socialista, enfatizando a importância da comunidade, enquanto o outro privilegiasse os direitos individuais.

Eram todas boas explicações. Mas então veio a surpresa. O país A era a Alemanha, e o país B era... a Áustria. Meus pobres estudantes ficaram boquiabertos — *O que diabos a Alemanha poderia ter de tão diferente em relação à Áustria?* Mas eles não desistiram. Talvez houvesse alguma diferença nos sistemas educacionais ou legais que eles desconheciam. Ou talvez algum evento ou campanha importante na Áustria tivesse estimulado a doação de órgãos. Será que tinha algo a ver com a Segunda Guerra Mundial? Ou talvez austríacos e alemães sejam mais diferentes do que aparentam ser. Meus alunos não sabiam a razão para uma diferença tão grande, mas tinham certeza de que era *alguma coisa* grande — diferenças grandes como essa não existem por acaso. Bem, não, mas podem existir diferenças como essa por razões que jamais esperaríamos. E, de tão criativos, meus alunos nunca chegaram à razão real, que na verdade é absurdamente simples: *na Áustria, a menos que se decida pelo contrário, já se é um doador, enquanto na Alemanha é o contrário*. A diferença parece trivial — é apenas ter que enviar um simples formulário de alteração —, mas é suficiente para que o número de doadores pule de 12% para 99,9%. E o que era verdadeiro para a Áustria e a Alemanha era verdadeiro em todas as partes da Europa — todos os países com altos índices de doação de órgãos exigiam a deliberação negativa do doador, enquanto os países de baixos índices exigiam a decisão afirmativa.

Decisões, decisões

Entender a influência de padrões estabelecidos sobre as escolhas que fazemos é importante, pois nossas crenças sobre o que e por que as pessoas escolhem afetam praticamente todas as nossas explicações sobre questões sociais, econômicas e políticas. Leia o editorial de qualquer jornal, assista a qualquer comentarista na TV ou escute qualquer programa de entrevistas no rádio e você será bombardeado por teorias sobre as razões de escolhermos isso e não aquilo. E apesar de por vezes não acreditarmos nesses especialistas, a verdade é que todos nós — de políticos e burocratas a colunistas de jornal, executivos e cidadãos comuns — estamos igualmente dispostos a abraçar nossa própria teoria da escolha humana. Na verdade, praticamente *todos* os argumentos de consequência social — seja sobre política, economia, taxação, educação, saúde, mercados livres, aquecimento global, políticas de energia, política externa, políticas de imigração, comportamento sexual, pena de morte, direito ao aborto ou demanda do consumidor — são explícita ou implicitamente uma discussão sobre por que as pessoas fazem as escolhas que fazem. E, claro, sobre como elas podem ser encorajadas, educadas, legisladas ou coagidas a fazer diferentes escolhas.

Dada a ubiquidade de escolhas no mundo e sua relevância para quase todos os aspectos da vida — de decisões cotidianas a grandes eventos históricos —, não surpreende que teorias sobre como as pessoas fazem escolhas sejam centrais para a maior parte das ciências sociais. Comentando um artigo do ganhador do Nobel Gary Becker, o economista James Duesenberry fez a famosa piada que diz que "a economia diz respeito à escolha, enquanto a sociologia diz respeito a por que as pessoas não têm escolhas".[2] Mas a verdade é que os sociólogos estão tão interessados na maneira como as pessoas fazem escolhas quanto os economistas — isso sem mencionar os cientistas políticos, antropólogos, psicólogos e pesquisadores em direito, administração e gestão. No entanto, Duesenberry tinha certa razão em quase todo o século passado: cientistas sociais e comportamentais de diferentes linhas de pesquisa tenderam a ver a questão da escolha de maneiras totalmente diferentes. Acima de tudo, eles divergiam, às vezes amargamente, acerca da natureza e importância da racionalidade humana.

Senso comum e racionalidade

Para muitos sociólogos, a expressão "escolha racional" evoca a imagem de um indivíduo frio e calculista que se importa apenas consigo mesmo e que procura maximizar seu bem-estar econômico de maneira implacável. Essa reação não é de todo injustificada. Por muitos anos, economistas, na tentativa de entender o comportamento do mercado, invocaram algo semelhante a essa noção de racionalidade — por vezes chamada de "*Homo œconomicus*" —, principalmente porque se presta de modo natural aos modelos matemáticos que são simples o bastante para serem escritos e resolvidos. E ainda assim, conforme inúmeros exemplos, como o jogo do ultimato do capítulo anterior, demonstraram, as pessoas não se importam apenas com o próprio bem-estar, seja econômico ou não, mas também com o bem-estar dos outros, por quem fazem sacrifícios consideráveis. Nós também nos preocupamos com a defesa das normas e convenções sociais e muitas vezes punimos aqueles que as violam — mesmo quando as fazem mediante muito custo.[3] E, finalmente, muitas vezes nos preocupamos com benefícios intangíveis, como nossa reputação, o pertencimento a um grupo e o "fazer a coisa certa", às vezes tanto ou ainda mais do que nos preocupamos com riqueza, conforto e posses.

Os críticos do *Homo œconomicus* levantaram todas essas objeções, e muitas outras, ao longo dos anos. Em resposta, defensores daquilo que é chamado de teoria da escolha racional expandiram enormemente o escopo daquilo que é considerado comportamento racional para incluir não apenas o comportamento econômico autocentrado, mas também comportamentos sociais e políticos mais realistas.[4] Na verdade, hoje em dia a teoria da escolha racional não é apenas uma teoria singular, e sim uma família de teorias com pressupostos bastante diversos, dependendo da aplicação em questão. Ainda assim, todas tendem a incluir variações de dois *insights* — primeiro, que as pessoas têm preferências por uma coisa em vez de outras; e segundo, que, dadas essas preferências, elas selecionam da melhor maneira possível os meios disponíveis para atingir aquilo que preferem. Um exemplo simples: se minha preferência por sorvete é maior que minha preferência pelo dinheiro na carteira, e se há um roteiro de ação disponível que permite que eu troque meu dinheiro por sorvete, é isso que vou fazer. Mas se, por exemplo, está fazendo frio ou o sorvete é caro, meu roteiro de ação preferido dessa vez pode reservar meu dinheiro para um dia de sol. Da mesma forma, se para comprar o sorvete preciso fazer um caminho muito diferente, minha preferência por chegar ao local para o qual estou me dirigindo também pode me fazer esperar por outro momento. Seja lá qual for minha decisão — o dinheiro, o sorvete, a trajetória até o sorvete —, nem sempre estou fazendo aquilo que é "melhor" para mim, dadas as minhas preferências no momento da escolha.

O que é tão atraente nesse modo de pensar é a implicação de que *todo* comportamento humano pode ser entendido em termos de tentativas individuais de satisfazer as próprias preferências. Assisto a séries de TV porque meu gosto pela experiência é suficiente para eu devotar meu tempo a elas, em vez de fazer outra coisa. Eu voto porque me preocupo em participar da política, e quando voto, escolho o candidato que acho que poderá servir melhor a meus interesses. Eu me inscrevo no processo de seleção para universidades nas quais acho que tenho chance de entrar, e entre aquelas que me aprovaram, matriculo-me na que oferece a melhor combinação de status, retorno financeiro e experiência acadêmica. Uma vez lá, estudo aquilo que mais me interessa e, quando me formo, aceito o melhor trabalho que conseguir. Faço amizade com pessoas de quem eu gosto e mantenho a amizade das pessoas cuja companhia me agrada. Caso quando as vantagens da estabilidade e da segurança são maiores que a empolgação de namorar. Temos filhos quando os benefícios de uma família (a alegria de ter filhos que podemos amar incondicionalmente, bem como de ter alguém para cuidar de nós quando envelhecermos) são maiores que os custos do aumento de responsabilidade, da redução da liberdade e do maior número de bocas para alimentar.[5]

Em *Freakonomics*, Steven Levitt e Stephen Dubner ilustram o poder explanatório da teoria da escolha racional em uma série de histórias sobre comportamentos a princípio intrigantes, mas que depois de um exame mais cuidadoso revelam-se perfeitamente racionais. Pode-se pensar, por exemplo, que como o corretor imobiliário trabalha por comissão, ele vai tentar conseguir o maior valor possível para a casa de um cliente. Porém, na verdade os corretores mantêm as próprias casas por mais tempo no mercado e as vendem por preços mais altos do que as casas de seus clientes. Por quê? Porque quando é a casa dos clientes que eles estão vendendo, ficam com apenas uma pequena porcentagem da diferença do preço mais alto, mas quando é a própria casa, ficam com toda a diferença. Este último é dinheiro suficiente para fazer o corretor se esforçar mais por uma venda e negociar valores maiores; aquele, não. Em outras palavras, uma vez que você entende os incentivos que os corretores recebem, suas preferências reais, suas ações tornam-se claras de imediato.

Da mesma forma, a princípio pode ser surpreendente descobrir que quando pais em uma escola israelita começaram a receber multas por atraso ao pegar seus filhos, eles passaram a chegar atrasados ainda mais vezes do que quando não havia multa alguma. Mas quando compreendemos que a multa diminuía a culpa que sentiam por incomodar os funcionários da escola — eles sentiram, essencialmente, que estavam pagando pelo direito de chegar tarde —, faz todo o sentido. Assim como a observação, a princípio surpreendente, de que a maioria dos membros de gangues mora com a mãe. Colocando na ponta do lápis, descobre-se que eles conseguem bem menos dinheiro do que achávamos; assim, pelo ponto de vista econômico, faz sentido eles morarem com a família. Da mesma forma, pode-se explicar o problemático comportamento de uma parcela de professores de ensino médio que, em resposta às novas normas de prestação de contas do governo Bush — a legislação do No Child Left Behind, estabelecida em 2002 —, alterou as respostas das provas de seus alunos. Mesmo sabendo que isso poderia custar-lhes o emprego, o risco de serem pegos parecia pequeno em comparação com as consequências de ficarem presos a uma turma com baixos índices de rendimento, o que compensava a hipótese de serem punidos por fraude.[6]

Ou seja, independentemente da pessoa e do contexto — sexo, política, religião, família, crime, traição, negócios e até mesmo a edição de artigos da Wikipedia —, o ponto a que sempre Levitt e Dubner retornam é que, mesmo que queiramos entender por que as pessoas fazem o que fazem, devemos entender os incentivos que elas recebem e, dessa forma, sua preferência por uma opção e não outra. Quando alguém faz algo que nos parece estranho ou intrigante, devemos, em vez de tachá-la de maluca ou irracional, buscar analisar sua situação, na esperança de encontrar um incentivo lógico. É precisamente esse tipo de exercício, na verdade, que analisamos no capítulo anterior, com os experimentos do jogo do ultimato. Quando descobrimos que as tradições au e gnau de troca de presentes efetivamente transformam aquilo que para nós parece ser dinheiro de graça em algo que, para eles, é uma obrigação futura indesejada, o que era anteriormente um comportamento intrigante de uma hora para outra parece tão racional quanto o nosso. Só que o é a partir de um conjunto diferente de premissas, com o qual ainda não nos familiarizamos. O argumento central do *Freaknomics* é que quase sempre podemos realizar esse exercício, por mais estranho ou maravilhoso que seja o comportamento em questão.

Embora intrigantes e ocasionalmente controversas, as explicações de Levitt e Dubner em princípio não são diferentes da grande maioria das explicações das ciências sociais. Não importa quanto sociólogos e economistas discutam sobre os detalhes, isto é, até que consigam contabilizar um determinado comportamento em termos de algumas combinações de motivações, incentivos, percepções e oportunidades — até que tenham, em resumo, *racionalizado* o comportamento —, eles não sentem que realmente o compreenderam.[7] E isso não ocorre apenas com cientistas sociais. Quando tentamos entender por que um cidadão iraquiano comum iria acordar uma manhã e decidir se transformar em uma bomba viva, estamos implicitamente racionalizando seu comportamento. Quando tentamos explicar as origens da recente crise financeira, estamos de fato procurando os incentivos racionais que levaram os banqueiros a criar e comercializar ativos de alto risco. E quando culpamos a legislação por erro médico ou o pagamento por procedimento clínico pelos crescentes custos com saúde, instintivamente invocamos um modelo de ação racional para entender por que os médicos fazem o que fazem. Isto é, quando pensamos sobre como pensamos, adotamos de maneira reflexiva uma estrutura de comportamento racional.[8]

Pensar não se resume a pensamentos

A crença implícita de que as pessoas são racionais até que se prove o contrário é uma crença otimista, até mesmo sensata, que em geral deve ser encorajada. Contudo, o exercício de racionalizar o comportamento ofusca uma importante diferença entre aquilo que queremos dizer quando falamos sobre "compreender" o comportamento humano, em oposição ao comportamento de elétrons, proteínas ou planetas. Quando tenta entender o comportamento de elétrons, por exemplo, o cientista não começa sua pesquisa imaginando-se no lugar do elétron em questão. Ele pode ter intuições relativas a teorias sobre elétrons que, por sua vez, ajudam-no a compreender seu comportamento. Mas em nenhum momento ele espera compreender como é *ser* um elétron — sem dúvida, até mesmo a noção de tal expectativa é risível. Racionalizar o comportamento humano, entretanto, é precisamente um exercício de simulação, em nossa mente, de como seria ser a pessoa cujo comportamento estamos tentando entender. Apenas quando conseguimos imaginar essa versão de nós mesmos reagindo da mesma maneira que o indivíduo em questão é que sentimos que entendemos o comportamento em análise.

Podemos realizar esse exercício de "compreensão por meio de simulação" tão facilmente que é raro nos lembrarmos de questionar sua confiabilidade. Além disso, assim como o exemplo anterior dos doadores de órgãos ilustra, nossas simulações mentais costumam ignorar certos tipos de fatores que acabam se revelando importantes. A razão para isso é que quando pensamos sobre como pensamos, por instinto enfatizamos custos e benefícios conscientemente acessíveis, como os que são associados a motivações, preferências e crenças — os tipos de fatores que predominam nos modelos de racionalidade dos cientistas sociais. Respostas automáticas, ao contrário, são uma parte do ambiente em que quem decide afeta o comportamento de uma forma que é quase invisível para o consciente e, portanto, em geral inexistente em nossas explicações para o comportamento baseadas no senso comum.[9] E respostas automáticas são apenas a ponta do iceberg proverbial. Há várias décadas, psicólogos e, mais recentemente, economistas comportamentais têm analisado a tomada de decisões do homem, por vezes em ambientes controlados de laboratório. Suas descobertas não apenas enfraquecem até mesmo os mais básicos pressupostos de racionalidade, como impelem um modo completamente novo de pensar sobre o comportamento humano.[10]

Em incontáveis experiências, por exemplo, psicólogos demonstraram que as escolhas e o comportamento de um indivíduo podem ser influenciadas pelo "condicionamento" a certas palavras, sons ou outros estímulos. Participantes do experimento que leram palavras como "velho" e "fracasso" andaram mais lentamente pelo corredor ao deixar o laboratório. Consumidores em lojas de vinhos tendem a comprar vinhos alemães quando a música ambiente é alemã, e vinho francês quando toca música francesa. Quando perguntados sobre bebidas energéticas, os entrevistados tendem a responder Gatorade quando recebem uma caneta verde para preencher o formulário. E consumidores dispostos a comprar um sofá na internet tendem a escolher um sofá caro e aparentemente confortável quando o plano de fundo do site são imagens de nuvens brancas e fofas, e tendem a comprar a opção menos macia e mais barata quando o plano de fundo são imagens de moedas.[11]

Nossas respostas podem também ser distorcidas por informações numéricas irrelevantes. Em um experimento, por exemplo, participantes de um leilão de vinhos foram convidados a escrever os dois últimos dígitos de seu número de segurança social antes da disputa. Apesar de esses números serem praticamente aleatórios e certamente nada terem a ver com o lance que um comprador deveria colocar em disputa, os pesquisadores descobriram que quanto maior o número de seu documento, mais as pessoas estavam dispostas a oferecer. Esse efeito, que os psicólogos chamam de ancoragem, afeta todos os tipos de estimativas que fazemos, seja chutar o número de países da África ou estipular um valor justo para gorjeta ou doação. Sempre que uma casa de caridade nos pede uma colaboração com um valor "sugerido" de doação, ou quando a conta traz o percentual da gorjeta já computado, suspeitamos que nossos pressupostos de ancoragem estão sendo explorados — porque ao ouvir a sugestão de valores altos, nossa estimativa inicial do que é justo está sendo orientada. Mesmo que em seguida ajustemos nossa estimativa para baixo — porque, digamos, uma gorjeta de 25% parece alta demais —, provavelmente vamos acabar dando mais do que daríamos sem a sugestão inicial.[12]

Preferências individuais podem também ser muito influenciadas apenas pela mudança na maneira como uma situação é apresentada. Enfatizar o potencial de alguém para perder dinheiro em uma aposta, por exemplo, aumenta a aversão das pessoas aos riscos, enquanto enfatizar o potencial de alguém para ganhar tem o efeito oposto, mesmo que o risco em si seja o mesmo em ambas as circunstâncias. Ainda mais intrigante é que as preferências de um indivíduo entre dois itens pode ser de fato revertida ao introduzir-se uma terceira opção. Digamos, por exemplo, que A é uma câmera fotográfica cara mas de ótima qualidade, enquanto B tem qualidade muito inferior mas custa bem menos. Colocada de tal forma, essa pode ser uma comparação difícil de fazer. Mas se, como mostrado na figura abaixo, introduz-se uma terceira opção, C1, que é mais cara que A e tem mais ou menos a mesma qualidade, a escolha entre A e C1 é óbvia. Nessas situações, as pessoas tendem a escolher A, o que parece perfeitamente lógico, até que consideremos o que acontece quando em vez de C1 introduz-se a terceira opção, C2, que é tão cara quanto B, porém tem qualidade significativamente inferior. Agora a escolha entre B e C2 é clara, e as pessoas tendem a optar por B. Ou seja: dependendo de qual terceira opção é introduzida, a preferência de quem decide pode ser invertida de forma eficaz entre A e B, mesmo que nada em nenhuma das opções tenha mudado. O que é ainda mais estranho é que a terceira opção — aquela que causa a mudança de preferências — nunca é escolhida.[13]

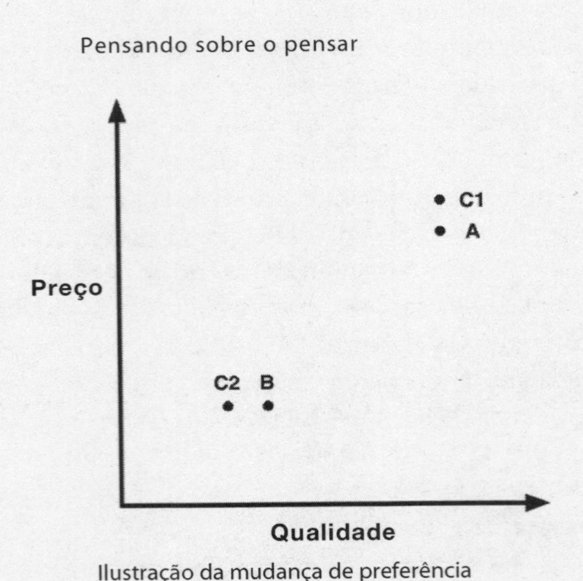

Ilustração da mudança de preferência

Dando continuidade a essa ladainha sobre irracionalidade, psicólogos descobriram que as análises humanas costumam ser afetadas pela facilidade com que diferentes tipos de informação podem ser acessados ou recolhidos. As pessoas em geral exageram a probabilidade de morrer em um ataque terrorista dentro de um avião em relação a morrer em um avião por *qualquer* outro motivo — mesmo sabendo que aquele é muito mais difícil de acontecer do que este —, simplesmente porque ataques terroristas são acontecimentos muito mais vívidos. De maneira paradoxal, as pessoas se declaram menos assertivas quando são convidadas a relembrar casos em que agiram assertivamente — não porque a informação contradiz suas crenças, e sim por causa do esforço necessário para recuperá-lo. Elas também se lembram sistematicamente de seus comportamentos e crenças passadas de forma semelhante à de seus comportamentos e crenças atuais, mais do que realmente eram. E são mais propensas a acreditar numa afirmação escrita se a fonte é identificada com facilidade ou se já a leram antes — mesmo que na última vez que a leram a tenham explicitamente considerado falsa.[14]

Finalmente, as pessoas digerem novas informações de maneira que aquilo que já pensam seja reforçado. Fazemos isso, em parte, ao reparar em informações que confirmam nossas crenças de modo mais imediato do que em outras informações. E, em parte, fazemos isso submetendo informações que desconfirmam a um escrutínio e ceticismo maior do que no caso de informações que confirmam. Juntas, essas duas tendências intimamente relacionadas — conhecidas como viés cognitivo e raciocínio motivado, respectivamente — dificultam em muito nossa capacidade de resolver problemas, desde discordâncias sobre tarefas domésticas até velhos conflitos políticos, como aqueles na Irlanda do Norte ou entre Israel e a Palestina, nos quais as diferentes partes envolvidas observam o mesmo conjunto de "fatos" e saem com impressões da realidade completamente diferentes. Mesmo na ciência, o viés cognitivo e raciocínio motivado desempenham papéis perigosos. Espera-se que os cientistas sigam evidências, mesmo que elas contradigam suas crenças preexistentes; e ainda assim, com mais frequência do que deveriam, eles questionam as evidências, não suas crenças. O resultado, como o físico Max Planck reconheceu, é que por vezes "uma nova verdade científica triunfa não por convencer seus oponentes e fazê-los enxergar a luz, mas principalmente porque seus oponentes eventualmente morrem".[15]

O que é relevante?

Avaliadas em conjunto, as evidências de experimentos psicológicos deixam claro que há muitos fatores potencialmente relevantes que afetam nosso comportamento de maneiras muito reais e tangíveis, mas que operam sobretudo fora do alcance de nossa consciência. Infelizmente, psicólogos identificaram tantos desses efeitos — o condicionamento, o enquadramento, a ancoragem, a disponibilidade, o raciocínio motivado, a aversão à perda, e assim por diante — que é difícil ver como todos se agrupam. Por definição, os experimentos enfatizam um fator potencialmente relevante por vez, para isolar seus efeitos. Na vida real, entretanto, muitos fatores podem estar presentes em graus variados, em qualquer situação; assim, é essencial compreender como eles interagem uns com os outros. Pode ser verdadeiro, em outras palavras, que segurar uma caneta verde faz você pensar em Gatorade, que ouvir músicas alemãs nos predispõe a optar por vinhos alemães ou que pensar no seu número de segurança social afeta o valor que você vai oferecer em um leilão. Mas o que você vai comprar e quanto vai pagar por isso quando está exposto a muitas influências inconscientes, talvez conflituosas, de uma vez só?

Simplesmente não é claro; além disso, a profusão de pressupostos psicológicos inconscientes não é o único problema. Voltando ao exemplo do sorvete citado há pouco, apesar de ser verdade que eu gosto de sorvete como regra geral, posso gostar menos ou mais em determinado ponto da vida; isso pode variar consideravelmente, dependendo da hora do dia, do clima, da fome que estou sentindo e da minha expectativa quanto à qualidade do sorvete que vou tomar. Ainda por cima, minha decisão não depende unicamente de quanto eu gosto de sorvete, ou mesmo da relação entre quanto gosto disso e quanto isso custa. Depende também de eu saber ou não a localização da sorveteria mais próxima, se já comprei sorvete lá antes, se estou com pressa, quem está comigo e o que essa pessoa quer, se preciso ou não ir ao banco sacar dinheiro, onde é o banco mais próximo, se acabei ou não de ver mais alguém tomando sorvete, ou se apenas ouvi uma música que me lembrou de um momento agradável em que eu tomava um sorvete, e assim por diante. Mesmo nas situações mais simples, a lista de fatores que podem se mostrar relevantes pode ser muito, muito longa. E com tantos fatores que nos preocupam, mesmo situações muito similares podem diferir de maneiras sutis que acabam sendo importantes. Quando tentamos entender — ou, ainda melhor, prever — decisões individuais, como podemos saber quais desses muitos fatores são aqueles a que devemos prestar atenção e quais podem tranquilamente ser ignorados?

A habilidade para saber o que é relevante em uma situação específica é, sem dúvida, uma prova do conhecimento do senso comum que discuti no capítulo anterior. Na prática, raramente percebemos que a facilidade com que tomamos decisões disfarça qualquer tipo de complexidade. Como o filósofo Daniel Dennett aponta, quando ele acorda no meio da noite para preparar um lanche, só precisa saber que tem pão, presunto, maionese e cerveja na geladeira, e o resto meio que acaba funcionando sozinho. É claro que ele sabe também que "a maionese não dissolve a faca com o contato, que um pedaço de pão é menor que o monte Everest, que abrir a porta da geladeira não causará um holocausto nuclear na cozinha" e talvez trilhões de outros fatos irrelevantes e relações lógicas. Mas de alguma forma ele consegue ignorar todas essas coisas, sem nem ao menos se dar conta do que está ignorando, e concentra-se no que importa.[16]

Porém, como argumenta Dennett, há uma grande diferença entre saber o que é relevante na prática e conseguir explicar como é que sabemos. Para começar, parece claro que o que é relevante em uma situação são apenas as características que ela divide com situações comparáveis — por exemplo, sabemos que o preço de algum produto é relevante para uma decisão na hora de comprar porque o preço é algo que geralmente importa quando as pessoas compram algo. Mas como sabemos quais situações são comparáveis àquelas que vivenciamos no momento? Bem, isso também parece claro: situações comparáveis são aquelas que compartilham as mesmas características. Todas as decisões de "compra" são comparáveis no sentido de que elas envolvem uma pessoa contemplando um número de opções, como preço, qualidade, disponibilidade, entre outros. Mas aí encontramos o problema. Determinar quais características são relevantes em uma situação requer que a associemos com algum conjunto de situações comparáveis. Porém, determinar quais situações são comparáveis depende de sabermos quais características são relevantes.

Essa circularidade inerente demonstra aquilo que os filósofos e cientistas cognitivos chamam de *frame problem*, problema de enquadramento, e eles estão batendo cabeça por causa desse assunto há décadas. O problema de enquadramento foi notado pela primeira vez no âmbito da inteligência artificial, quando pesquisadores começaram a programar computadores e robôs para desempenhar tarefas relativamente simples do cotidiano, como, por exemplo, limpar uma sala. A princípio eles imaginaram que não podia ser *tão* difícil listar tudo o que era relevante em uma situação como essa. Afinal, as pessoas conseguem limpar suas salas todo dia sem nem ao menos pensar muito sobre a tarefa. Será que é tão difícil ensinar isso a um robô? Muito difícil, sem dúvida, como eles descobriram. Conforme discuti no último capítulo, mesmo a atividade relativamente objetiva de usar o metrô exige uma quantidade surpreendente de conhecimento sobre o mundo — não apenas sobre portas de vagões e plataformas, mas também sobre manter distância das outras pessoas, evitar contato visual e sair do caminho dos apressadinhos. Pesquisadores de inteligência artificial logo descobriram que praticamente *toda* tarefa cotidiana é difícil essencialmente pela mesma razão: a lista de fatos e regras com potencial relevância é dolorosamente longa. Também não ajuda muito saber que a maior parte dessa lista pode ser seguramente ignorada na maior parte do tempo — porque em geral é impossível saber de antemão quais itens podem ser ignorados e quais não podem. Então, na prática os pesquisadores descobriram que precisavam reprogramar suas criações para que elas pudessem realizar mesmo as tarefas mais triviais.[17]

A intratabilidade do problema de enquadramento efetivamente afundou o objetivo original da inteligência artificial, que era replicar a inteligência humana mais ou menos como nós a vivenciamos. Mas houve um lado bom nessa derrota. Como os pesquisadores de inteligência artificial tiveram que programar *todos* os fatos, regras e processos de aprendizagem em suas criações partindo do zero, e como suas criações não conseguiram se comportar como o esperado de maneiras óbvias e por vezes catastróficas — como despencar de um penhasco ou tentar atravessar paredes —, era impossível ignorar o problema do enquadramento. Assim, em vez de tentar solucionar o problema, os pesquisadores optaram por uma alternativa inteiramente diferente — enfatizar modelos estatísticos de dados em vez de processos de pensamento. Essa abordagem, que hoje em dia é chamada de *machine learning*, aprendizagem de máquina, é muito menos intuitiva que a abordagem cognitiva original, mas provou ser muito mais produtiva, resultando em todo tipo de descoberta impressionante, desde a habilidade quase mágica de mecanismos de busca que completam suas pesquisas enquanto você as digita até a construção de carros-robôs autônomos, e até mesmo um computador que sabe jogar Jeopardy!.[18]

Não pensamos como pensamos que pensamos

O problema do enquadramento, entretanto, não é apenas um problema para a inteligência artificial — é também um problema para a inteligência humana. Como o psicólogo Daniel Gilbert descreve em *O que nos faz felizes*, quando imaginamos a nós mesmos ou outra pessoa em determinada situação, nosso cérebro não gera uma longa lista de perguntas sobre todos os possíveis detalhes que podem ser relevantes. Em vez disso, assim como um assistente esperto pode usar filmes para completar uma apresentação entediante de PowerPoint, nossa "simulação mental" do evento ou do indivíduo em questão simplesmente solidifica nosso extenso banco de memórias, imagens, experiências, normas culturais e resultados imaginados, e insere com perfeição quaisquer detalhes necessários para completar o quadro. Pessoas que respondem a questionários assim que saem de restaurantes, por exemplo, prontamente descrevem o uniforme dos garçons, mesmo se tiverem sido atendidas exclusivamente por mulheres. Quando perguntam a estudantes qual é a cor do quadro-negro, eles geralmente respondem que é verde — a cor mais comum —, mesmo que no caso seja azul. De forma geral, as pessoas sistematicamente exageram tanto a dor que vão vivenciar como consequência de perdas antecipadas e a alegria proveniente de ganhos previstos. E quando recebem sugestões de pretendentes, em sites de namoro on-line, os entrevistados demonstram gostar mais do perfil daqueles de quem receberam menos informações. Em todos esses casos, uma pessoa cuidadosa deveria dizer que não pode responder à pergunta com mais precisão se não receber mais informações. Mas como o processo de "preenchimento" acontece instantaneamente e sem esforço, em geral não notamos que ele está acontecendo; assim, não nos ocorre que alguma coisa está faltando.[19]

O problema do enquadramento deveria nos alertar de que quando fazemos isso, estamos propensos a cometer erros. E cometemos mesmo, o tempo todo. Mas diferentemente das criações dos pesquisadores de inteligência artificial, os seres humanos não nos surpreendem de forma que nos obrigam a reescrever todo o nosso modelo mental de como pensamos. Em vez disso, assim como o leitor imaginário de Paul Lazarsfeld em *American Soldier* julgou cada resultado e seu oposto igualmente óbvios, uma vez que sabemos o resultado podemos quase sempre identificar aspectos anteriormente ignorados da situação que *agora* parecem relevantes. Talvez esperássemos ser felizes depois de ganhar na loteria, mas acabamos ficando deprimidos — obviamente, uma má previsão. Mas quando percebemos nosso erro, temos também novas informações, digamos, os parentes que de repente aparecem querendo ajuda financeira. Então, pensamos que se tivéssemos *essa* informação antes, teríamos previsto nosso futuro estado de felicidade corretamente, e talvez nunca tivéssemos comprado o bilhete de loteria. Em vez de questionar nossa habilidade de fazer previsões sobre nossa felicidade futura, portanto, nós simplesmente concluímos que deixamos alguma coisa importante escapar — um erro que certamente não cometeremos de novo. Mas mesmo assim cometemos, sim, o mesmo erro de novo. Na verdade, não importa quantas vezes fracassamos ao prever o comportamento de alguém corretamente, sempre podemos justificar nossos erros a partir de coisas que não sabíamos naquele momento. Dessa maneira, conseguimos varrer o problema do enquadramento para debaixo do tapete — sempre convencendo-nos de que dessa vez vamos acertar, sem nunca descobrirmos o que é que estamos fazendo de errado.

Em nenhuma outra área isso é mais evidente e mais difícil de expurgar do que na relação entre ganhos e incentivos financeiros. Parece óbvio, por exemplo, que o desempenho dos funcionários possa ser melhorado com incentivos financeiros, e há algumas décadas os esquemas de pagamento baseados em desempenho proliferaram no mercado de trabalho, mais notadamente em termos de compensação executiva baseada no preço das ações.[20] É óbvio também que os trabalhadores se importam com outras questões além do dinheiro — fatores como prazer intrínseco, reconhecimento e a sensação de crescimento na carreira também podem afetar o desempenho. Mesmo com todos esses fatores, entretanto, parece óbvio que alguém pode melhorar sua atuação no trabalho com a aplicação correta de recompensas financeiras. Ainda assim, a verdadeira relação entre pagamento e desempenho revela-se surpreendentemente complicada, como um grande número de estudos mostrou ao longo dos anos.

Recentemente, por exemplo, meu colega da Yahoo! Winter Mason e eu desenvolvemos um conjunto de experiências na internet em que os participantes recebiam quantias diferentes para desempenhar uma variedade de tarefas simples e repetitivas, como organizar um conjunto de fotografias do trânsito na sequência correta ou solucionar problemas de caça-palavras. Todos os nossos participantes foram recrutados em um site chamado Amazon's Mechanical Turk, lançado pela Amazon em 2005 para identificar produtos duplicados em seu inventário. Hoje em dia, o Mechanical Turk é utilizado por centenas de empresas que buscam um modelo de *crowd-source* para desempenhar uma ampla gama de tarefas, desde rotular objetos em uma imagem até caracterizar sentimentos evocados por uma reportagem no jornal ou decidir qual entre duas explicações é a mais clara. Entretanto, essa é também uma maneira extremamente eficiente de recrutar participantes para experimentos psicológicos — mais ou menos como os psicólogos vêm fazendo há anos ao espalhar cartazes pelos *campi* de universidades —, com a diferença de que os trabalhadores (ou, no caso, *turkers*) geralmente recebem alguns centavos a cada tarefa, então a pesquisa pode ser feita custando uma pequena fração do que antes custaria.[21]

No total, nossos experimentos envolveram centenas de participantes, que completaram dezenas de milhares de tarefas. Em alguns casos eles receberam apenas 1 centavo por tarefa — por exemplo, para classificar um único conjunto de imagens ou encontrar uma única palavra —, enquanto em outros casos recebiam 5 ou até mesmo 10 centavos para fazer a mesma coisa. Um valor multiplicado por dez faz uma grande diferença no pagamento — para efeito de comparação, a hora de trabalho padrão de um engenheiro de computação nos Estados Unidos é apenas seis vezes o valor do salário mínimo nacional —, então era de esperar que isso tivesse um efeito bastante grande sobre o comportamento das pessoas. O que, de fato, aconteceu. Quanto mais pagávamos às pessoas, mais tarefas elas completavam antes de abandonar o experimento. Descobrimos também que qualquer que seja a remuneração, quem recebesse tarefas "fáceis" — como separar dois grupos de imagens — completava mais tarefas que quem recebesse tarefas mais difíceis (três ou quatro imagens por grupo). Em outras palavras, tudo isso é consistente com o senso comum. Mas aí vem a surpresa: apesar dessas diferenças, descobrimos que a *qualidade* do trabalho — ou seja, a precisão com que separaram as imagens — não se alterara em nada com a diferença de remuneração, mesmo tendo sido pagos apenas pelas tarefas que fizeram corretamente.[22]

O que poderia explicar esse resultado? Não é totalmente claro; porém, depois que os participantes terminaram seu trabalho nós fizemos algumas perguntas a eles, incluindo quanto achavam que deveriam ter recebido pelo que haviam acabado de fazer. Curiosamente, suas respostas dependeram menos da dificuldade da tarefa do que de quanto haviam recebido. De forma geral, os participantes que receberam um centavo por tarefa achavam que deveriam ter recebido cinco centavos; participantes que receberam cinco centavos achavam que deveriam ter recebido oito centavos; e participantes que receberam dez centavos achavam que deveriam ter recebido treze centavos. Em outras palavras, não importa o valor que eles efetivamente receberam — e é importante ressaltar que alguns deles recebiam valores dez vezes maiores que outros —, todos pensavam que haviam recebido menos do que deveriam. O que essa descoberta nos sugere é que mesmo em tarefas muito simples a motivação extra para realizá-las, que intuitivamente esperávamos conseguir despertar com incentivos financeiros maiores, é minada por seu senso de merecimento.

É difícil testar esses efeitos fora do laboratório, porque os trabalhadores na maioria dos ambientes reais têm expectativas a respeito do que deveriam receber que são difíceis de manipular. Mas considerem, por exemplo, que nos Estados Unidos as mulheres recebem, em geral, valores que correspondem a apenas 90% daquilo que os homens ganham desempenhando exatamente as mesmas funções, ou que diretores executivos de empresas europeias têm salários consideravelmente menores que seus colegas americanos.[23] Em qualquer um desses casos, será que poderíamos argumentar que trabalhadores que ganham menos também trabalham menos ou fazem um trabalho pior que o grupo que ganha mais? Ou então imagine que no próximo ano seu chefe inesperadamente dobre seu salário — será que você realmente trabalharia mais? Ou imagine um universo paralelo em que banqueiros recebessem metade do valor que recebem em nosso mundo. Alguns deles, sem dúvida, poderiam escolher outras profissões, mas e esses que permanecessem nos bancos, será que realmente trabalhariam menos ou fariam um trabalho pior? O resultado de nossa experiência sugere que não. Mas se isso acontecesse, teríamos que nos perguntar qual a influência os empregadores podem ter sobre o desempenho de seus funcionários simplesmente alterando os incentivos financeiros.

Na verdade, um grande número de estudos mostrou que incentivos financeiros podem, sim, prejudicar o desempenho. Quando uma tarefa é multifacetada ou difícil de avaliar, por exemplo, os trabalhadores tendem a se concentrar apenas nos aspectos de seus trabalhos que são efetivamente avaliados, ignorando outros aspectos importantes — como professores enfatizando a matéria que será cobrada em provas padronizadas em detrimento da aprendizagem global. Recompensas financeiras podem também gerar um efeito de "engasgamento", quando a pressão psicológica da recompensa anula o desejo crescente de realizar as tarefas. Finalmente, em ambientes em que contribuições individuais são difíceis de separar das realizações em equipe, incentivos financeiros podem encorajar os trabalhadores a andar na sombra dos esforços dos colegas, ou impedi-los de assumir riscos, impedindo, dessa forma, inovações. A conclusão tirada a partir de todos esses resultados confusos e muitas vezes contraditórios é que embora praticamente todos concordem que de alguma maneira as pessoas respondem a incentivos financeiros, não está claro como usá-los na prática para se obter o resultado desejado. Alguns estudiosos de gestão até mesmo chegaram à conclusão, após décadas de estudos, de que incentivos financeiros são totalmente irrelevantes para o desempenho.[24]

No entanto, não importa quantas vezes essa lição seja apontada, gestores, economistas e políticos continuam a agir como se pudessem dirigir o comportamento humano por meio de incentivos. Como Levitt e Dubner escreveram, "o típico economista acredita que o mundo ainda não inventou um problema que não possa ser resolvido se lhe deixarem com uma das mãos livre para projetar o esquema de incentivos apropriado... Um incentivo é uma bala, uma alavanca, uma chave: um objeto muito pequeno com um poder impressionante de transformar uma situação".[25] Bem, talvez, mas isso não significa que os incentivos que criamos vão trazer as mudanças que pretendemos. Aliás, um dos exemplos de Levitt e Dubner — dos professores de ensino médio adulterando o resultado das provas — foi uma tentativa de legisladores de melhorar o ensino por meio de incentivos baseados em desempenhos explícitos. A ideia deu errado, produzindo todo tipo de fraude, como "ensinar para a prova", e concentrando-se exclusivamente em estudantes marginais para os quais uma pequena melhora poderia gerar uma nota adicional, suficiente para sua aprovação, o que deveria nos fazer repensar a viabilidade de projetar sistemas de incentivos para provocar o comportamento desejado.[26]

E ainda assim o senso comum não é deixado de lado. Em vez disso, uma vez que percebemos que um esquema de incentivos específico não funcionou, concluímos apenas que eram os incentivos errados. Em outras palavras: quando sabem a resposta, os legisladores podem sempre se persuadir de que tudo de que precisam é planejar o esquema de incentivos *correto* — ignorando, é claro, que foi precisamente isso que eles pensavam fazer anteriormente. E não apenas os legisladores são suscetíveis a esse lapso — todos nós somos. Por exemplo, uma notícia recente sobre o eterno problema dos políticos que não assumem suas responsabilidades fiscais de longo prazo era concluída alegremente: "Assim como banqueiros, políticos respondem a incentivos." A solução do artigo? "Alinhar os interesses do país com os dos governantes." Tudo parece muito simples. Mas como o próprio artigo admite, o histórico de tentativas anteriores de "consertar" políticos foram frustrantes.[27]

Ou seja, assim como a teoria da escolha racional, o senso comum insiste em que as pessoas têm razões para fazer o que fazem — e isso pode até ser verdade, mas não necessariamente nos permite prever nem o que elas vão fazer nem as razões para fazerem o que fazem.[28] Depois que o fizerem, é claro, as razões vão parecer óbvias, e vamos concluir que se ao menos soubéssemos de algum fator em particular que se revelou importante, poderíamos ter previsto o resultado. Depois do acontecimento, sempre vai parecer que o sistema de incentivos corretos poderia ter produzido o resultado desejado. Mas essa aparência de previsibilidade após o fato é muito enganadora, por duas razões. Primeiro porque o problema do enquadramento diz que jamais podemos saber tudo que pode ser relevante para uma situação. E, segundo, porque grande parte dos estudos psicológicos demonstram que muito daquilo que pode ser relevante está além do alcance da nossa consciência. Isso não quer dizer que os seres humanos são completamente imprevisíveis. Como discutirei mais adiante (no capítulo 8), o comportamento humano demonstra todo tipo de regularidades que podem ser previstas, geralmente para fins úteis. Mas isso também não quer dizer que não devemos tentar identificar os incentivos a que os indivíduos respondem quando tomam decisões. No mínimo, nossa inclinação a racionalizar o comportamento dos outros nos ajuda em nossa convivência — um objetivo valoroso por si só — e pode também nos ajudar a aprender com nossos erros. O que isso quer dizer, entretanto, é que nossa impressionante habilidade de encontrar o sentido do comportamento que observamos não implica uma habilidade correspondente de prevê-lo, ou mesmo que as previsões que podemos fazer com segurança são aquelas baseadas apenas na intuição e na experiência. Essa diferença entre dar sentido ao comportamento e prevê-lo é responsável por muitos dos fracassos da lógica do senso comum. E se essa diferença apresenta dificuldades para lidar com comportamentos individuais, o problema fica ainda mais pronunciado quando se lida com o comportamento de grupos.

3

A sabedoria (e a loucura) das multidões

Em 1519, pouco antes de morrer, o artista, cientista e inventor italiano Leonardo da Vinci fez os retoques finais do retrato de uma jovem florentina, Lisa Gherardini del Giocondo, cujo marido, um rico comerciante de seda, havia encomendado a pintura dezesseis anos antes, em comemoração ao nascimento do filho do casal. Na época em que o quadro foi finalizado, Leonardo tinha ido morar na França, a convite do rei Francisco I, que acabaria comprando a pintura; assim, aparentemente nem a sra. Del Giocondo nem seu marido tiveram a chance de ver a obra de Da Vinci. O que é realmente uma pena, pois, quinhentos anos depois, essa pintura fez com que o rosto dela se tornasse um dos mais famosos da história.

O quadro, é claro, é a *Mona Lisa*, e para aqueles que passaram a vida inteira dentro de uma caverna, hoje está exposto atrás de uma caixa de vidro à prova de balas e com temperatura controlada em uma parede exclusiva no museu do Louvre, em Paris. Os agentes do Louvre estimam que cerca de 80% de seus 6 milhões de visitantes anuais vão ao museu principalmente para ver esse quadro. O seguro atual é estimado em quase 700 milhões de dólares — muito superior a qualquer pintura já vendida —, mas não se sabe se é possível atribuir algum valor, enorme que seja, a essa pintura. Parece-me justo dizer que a *Mona Lisa* é mais do que uma pintura, é um marco da cultura ocidental. Ela foi mais copiada, parodiada, elogiada, zombada, cooptada, analisada e especulada do que qualquer outra obra de arte. Sua origem, por séculos envolta em mistério, intrigou pesquisadores, e seu nome foi tomado emprestado para óperas, filmes, músicas, pessoas, navios... até mesmo por uma cratera em Vênus.[1]

Sabendo de tudo isso, podemos perdoar o visitante ingênuo do Louvre por experimentar uma sensação de, bem, desapontamento ao olhar *a pintura mais famosa do mundo*. Para início de conversa, ela é surpreendentemente pequena. E, estando naquela caixa à prova de balas e sempre circundada por multidões de turistas batendo fotos, é irritantemente difícil vê-la. Então quando você, enfim, consegue se aproximar, está mesmo esperando algo especial — algo que o crítico de arte Kenneth Clark chamou de "o exemplo supremo de perfeição", que faz aqueles que apreciam a obra "esquecerem todas as suas dúvidas na admiração do domínio da perfeição".[2] Bem, como dizem, eu não sou crítico de arte. Mas na minha primeira visita ao Louvre, há muitos anos, quando finalmente tive minha chance de mergulhar no brilho do domínio da perfeição, não pude deixar de me perguntar sobre as outras três obras de Da Vinci pelas quais eu acabara de passar na sala anterior, e às quais ninguém parecia dispensar nenhuma atenção. O que percebi é que a *Mona Lisa* parecia um feito incrível do talento artístico, porém, não muito maior que aquelas outras três pinturas. Na verdade, se eu já não soubesse qual pintura era a famosa, duvido que tivesse escolhido essa, estando todas lado a lado. Do mesmo modo, se ela estivesse em exposição como qualquer outra obra de arte famosa no Louvre, tenho quase certeza de que não pensaria que é a escolha óbvia para o prêmio de A Pintura Mais Famosa.

Bem, Kenneth Clark poderia muito bem dizer para mim que é por isso que ele é o crítico de arte e não eu — que há traços do domínio de técnica que são visíveis apenas para olhos treinados, e que neófitos como eu deveriam simplesmente aceitar o que nos é dito. Ok, é justo. Mas se isso é verdade, você poderia esperar que a mesma perfeição que é óbvia para Clark teria sido óbvia para todos os outros especialistas em arte ao longo da história. E ainda assim, como o historiador Donald Sassoon relata em sua brilhante biografia da *Mona Lisa*, nada poderia estar mais distante disso.[3] Por séculos, a *Mona Lisa* foi uma pintura relativamente obscura que repousava nas residências de reis — uma obra de arte, é claro, mas apenas mais uma entre tantas outras. Mesmo quando foi transferida para o Louvre, depois da Revolução Francesa, não atraía tanta atenção quanto as obras de outros artistas, como Esteban Murillo, Antonio da Correggio, Paolo Veronese, Jean-Baptiste Greuze e Pierre-Paul Prud'hon, nomes que, em sua maioria, são praticamente desconhecidos hoje em dia, exceto em aulas de história da arte. E, por mais admirado que fosse, até a metade do século XIX, Da Vinci não era considerado um artista à altura dos então verdadeiros mestres da pintura, como Ticiano e Rafael, cujos trabalhos valiam quase dez vezes mais que a *Mona Lisa*. Na verdade, foi somente no século XX que a *Mona Lisa* começou sua meteórica ascensão à marca global. E mesmo então isso não foi o resultado de críticos de arte subitamente apreciando o gênio que viveu entre eles por tanto tempo, nem devido aos esforços de curadores de museus, socialites, mecenas endinheirados, políticos ou reis. Nada disso: tudo começou com um roubo.

No dia 21 de agosto de 1911, um funcionário descontente do Louvre chamado Vincenzo Peruggia se escondeu em um almoxarifado até o fechamento do museu, quando então saiu com a *Mona Lisa* escondida sob o casaco. Italiano orgulhoso, Peruggia aparentemente acreditava que a *Mona Lisa* deveria ser exposta na Itália, não na França, e estava determinado a repatriar ele mesmo o tesouro havia tanto tempo perdido. Porém, como muitos ladrões, Peruggia descobriu que era muito mais fácil roubar uma obra de arte do que se livrar dela. Depois de escondê-la em seu apartamento por dois anos, ele foi preso enquanto tentava vendê-la para a Galeria Uffizi, em Florença. Mas, apesar de ter falhado em sua missão, Peruggia teve êxito em catapultar a *Mona Lisa* a uma nova categoria de fama. O público francês foi cativado pelo ladrão audacioso e eletrizado pela inesperada recuperação do quadro. Os italianos também ficaram extasiados com o patriotismo do conterrâneo, e trataram Peruggia mais como um herói do que como um criminoso — antes de a *Mona Lisa* retornar a seu dono francês, ela foi exposta por toda a Itália.

A partir desse momento, a *Mona Lisa* jamais retornaria ao anonimato. A pintura foi objeto de atividade criminosa mais duas vezes — primeiro, quando um vândalo jogou ácido sobre a tela, e depois quando um jovem boliviano, Ugo Ungaza Villegas, atirou-lhe uma pedra. Mas acima de tudo ela se tornou referência para outros artistas — mais notadamente em 1919, quando o dadaísta Marcel Duchamp parodiou a pintura e fez graça com seu criador ao acrescentar um bigode, um cavanhaque e uma inscrição obscena a uma reprodução comercial da obra. Salvador Dalí e Andy Warhol também produziram suas interpretações, assim como muitos outros — em resumo, ela foi copiada centenas de vezes e usada em milhares de propagandas. Como observa Sassoon, todas essas diferentes pessoas — ladrões, vândalos, artistas e publicitários, sem contar os músicos, os diretores de cinema e até mesmo a Nasa (lembram-se da cratera em Vênus?) — estavam usando a *Mona Lisa* para seus próprios objetivos: para defender um ponto de vista, para aumentar a própria fama ou simplesmente para usar uma marca que sentiram que significaria alguma coisa para outras pessoas. Mas todas as vezes que usaram a *Mona Lisa*, houve um uso em retorno, insinuando-se mais profundamente para a fábrica da cultura ocidental e a consciência de bilhões de pessoas. É impossível imaginar, hoje em dia, a história da arte ocidental sem a *Mona Lisa*, e, nesse sentido, ela é realmente a maior entre todas as obras de arte. Mas também é impossível atribuir seu status incomparável a algo da pintura em si.

Esse último ponto apresenta um problema, porque quando tentamos explicar o sucesso da *Mona Lisa*, é precisamente em suas características que focamos nossa atenção. Se você é Kenneth Clark, não precisa saber nada sobre as circunstâncias em que *Mona Lisa* ascendeu à fama para saber por que isso aconteceu — tudo o que precisa saber está bem diante do seu nariz. Para simplificar um pouco, a *Mona Lisa* é a pintura mais famosa do mundo porque ela é *a melhor*, e, apesar de ter demorado um pouco para percebermos isso, inevitavelmente acabaríamos percebendo. E é por isso que tantas pessoas ficam intrigadas quando põem os olhos pela primeira vez sobre a Mona Lisa. Elas estão esperando que essas qualidades intrínsecas sejam aparentes, mas não são. É claro que muitos de nós, diante desse momento de dissonância, simplesmente damos de ombros e imaginamos que alguém mais inteligente que nós viu coisas que não vimos. E como Sassoon, hábil, porém inexoravelmente, afirma, quaisquer atributos que os críticos citem como evidência — a nova técnica de pintura que Leonardo empregou para uma finalização tão transparente, o sorriso enigmático, até mesmo a fama do próprio Da Vinci —, sempre podemos encontrar várias outras obras de arte que podem parecer tão boas ou até melhores.

É claro que sempre se pode solucionar esse problema observando que não é nenhum desses atributos que torna a *Mona Lisa* tão especial, mas a combinação de *todos* esses atributos — o sorriso *e* o uso da luz *e* o cenário fantástico etc. Na verdade não é possível rebater esse argumento, porque a *Mona Lisa* realmente é um objeto inigualável. Não importa quantos retratos ou pinturas similares um cético impertinente possa recuperar do armazém empoeirado da história, sempre podemos encontrar *alguma* diferença entre essas obras e aquela que todos sabemos que é merecidamente a campeã. Entretanto, infelizmente esse argumento vence sob a pena de destruir-se. É como se estivéssemos medindo a qualidade de uma obra de arte em termos de suas características, mas, na verdade, estamos fazendo o oposto — decidindo primeiro qual pintura é a melhor, e só então inferindo a partir de suas características os pré-requisitos de qualidade. Como consequência, podemos invocar esses pré-requisitos para justificar o resultado conhecido de uma maneira que pareça racional e objetiva. Mas o resultado é o raciocínio circular. Afirmamos que a *Mona Lisa* é o quadro mais famoso no mundo porque ele tem as características X, Y e Z. Mas, na verdade, o que estamos dizendo é que a *Mona Lisa* é famosa porque é mais parecida com a *Mona Lisa* que qualquer outro quadro.

Raciocínio circular

Nem todos apreciam essa conclusão. Quando certa vez apresentei o argumento para uma professora de literatura inglesa em uma festa, ela quase gritou: "Você está sugerindo que Shakespeare pode ser apenas um acaso da história?" Bem, para falar a verdade, era exatamente isso que eu estava sugerindo. Não me levem a mal: gosto de Shakespeare tanto quanto qualquer pessoa normal gosta. Mas também sei que não adquiri minha apreciação num vácuo. Como praticamente todos no mundo ocidental, passei meus anos de ensino médio estudando suas peças e seus sonetos. E talvez como muitos outros, para mim não foi óbvio de imediato de onde vinha toda a empolgação. Tente ler *Sonho de uma noite de verão* e esquecer por um momento que você sabe que é a obra de um gênio. No ponto em que Titânia está bajulando um homem com a cabeça de um burro, você pode começar a se perguntar que diabos Shakespeare estava pensando. Mas estou divagando. A questão é que não importa o que meu cérebro de estudante pensou sobre o que estava lendo, eu estava determinado a apreciar o gênio que meus professores garantiam que ele era. E se eu não o apreciasse, seria por minha culpa, não por Shakespeare — porque Shakespeare, a exemplo de Da Vinci, é a própria *definição* de gênio. Como a *Mona Lisa*, esse resultado pode ser perfeitamente justificado. No entanto, a questão continua sendo que a localização da fonte de sua genialidade nas características de seu trabalho invariavelmente nos coloca em um círculo: Shakespeare é um gênio porque ele se parece mais com Shakespeare que qualquer outro autor.

Apesar de isso raramente ser apresentado dessa maneira, esse tipo de raciocínio circular — X teve sucesso porque X tem as características de X — impregna as explicações do senso comum de por que algumas coisas fazem sucesso e outras não. Por exemplo, um artigo sobre o sucesso dos livros da série *Harry Potter* explicava-o da seguinte maneira: "Uma trama de Cinderela passada num tipo novelesco de internato cheio de alegres alunos já é interessante por si só. Acrescente alguns estereótipos óbvios ilustrando a maldade, a gula, a inveja ou o mal absoluto para aumentar a tensão, complete com uma afirmação moral sonora e inquestionável sobre o valor da coragem, da amizade e do poder do amor, e você já tem alguns dos elementos necessários para uma fórmula à prova de fracassos." Em outras palavras, *Harry Potter* é um sucesso porque tem exatamente as mesmas características de *Harry Potter*, e não de qualquer outra coisa.

Da mesma maneira, quando o Facebook começou a virar febre, a sabedoria popular afirmou que seu sucesso se devia unicamente a estudantes universitários. Ainda assim, em 2009, muito tempo após o Facebook ter sido aberto para todos, a Nielsen, uma empresa de pesquisas, atribuiu seu sucesso ao amplo apelo, somado a seu "design simples" e seu "foco na conexão". O Facebook, em outras palavras, teve sucesso porque tem exatamente os mesmos atributos do Facebook, embora os próprios atributos do Facebook tenham mudado completamente. Ou considerem uma reportagem de retrospectiva dos filmes lançados em 2009 que concluía, a partir do sucesso de *Se beber, não case*, que "comédias fáceis de nos identificarmos e que não propõem reflexão são o bálsamo perfeito para a recessão", o que com efeito quer dizer que *Se beber, não case* teve sucesso porque pessoas que vão ao cinema queriam ver filmes como *Se beber, não case*, e não algo diferente disso. Em todos esses casos, queremos acreditar que X teve sucesso porque tinha as características certas, mas as únicas características que conhecemos são as características que X possui; assim, concluímos que essas características devem ter sido responsáveis pelo sucesso de X.[4]

Mesmo quando não estamos explicando o sucesso de algo ainda utilizamos o raciocínio circular para compreender por que certas coisas acontecem. Por exemplo, em outra notícia recente, sobre uma aparente mudança no comportamento dos consumidores após a recessão, uma especialista explicava a transformação com a útil observação de que "é simplesmente menos divertido parar diante de um sinal fechado em uma Hummer agora. É uma mudança nas normas". As pessoas fazem X, em outras palavras, porque X é a norma, e é normal seguir as normas. Ok, ótimo, mas como sabemos que alguma coisa é uma norma? Sabemos porque as pessoas a estão seguindo. E isso não é um exemplo isolado. Se você começar a prestar atenção, é impressionante perceber como às vezes explicações contêm essa circularidade. Seja as mulheres podendo votar, gays ou lésbicas podendo se casar ou um negro sendo eleito presidente, rotineiramente explicamos tendências sociais em termos daquilo para que a sociedade "está preparada". Mas a única maneira de sabermos que a sociedade está pronta para alguma coisa é ver essa coisa acontecendo. Dessa forma, com efeito, todos estamos dizendo que "X aconteceu porque é o que as pessoas querem; e sabemos que X é o que elas querem porque X é o que aconteceu".[5]

O problema micro-macro

A evidente circularidade nas explicações do senso comum é importante para nossa análise porque deriva do que é discutivelmente o problema intelectual central da sociologia — aquilo que os sociólogos chamam de problema micro-macro. Em resumo, os fatos que os sociólogos procuram explicar são intrinsecamente de natureza "macro", o que significa que eles envolvem um grande número de pessoas. Pinturas, livros e celebridades só podem ser populares ou impopulares desde que um grande número de pessoas se importe com eles. Empresas, mercados, governos e outras formas de organização política e econômica exigem que um grande número de pessoas sustente suas regras para que algo efetivamente aconteça. E instituições culturais como casamentos, normas sociais, e até mesmo princípios legais, só têm relevância se um grande número de pessoas acredita que tenham. Entretanto, ao mesmo tempo é necessário que todos esses fatos sejam de alguma forma dirigidos pelas ações de caráter "micro" de seres humanos, que estão fazendo os tipos de escolha que discuti no capítulo anterior. Então como partimos das microescolhas de indivíduos e chegamos ao macrofenômeno do mundo social? Ou seja: de onde vêm famílias, empresas, mercados, culturas e sociedades, e por que exibem as características específicas que lhes são particulares? Esse é o problema micro-macro.

Na verdade, problemas semelhantes ao micro-macro surgem em qualquer área da ciência, por vezes sob o rótulo de "emergência". Como é possível, por exemplo, que uma coleção de átomos se junte e de algum modo forme uma molécula? Como é possível que uma coleção de aminoácidos e outros compostos químicos se junte e de algum modo forme uma célula viva? Como é possível que uma coleção de células vivas se junte e de algum modo forme órgãos complexos como o cérebro? E como é possível que uma coleção de órgãos se junte e de algum modo forme um ser sensível que questiona seu eterno eu? Vista desse ângulo, a sociologia é apenas o topo da pirâmide de complexidades que começa com partículas subatômicas e termina com a sociedade global. E a cada nível da pirâmide temos essencialmente o mesmo problema — a partida de uma "escala" da realidade em direção à seguinte.

Historicamente, a ciência vem fazendo o que pode para evitar essa questão, optando por uma divisão de trabalho em escalas. A física, dessa forma, é seu próprio objeto com seu próprio conjunto de fatos, leis e regularidades, enquanto a química é um objeto completamente diferente, com um conjunto de fatos, leis e regularidades completamente diferente, e a química é seu próprio objeto etc. Em alguma instância as leis que se aplicam a diferentes escalas devem ser consistentes — não se pode ter uma lei química que viole as leis da física —, mas geralmente não é possível derivar as leis que se aplicam em uma escala daquelas que governam a escala abaixo. Saber tudo sobre o comportamento dos neurônios separadamente, por exemplo, seria de pouca ajuda para o entendimento da psicologia humana, assim como o conhecimento completo da física de partículas seria de pouca utilidade para explicar a química das sinapses.[6]

Cada vez mais, porém, as questões que os cientistas pensam ser as mais interessantes — desde a revolução do genoma até a preservação de ecossistemas ou as falhas em cascata em redes de energia — forçam a considerar mais de uma escala por vez, e assim fazem-nos confrontar o problema da emergência. Cada gene interage com outro em uma cadeia complexa de ativação e supressão para expressar traços fenotípicos que não são redutíveis a propriedades de nenhum gene em particular. Cada planta e cada animal interage um com o outro de formas complexas, por via de relações entre caça e caçador, simbiose, competição e cooperação, para produzir propriedades no nível de ecossistema que não podem ser entendidas em termos de uma espécie em particular. E geradores de energia e subestações interagem uns com os outros por meio de cabos de transmissão de alta voltagem para produzir uma dinâmica no nível de sistema que não pode ser compreendida em termos de nenhum componente em particular.

Os sistemas sociais também estão repletos de interações — entre indivíduos, entre indivíduos e empresas, entre uma empresa e outra empresa, entre indivíduos, empresas e mercados, e entre todos e o governo. Indivíduos são influenciados pelo que outras pessoas estão fazendo, dizendo ou vestindo. Empresas são afetadas pelo que cada consumidor quer e também pelo que seus concorrentes estão produzindo, ou o que seus credores exigem delas. Mercados são afetados por regulamentações do governo, bem como por ações de empresas em particular, e às vezes até mesmo por indivíduos (lembre-se de Warren Buffett ou de Ben Bernanke). E governos são afetados por todo tipo de influência, desde lobistas até pesquisas de opinião ou índices de cotações de ações. Nos tipos de sistema que os sociólogos estudam, as interações vêm em tantas formas e carregam tantas consequências que nossa versão de emergência — o problema micro-macro — é talvez mais complexa e intratável que em qualquer outra área.

O senso comum, entretanto, tem um talento memorável para disfarçar essa complexidade. A emergência, tenha isso em mente, é um problema difícil justamente porque o comportamento do todo não pode ser relacionado com facilidade ao comportamento de suas partes, e nas ciências naturais nós implicitamente reconhecemos essa dificuldade. Por exemplo, não falamos do genoma como se ele se comportasse como um único gene, nem falamos de cérebros como se eles se comportassem como neurônios isoladamente, ou mesmo de ecossistemas como criaturas específicas. Isso seria ridículo. Mas no que diz respeito aos fenômenos sociais, nós falamos, *sim*, de "agentes sociais" como famílias, empresas, mercados, partidos políticos, segmentos demográficos e Estados-nações como se eles agissem mais ou menos da mesma maneira que os indivíduos que os compõem. Isto é, famílias "decidem" para onde viajar nas férias, empresas "escolhem" uma estratégia de negócios e partidos políticos "seguem" agendas legislativas. Da mesma forma, publicitários tentam atingir seu "público-alvo", agentes de Wall Street analisam o sentimento "do mercado", políticos falam sobre "a vontade do povo" e historiadores descrevem uma revolução como "uma sociedade febril".

É claro que todos compreendem que corporações e partidos políticos, até mesmo famílias, não têm literalmente sentimentos, não formam crenças nem imaginam o futuro da mesma forma que indivíduos o fazem. Também não estão sujeitos às mesmas peculiaridades psicológicas e aos preconceitos discutidos no capítulo anterior. Em algum nível, sabemos que o "comportamento" dos agentes sociais é realmente uma abreviação conveniente para o comportamento agregado de um grande número de indivíduos. Contudo, é tão natural falar dessa maneira que a abreviação tornou-se indispensável para nossa habilidade de explicar as coisas. Imagine tentar recontar a história da Segunda Guerra Mundial sem falar sobre a ação dos aliados ou dos nazistas. Imagine tentar compreender a internet sem falar sobre o comportamento de grandes empresas como a Microsoft ou o Yahoo! ou o Google. Ou imagine tentar analisar o debate sobre a reforma da saúde pública nos Estados Unidos sem falar sobre os interesses dos democratas e dos republicanos, ou de "interesses especiais". Margaret Thatcher fez uma afirmação célebre: "Não existe isso de sociedade. Existem homens e mulheres individuais, e existem famílias."[7] Mas se realmente tentássemos aplicar a doutrina de Thatcher para explicar o mundo, nem saberíamos por onde começar.

No âmbito das ciências sociais, a posição filosófica de Thatcher recebe o nome de individualismo metodológico, segundo a qual se alguém conseguiu explicar algum fenômeno social — a popularidade da *Mona Lisa* ou a relação entre taxa de juros e crescimento econômico — exclusivamente em termos de pensamentos, ações e intenções de indivíduos, esse alguém não conseguiu explicar nada. Explicações que atribuem motivações psicológicas individuais para entidades agregadas, como empresas, mercados e governos, podem ser convenientes, mas não são, como o filósofo John Watkins mostrou, explicações "do fundo do poço".[8]

Infelizmente, tentativas de fundamentar esse tipo de explicações do fundo do poço que os individualistas metodológicos imaginaram chocaram-se com o problema micro-macro. Dessa forma, na prática os cientistas sociais invocam o que chamam de agente representativo, um indivíduo fictício cujas decisões representam o comportamento do coletivo. Para dar apenas um exemplo, porém um exemplo importante, a economia é composta de muitas centenas de empresas e milhões de indivíduos, todos tomando decisões sobre o que comprar, o que vender e no que investir. O resultado de todas essas atividades é o que os economistas chamam de ciclo de negócios — com efeito, uma série temporal de atividades econômicas agregadas que parecem exibir altos e baixos periódicos. Compreender a dinâmica do ciclo de negócios é um dos problemas centrais da macroeconomia, principalmente porque afeta a maneira como legisladores lidam com acontecimentos como recessões. Porém, os modelos matemáticos em que os economistas se baseiam não tentam em momento algum representar a vasta complexidade da economia. Em vez disso, especificam uma única "empresa representativa" e perguntam-se como é que aquela empresa deveria alocar seus recursos racionalmente, dadas algumas informações sobre o restante da economia. *Grosso modo*, a resposta daquela empresa é então interpretada como a resposta da economia de forma geral.[9]

Ao ignorar as interações entre milhares ou milhões de agentes individuais, o agente representativo simplifica enormemente a análise de ciclos de negócios. Com efeito, ele toma como premissa que enquanto os economistas tiverem um bom modelo de como os indivíduos se comportam, terão também um bom modelo sobre como a economia funciona. Ao eliminar a complexidade, entretanto, o método do agente representativo ignora o cerne do problema micro-macro — o próprio núcleo daquilo que faz do fenômeno da macroeconomia um fenômeno "macro". Foi precisamente por essa razão, na verdade, que o economista Joseph Schumpeter, por vezes lembrado como o pai do individualismo metodológico, criticou o método do agente representativo, julgando-o errôneo e enganoso.[10]

Na prática, entretanto, individualistas metodológicos têm perdido a batalha, e não apenas na economia. Escolha qualquer trabalho de história, sociologia ou ciência política que lide com fenômenos "macro", como classe, raça, negócios, guerra, riqueza, inovação, política, direito ou governo, e você encontrará um mundo repleto de agentes representativos. Seu uso na ciência social é, aliás, tão comum que o uso de um indivíduo fictício em substituição ao que é na verdade um coletivo costuma acontecer sem que nem mesmo percebamos, como o mágico colocando o coelho na cartola enquanto o público olha para outro lado. Entretanto, não importa como é feito, o agente representativo é apenas uma ficção conveniente, e assim o será sempre. E não importa quanto tentemos vesti-los com matemática ou outros adornos, as explicações que invocam agentes representativos erram da mesma maneira que as explicações do senso comum que falam sobre empresas, mercados e sociedades nos mesmos termos que usamos para descrever indivíduos.[11]

Riot Model, o modelo de motim de Granovetter

O sociólogo Mark Granovetter ressaltou esse problema usando um modelo matemático muito simples de uma multidão pronta para um motim. Digamos que centenas de estudantes estejam reunidos em uma praça, protestando contra a diminuição da verba para a educação proposta pelo governo. Os estudantes estão irritados com a nova política e frustrados com sua falta de influência sobre o processo decisório. Há uma possibilidade de que as coisas fujam ao controle. Mas, sendo pessoas educadas e civilizadas, eles entendem também que a razão e o diálogo são preferíveis à violência. Para simplificar um pouco, cada indivíduo na multidão está dividido entre dois objetivos: destruir e quebrar coisas; permanecer calmo e protestar pacificamente. Todos, estejam conscientes ou não disso, devem escolher uma dessas duas ações. Mas eles não estão escolhendo entre a violência e o protesto pacífico espontaneamente — eles estão escolhendo, ao menos em parte, em resposta ao que as outras pessoas estão fazendo. Quanto maior o número de indivíduos que se envolvem em um motim, maiores são as chances de que seus esforços obriguem os políticos a prestar atenção, e menores as chances de que algum deles seja preso e punido. Além disso, motins têm uma energia primitiva que pode enfraquecer as convenções sociais antes rígidas, mesmo que isso desvie nossa avaliação psicológica de risco. Em um motim, até mesmo as pessoas mais sensíveis podem enlouquecer. Por todas essas razões, a escolha entre permanecer calmo ou praticar atos violentos está sujeita à regra geral que diz que quanto mais pessoas estão num motim, maiores são as chances de um indivíduo se juntar a ele.

Contudo, nessa multidão, como em todos os lugares, indivíduos têm diferentes predisposições à violência. Talvez aqueles que estejam melhor sem a nova política ou que sejam menos afetados financeiramente sejam menos inclinados a arriscar um período de prisão para defender um posicionamento. Outros estão mais convencidos de que a violência, ainda que lamentável, é uma ferramenta política útil. Outros podem ter uma reclamação independente contra a polícia, os políticos ou a sociedade, e esse evento está lhes dando uma oportunidade de extravasá-la. E talvez alguns sejam apenas mais loucos que os outros. Qualquer que seja a razão — e podem ser tantas e tão complicadas que nem se consegue imaginar —, cada indivíduo na multidão pode ser pensado como tendo um "limiar", um ponto em que, se há pessoas o suficiente para se juntar ao motim, ele vai participar também, mas abaixo do qual ele vai se abster. Algumas pessoas — os "encrenqueiros" — têm limiares muito baixos, enquanto outras, como o presidente da união de estudantes, têm limiares muito elevados. Mas todos têm um limiar de influência social, acima do qual vão "passar" da calma à violência. Isso pode parecer uma estranha forma de caracterizar o comportamento individual. Mas o benefício de descrever as pessoas em meio à multidão em termos de seus limites é que a distribuição dos limiares entre toda a multidão, de loucos ("Eu vou partir para a violência, mesmo que ninguém mais faça isso") a Gandhi ("Eu não vou partir para a violência, mesmo que todo mundo faça isso"), acaba apreendendo algumas lições interessantes e surpreendentes sobre o comportamento de multidões.[12]

Para ilustrar o que poderia acontecer, Granovetter elaborou uma distribuição muito simples na qual cada centena de pessoas tem o mesmo limite. Exatamente uma pessoa tem o limiar zero, enquanto outra tem o limiar de uma pessoa, outra tem o limiar de duas pessoas, e assim por diante até a pessoa mais conservadora, que vai recorrer à violência apenas se as outras 99 pessoas o fizerem. O que vai acontecer? Bem, primeiramente o sr. Doido — aquele com o limiar zero — vai começar a atirar coisas pelo ar, sem qualquer motivo. Então seu parceiro com o limiar de uma (que precisa de apenas uma pessoa se rebelando para se rebelar também) acompanha o outro. Juntos, esses dois encrenqueiros angariam uma terceira pessoa — o cara com o limiar de duas pessoas — para juntar-se a eles também, e isso é suficiente para que a pessoa com o limiar de três se envolva, que é suficiente para... Bem, vocês entenderam a ideia: dada essa distribuição de limiares, toda a multidão acabará se juntando ao motim, uma após a outra. O caos reina.

Agora imagine que na cidade ao lado uma segunda multidão, composta também de estudantes e exatamente do mesmo tamanho, reuniu-se exatamente pelo mesmo motivo. Por mais improvável que pareça, vamos imaginar que esse grupo tenha quase a mesma distribuição de limites que o primeiro. Esses dois grupos são tão parecidos, na verdade, que diferem apenas no que diz respeito a uma pessoa: enquanto na primeira multidão cada pessoa tinha um limiar diferente, nessa ninguém tem o limiar de três e duas pessoas têm o de quatro. Para um observador externo, essa diferença é tão pequena que não chega a ser detectada. Nós sabemos que os grupos são diferentes porque estamos brincando de Deus aqui, mas nenhum teste psicológico confiável ou modelo estatístico poderia diferenciá-los. Então o que acontece agora com o comportamento desse grupo? Começa do mesmo jeito: o sr. Doido dá início, como da outra vez, e o sujeito ao lado mais o cara com o limiar de duas se juntam a ele. Mas aí eles chegam a um beco sem saída, porque ninguém tem o limiar de três. Os próximos indivíduos mais suscetíveis são aqueles dois que têm limiar de quatro; porém, temos apenas três pessoas se rebelando. Então o motim em potencial termina antes mesmo de começar.

Finalmente, agora imagine o que os observadores nessas duas cidades vizinhas iriam ver. Na cidade A, eles iriam testemunhar um motim descontrolado, com requintes de vitrines quebradas e carros virados. Na cidade B, eles veriam alguns indivíduos grosseiros perturbando uma multidão controlada. Se esses observadores fossem comparar anotações depois, tentariam descobrir quais foram as diferenças entre as *pessoas* ou as *circunstâncias*. Talvez os estudantes da cidade A estivessem mais irritados ou mais desesperados que os da cidade B. Talvez as vitrines estivessem menos protegidas, ou talvez a polícia fosse mais agressiva, ou ainda, talvez a multidão na cidade A tivesse um orador um tanto mais inflamado. Essas são as explicações típicas que o senso comum sugeriria. Obviamente alguma coisa deve ter sido diferente, senão como poderíamos explicar resultados tão divergentes? Mas na verdade nós sabemos que, exceto pelo limiar de um único indivíduo, absolutamente *nada* nessas pessoas ou em suas circunstâncias foi diferente. Esse último ponto é fundamental, porque a única maneira que um modelo de agente representativo poderia dar conta dos resultados diferentes observados na cidade A e na cidade B seria se houvesse alguma diferença crítica entre as propriedades gerais das duas populações, e igualmente gerais para todos os intentos e efeitos.

O problema parece similar àquele que meus alunos encontraram quando tentavam explicar a diferença entre o número de doadores de órgãos na Áustria e na Alemanha, mas na verdade é bastante diferente. No caso dos doadores de órgãos, lembrem, o problema foi que meus alunos tentaram entender a diferença em termos de incentivos racionais, quando na realidade o determinante eram circunstâncias gerais. Em outras palavras, eles tinham o modelo errado de comportamento individual. Mas no caso dos doadores de órgãos ao menos, quando você entende como a escolha automática é importante, fica claro por que o número de doadores de órgãos é tão diferente. Já no modelo de motim de Granovetter, não importa *qual* modelo de comportamento individual você tenha — porque em qualquer sentido razoável as duas populações são indistinguíveis. Para compreender como se deram os diferentes resultados, você deve levar em conta as interações *entre* indivíduos, o que por sua vez requer que você siga toda a sequência de decisões individuais, cada resultado em relação com todos os outros resultados. Esse é o problema micro-macro no seu maior exemplo. E no momento em que você tenta passar por cima dele, digamos, substituindo o agente representativo pelo comportamento coletivo — terá perdido toda a essência do que está acontecendo, não importa o que você pense sobre o agente.

Vantagem cumulativa

O "modelo de motim" de Granovetter apresenta uma observação profunda sobre os limites do que pode ser entendido do comportamento coletivo ao se debruçar somente sobre o comportamento individual. Isso posto, o modelo é extremamente — quase comicamente — simples, e está sujeito a falhas de todos os tipos. Na maioria das escolhas no mundo real, por exemplo, estamos escolhendo entre muitas opções potenciais, não apenas as duas — se rebelar ou não — previstas pelo modelo de Granovetter. Também não parece plausível que a maneira como influenciamos uns aos outros no mundo real seja algo tão simples como a regra do limiar. Em muitas situações rotineiras, quando escolhemos, digamos, uma nova música para escutar, um novo livro para ler ou um novo restaurante para comer, por vezes faz sentido pedir conselhos a outras pessoas, ou simplesmente prestar atenção às escolhas que elas fizeram, sob a justificativa de que, se elas gostaram, você tem uma tendência maior a gostar também. Além disso, seus amigos podem influenciar as músicas ou os livros que você escolhe não apenas porque você supõe que eles já fizeram algum trabalho de filtragem entre as várias opções, mas também porque você vai gostar de falar sobre e dividir as mesmas referências culturais.[13]

Influências sociais desse tipo geral são provavelmente onipresentes. Mas, ao contrário do limiar simples do experimento pensado por Granovetter, a regra de decisão resultante não é nem binária nem determinista. Em vez disso, quando as pessoas tendem a gostar de algo que outras pessoas gostam, diferenças na popularidade são sujeitas ao que chamamos de vantagem cumulativa: uma vez que uma música ou um livro, por exemplo, torna-se mais popular que outro, a tendência é se tornar popular ainda mais. Ao longo dos anos, pesquisadores estudaram uma variedade de diferentes tipos de modelos de vantagem cumulativa, mas todos tinham em comum a observação de que mesmo minúsculas flutuações randômicas tendem a ficar maiores com o tempo, gerando diferenças potencialmente gigantescas a longo prazo — um fenômeno parecido com o famoso "efeito borboleta" da teoria do caos, segundo o qual uma borboleta batendo as asas na China pode desencadear um furacão meses depois, a oceanos de distância.[14]

Como no modelo de Granovetter, estratégias de vantagens cumulativas têm implicações perturbadoras para os tipos de explicações que propomos sobre sucesso e fracasso nos mercados culturais. Explicações do senso comum, lembre-se, centram-se na coisa em si — a música, o livro ou a empresa — e explicam seu sucesso apenas em termos de seus atributos intrínsecos. Se tivéssemos que imaginar a história sendo de alguma forma "reprisada" muitas vezes, explicações em que atributos intrínsecos são as únicas coisas que importam iriam prever que o mesmo resultado apareceria toda vez. Já a vantagem cumulativa iria prever que mesmo universos idênticos, começando com o mesmo conjunto de pessoas, objetos e gostos, sem dúvida produziria diferentes destaques no mercado ou na cultura. A *Mona Lisa* seria popular nesse mundo, mas em outra versão da história seria apenas mais uma entre muitas obras-primas, sendo substituída por uma outra pintura da qual a maioria de nós nunca teria ouvido falar. Da mesma forma, o sucesso de *Harry Potter*, do Facebook e de *Se beber, não case* tornaria-se produto do acaso e de suas épocas tanto quanto são produto de suas qualidades intrínsecas.

Entretanto, na vida real temos apenas um mundo — o mundo em que vivemos —, por isso é impossível fazer esse tipo de comparação "entre mundos" que os modelos dizem que devemos fazer. Você pode não se surpreender, portanto, ao saber que quando alguém usa a saída de um modelo de simulação para argumentar que *Harry Potter* pode não ser tão especial quanto todos pensam que é, os fãs de *Harry Potter* tendem a não se convencer. O senso comum nos diz que *Harry Potter* deve ser especial — mesmo que meia dúzia ou mais de editores de livros infantis que tinham rejeitado o manuscrito original não o tenham percebido naquele momento — porque mais de 350 milhões de pessoas compraram o livro. E como qualquer modelo necessariamente faz todo tipo de pressupostos simplificadores, sempre que temos de escolher entre questionar o senso comum e questionar um modelo, nossa tendência é optar pela segunda opção.

Exatamente por essa razão, há anos eu e meus colaboradores Matthew Salganik e Peter Dodds, decidimos fazer um experimento controlado, do tipo que se faz em laboratórios, em que pessoas reais fariam mais ou menos o mesmo tipo de escolhas que fariam no mundo real — nesse caso, entre uma seleção de músicas. Ao randomicamente encaminhar pessoas diferentes a diferentes condições experimentais, estaríamos, de fato, criando a situação de "vários mundos" imaginada nos modelos de computador. Em algumas condições, as pessoas seriam expostas a informações sobre o que outras pessoas estivessem fazendo, mas dependeria delas decidir se seriam ou não influenciadas por essa informação, e como. Enquanto isso, em outras condições, os participantes estariam diante do mesmo conjunto de escolhas, mas sem nenhuma informação sobre as decisões dos demais participantes; dessa forma, eles seriam forçados a se comportar de forma independente. Ao comparar os resultados das condições de "influência social" com aqueles das condições "independentes", poderíamos observar diretamente os efeitos da influência social sobre os resultados coletivos. Mais especificamente, ao conduzirmos tantos mundos em paralelo, poderíamos medir quanto do sucesso de uma música depende de seus atributos intrínsecos e quanto depende de sua vantagem cumulativa.

Infelizmente, falar sobre um experimento como esse é mais fácil do que efetivamente realizá-lo. Em experimentos psicológicos do tipo que discuti no capítulo anterior, cada fase envolve pelo menos alguns indivíduos; dessa forma, o experimento inteiro exige ao menos algumas centenas de participantes, geralmente universitários que aceitam participar em troca de dinheiro ou créditos de curso. O tipo que tínhamos em mente, entretanto, necessitava que observássemos como todas essas "cutucadas" no nível pessoal se somavam para criar diferenças no nível coletivo. Com efeito, queríamos estudar o problema micro-macro em laboratório. Mas para observar efeitos como esse, precisaríamos recrutar centenas de pessoas para cada etapa, e precisaríamos conduzir o experimento ao longo de muitas etapas independentes. Assim, mesmo para um único experimento precisaríamos de centenas de participantes, e se quiséssemos conduzir múltiplos experimentos sob condições diferentes, precisaríamos de dezenas de milhares.

Em 1969, o sociólogo Morris Zelditch descreveu esse exato problema em um artigo provocativamente intitulado "Can You Really Study an Army in a Laboratory?" [em tradução livre, "Podemos realmente estudar um exército em laboratório?"]. Naquele momento, sua conclusão foi que não, isso não era possível — ao menos não literalmente. Assim, ele defendia a ideia de que os sociólogos deveriam se concentrar em estudar o funcionamento de grupos pequenos a fim de generalizar suas descobertas para grupos maiores. Isto é, a macrossociologia, assim como a macroeconomia, não poderia jamais ser uma disciplina experimental, apenas porque seria impossível conduzir os experimentos necessários. Coincidentemente, entretanto, o ano de 1969 marcou também a gênese da internet, e desde então o mundo mudou de formas que seriam difíceis de imaginar até para Zelditch. Com a atividade social e econômica de centenas de milhares de pessoas migrando para o universo on-line, nós imaginamos se não seria o momento de revisitarmos a questão de Zelditch. Pensamos que talvez possamos, *sim*, estudar um exército num laboratório — só que esse laboratório seria virtual.[15]

Sociologia experimental

Foi o que fizemos. Com a ajuda de nosso programador, um jovem húngaro chamado Peter Hausel, e alguns amigos da Bolt Media, um dos primeiros sites de relacionamento para adolescentes, elaboramos um experimento conduzido via internet planejado para emular um "mercado" de música. A Bolt concordou em fazer propaganda de nossa experiência, chamada Music Lab, em seu site, e ao longo de várias semanas cerca de 14 mil de seus membros clicaram no banner e concordaram em participar. Em nosso site, os participantes deveriam ouvir, avaliar e, se quisessem, fazer o download de músicas de bandas desconhecidas. Alguns participantes viram apenas os nomes das músicas, enquanto outros viram também quantas vezes as músicas já haviam sido baixadas anteriormente. Pessoas nessa categoria de "influência social" foram então divididas em oito "universos" paralelos, de forma que pudessem ver apenas os downloads feitos por pessoas no mesmo universo. Assim, se uma recém-chegada fosse colocada por acaso no Universo 1, ela poderia ver a música "She Said", da banda Parker Theory, em primeiro lugar. Mas se em vez disso ela tivesse sido colocada no Universo 4, Parker Theory estava em décimo lugar e "Lockdown", da banda 52 Metro, estaria em primeiro.[16]

Não manipulamos nenhum dos rankings — todos os universos começaram de maneira idêntica, com zero download. Mas como os diferentes universos foram cuidadosamente mantidos separados, eles poderiam se desenvolver independentemente uns dos outros. Assim, essa configuração nos permitiu testar os efeitos da influência social de forma direta. Se as pessoas soubessem do que gostavam sem levar em conta o que as outras pessoas pensavam, poderia não haver diferença entre influência social e condições independentes. Em todos os casos, as mesmas músicas deveriam vencer por mais ou menos o mesmo número. Mas se as pessoas não tomam decisões independentemente, e se a vantagem cumulativa se aplica, os universos diferentes sob a condição de influência social deveriam ser muito diferentes uns dos outros, e todos deveriam ser diferentes da condição independente.

O que descobrimos foi que quando as pessoas tinham informações sobre o que os outros haviam baixado, sem dúvida eram influenciadas, como a teoria da vantagem cumulativa previa. Em todos os universos de "influência social", as músicas populares eram mais populares (e músicas impopulares eram ainda menos populares) que na condição independente. Ao mesmo tempo, porém, as músicas que se tornaram as mais populares — os "hits" — eram diferentes em mundos diferentes. Em outras palavras, aplicar a influência social sobre a tomada de decisões humanas aumenta não apenas a desigualdade, como também a imprevisibilidade. Da mesma forma, essa imprevisibilidade não poderia ser eliminada pelo acúmulo de mais informações sobre as músicas, assim como estudar a superfície de um par de dados não poderia ajudar a prever o resultado de uma jogada. Em vez disso, a imprevisibilidade era *inerente* à própria dinâmica do mercado.

Deve-se ressaltar que a influência social não eliminou inteiramente a qualidade: de forma geral, as músicas "boas" (como medidas por sua popularidade sob a condição independente) ainda se saíam melhor que as músicas "ruins". Também é verdadeiro que as melhores músicas nunca se saíam muito mal, enquanto as piores músicas nunca eram vencedoras. Isso posto, até mesmo as melhores músicas poderiam não vencer às vezes, enquanto as piores poderiam ir muito bem. E para as que ficavam no meio-termo — a maioria das músicas não estava nem entre as melhores nem entre as piores —, praticamente todo e qualquer resultado era possível. Por exemplo, "Lockdown", do 52 Metro, ficou em 26º lugar de uma lista com 48 músicas, mas foi o primeiro lugar em um dos universos de influência social e 40º em outro. Em outras palavras, a performance "mediana" de uma música é significativa somente se a variabilidade que ela apresenta em cada universo é pequena. Mas foi precisamente essa variabilidade aleatória que se revelou grande. Por exemplo, mudando o formato do site de uma grade randomicamente organizada de músicas para uma lista, descobrimos que poderíamos aumentar a força do sinal social, dessa forma aumentando também tanto a desigualdade quanto a imprevisibilidade. Nesse experimento de "influência forte", as flutuações aleatórias desempenharam um papel maior na determinação da posição de uma música no ranking do que até mesmo as maiores diferenças de qualidade. De forma geral, uma música no Top 5 em termos de qualidade tinha apenas 50% de chance de se posicionar no Top 5 de sucesso.

Muitos observadores interpretaram nossas descobertas como um comentário sobre a arbitrariedade nos gostos musicais de adolescentes ou o vazio da música pop contemporânea. Mas, a princípio, o experimento poderia ter sido sobre qualquer escolha que as pessoas fazem numa conjuntura social: em quem votamos, o que pensamos sobre o casamento gay, qual telefone vamos comprar ou em qual site de relacionamento nos cadastramos, que roupas vestimos para ir trabalhar, ou como pagamos a fatura do cartão de crédito. Em muitos casos, planejar esses experimentos é mais fácil do que realizá-los, e é por isso que decidimos utilizar a música. As pessoas gostam de escutar música e estão acostumadas a baixá-las na internet, então, ao elaborar o que parecia um site para download de mp3, poderíamos realizar uma experiência que não apenas era barata (não precisávamos pagar a nossos participantes), como também era algo muito próximo daquilo que poderíamos chamar de um ambiente "natural". No fim, o que realmente importava era que nossos participantes estavam fazendo escolhas em meio a opções que competiam entre si, e que suas escolhas eram influenciadas pelo que pensaram que outras pessoas haviam escolhido. Os adolescentes também foram uma escolha proveitosa, pois eram a maioria dos usuários de redes sociais em 2004. Mas, novamente, não havia nada de mais na escolha desse grupo — como mostramos em uma versão subsequente do experimento, para o qual recrutamos majoritariamente adultos. Como era de esperar, os adultos tinham preferências diferentes das dos adolescentes, por isso o desempenho geral das músicas se alterou um pouco. Contudo, eles eram tão influenciados pelo comportamento dos outros quanto o grupo da outra faixa etária, e geraram o mesmo tipo de desigualdade e imprevisibilidade.[17]

O que a experiência do Music Lab realmente mostrou, portanto, foi notavelmente similar à ideia básica do modelo de motim de Granovetter: quando indivíduos sofrem a influência de outras pessoas, grupos semelhantes podem acabar se comportando de formas muito distintas. Isso pode não parecer grande coisa, mas fundamentalmente questiona o tipo de explicação baseado no senso comum que sugerimos sobre a razão de algumas coisas terem sucesso e outras não, por que normas sociais ditam que façamos algumas coisas e não outras, ou mesmo por que acreditamos no que acreditamos. Explicações baseadas no senso comum contornam todo o problema de como escolhas individuais agregam-se ao comportamento coletivo simplesmente substituindo o coletivo por um indivíduo representativo. E como pensamos que sabemos por que indivíduos fazem o que fazem, assim que sabemos o que aconteceu podemos sempre dizer que era isso o que esse indivíduo fictício — "o povo", "o mercado", tanto faz — queria.

Indo além do problema micro-macro, experimentos como o Music Lab expõem a falácia que surge dessa forma de raciocínio circular. Assim como se pode saber tudo sobre o comportamento de neurônios e ainda ficar impressionado com a emergência da consciência no cérebro humano, também se pode saber tudo sobre indivíduos em uma população específica — o que eles gostam ou não, suas experiências, atitudes, crenças, esperanças e seus sonhos — e ainda não conseguir prever muito sobre seu comportamento coletivo. Assim, explicar o resultado de algum processo social em termos de preferência de algum indivíduo representativo fictício exagera bastante nossa habilidade de isolar causa e efeito.

Por exemplo, se você hoje perguntasse aos 500 milhões inscritos no Facebook se em 2004 queriam ou não publicar perfis de si mesmos na internet e dividir atualizações sobre seu dia a dia com centenas de amigos e conhecidos, muitos teriam dito não, e provavelmente estariam todos sendo honestos. Em outras palavras, o mundo não estava esperando sentado que alguém inventasse o Facebook para que todos pudéssemos nos cadastrar. Em vez disso, poucas pessoas se cadastraram, por sabe-se lá quais motivos, e começaram a experimentar o site. Foi só então, devido ao que essas pessoas experimentaram ao utilizar o serviço existente naquela época — e ainda mais por causa das experiências que elas criaram umas para as outras ao utilizá-lo —, que outras pessoas começaram a se cadastrar. E então outras pessoas se cadastraram porque essas outras pessoas se cadastraram, e assim por diante, até o ponto a que chegamos. Hoje o Facebook *é* tremendamente popular, por isso parece óbvio que devia ser isso o que as pessoas queriam — se não, por que estariam utilizando?

Isso não quer dizer que o Facebook, a empresa, não tomou uma série de atitudes sagazes ao longo dos anos ou que não merece esse sucesso todo. Nada disso: a questão é apenas que as explicações que damos sobre seu sucesso são menos relevantes do que parecem. O Facebook tem um conjunto particular de características, assim como o *Harry Potter* e a *Mona Lisa* têm seu conjunto particular de características, e todos eles tiveram os próprios desdobramentos. Mas isso não significa que essas características tenham *causado* os desdobramentos de alguma maneira significativa. Na verdade, em última instância pode simplesmente não ser possível dizer *por que* a *Mona Lisa* é o quadro mais famoso do mundo ou *por que* os livros da série *Harry Potter* venderam mais de 350 milhões de exemplares em dez anos, ou *por que* o Facebook atraiu mais de 500 milhões de usuários. No fim, a única explicação honesta pode ser aquela dada pelo editor do surpreendente best-seller de Lynne Truss, *Eats, Shoots and Leaves*, que, ao lhe pedirem que explicasse o sucesso do livro, respondeu: "Ele vendeu bem porque muita gente comprou."

Pode não ser surpreendente muitas pessoas não gostarem muito dessa conclusão. A maioria de nós está preparada para admitir que nossas decisões são influenciadas por aquilo que outras pessoas pensam — às vezes, ao menos. Mas uma coisa é reconhecer que de vez em quando nosso comportamento é influenciado dessa ou daquela maneira por aquilo que outras pessoas estão fazendo, e outra bem diferente é admitir que, como consequência, explicações reais para o sucesso de um escritor ou de uma empresa, mudanças inesperadas em normas sociais ou o súbito colapso de um regime político aparentemente inabalável possam simplesmente estar muito longe do nosso alcance. Diante da perspectiva de que algum resultado de interesse não pode ser explicado em termos de características ou condições especiais, uma contingência comum é supor que, ao contrário, isso foi determinado por um pequeno grupo de pessoas influentes ou importantes. E é esse tópico que exploraremos no próximo capítulo.

4

Pessoas especiais

Pode ser difícil acreditar, numa época em que as "redes sociais" se tornaram tão comuns que aparecem em tudo, de filmes a comerciais de cerveja, mas não faz muito tempo — mais ou menos na metade da década de 1990 — o estudo de redes sociais era relativamente obscuro, ocupando quase que exclusivamente um pequeno grupo de sociólogos com inclinações matemáticas interessados em mapear as interações entre indivíduos.[1] A área explodiu há pouco tempo, em grande parte porque computadores rápidos e tecnologias de comunicação como e-mails, celulares e redes sociais tais como o Facebook tornaram possível registrar e analisar essas interações com grande precisão, mesmo sendo centenas de milhões de pessoas em atividade ao mesmo tempo. Hoje em dia, milhares de cientistas computacionais, físicos, matemáticos e até biólogos definem-se como "cientistas de rede", e novas descobertas sobre a estrutura e a dinâmica de sistemas de redes surgem diariamente.[2]

Seis graus de separação

Porém, em 1995, quando eu estudava na Cornell e investigava o sincronismo em comunidades de grilos, tudo isso era coisa do futuro. Naquela época, na verdade, a ideia de que o mundo estava conectado por meio de uma rede social gigantesca, pela qual circulavam informações, ideias e influência, ainda era bastante nova — tanto que, quando meu pai me perguntou, em uma de nossas rotineiras conversas por telefone, se eu já tinha ouvido falar da teoria de que "todas as pessoas do mundo estão a apenas seis apertos de mão de distância do presidente dos Estados Unidos", achei que fosse apenas lenda urbana. E, de certa forma, era mesmo. As pessoas ficaram fascinadas com aquilo que os sociólogos, há cerca de um século, chamam de "problema do mundo pequeno", desde que o poeta húngaro Frigyes Karinthy publicou um conto chamado "Correntes", cujo protagonista afirma que está conectado a qualquer pessoa do mundo, seja um ganhador do prêmio Nobel ou um operário da Ford, por meio de uma corrente de não mais que cinco conhecidos. Quatro décadas depois, em seu polêmico livro sobre planejamento urbano, *Morte e vida das grandes cidades*, a jornalista Jane Jacobs descreveu um jogo similar, chamado "mensagens", que costumava jogar com a irmã quando elas se mudaram para Nova York:

> A ideia era escolher dois indivíduos completamente diferentes — digamos, um caça-talentos nas ilhas Salomão e um sapateiro em Rock Island, no Illinois — e imaginar que um deles precisava repassar oralmente uma mensagem ao outro; então nós tínhamos que pensar em uma corrente de pessoas plausível, ou ao menos possível, por onde a mensagem poderia ser transmitida. Vencia quem conseguisse elaborar a corrente mais curta de mensagens.

Mas qual a dimensão dessas correntes na vida real? Uma maneira de responder a essa pergunta seria mapear todos os elos em redes sociais em todo o mundo e então simplesmente contar quantas pessoas se consegue atingir em um "grau de separação", quantas em "dois graus", e por aí em diante, até que se tenha atingido todas as pessoas. Na época em que Jane brincava de "mensagens" isso seria impossível, mas em 2008 dois cientistas computacionais da Microsoft Research chegaram próximo disso quando computaram a extensão da corrente que ligava pares de indivíduos no gigantesco serviço de mensagens instantâneas da Microsoft, que tem mais de 240 milhões de usuários e no qual ser "amigo" significa pertencer à lista de contatos de um usuário e ter esse usuário também em sua lista.[3] Eles descobriram que, em média, as pessoas estavam separadas por sete passos — um número bastante próximo aos seis apertos de mãos que meu pai havia mencionado. Ainda assim, essa não pode ser a resposta verdadeira à questão. Os personagens no jogo ficcional de Jane não tinham acesso a essa rede social, então eles não poderiam computar os passos da mesma maneira que os pesquisadores da Microsoft fizeram, mesmo que tivessem o poder para fazê-lo em termos de tecnologia. Eles claramente devem ter usado algum outro método para transmitir suas mensagens. E, de acordo com Jane, era isso mesmo o que ela e a irmã faziam:

> O caça-talentos falaria com o líder de sua comunidade, que falaria com o comerciante que veio comprar copra, que falaria com o patrulheiro australiano quando passasse pela fronteira, que repassaria o recado ao patrulheiro seguinte que fosse passar por Melbourne durante sua folga etc. Do outro lado, o sapateiro ouviria o recado do padre de sua capela, que o ouviu do prefeito, que o ouviu do vereador, que o ouviu do governador etc. Nós logo tínhamos esses mensageiros comuns participando de uma troca com praticamente todos de que conseguíamos nos lembrar, mas acabávamos nos perdendo em longas correntes entre os participantes, até que começamos a usar a sra. Roosevelt. A sra. Roosevelt, subitamente, tornou possível pular correntes inteiras de conexões intermediárias. Ela conhecia as mais diferentes pessoas. O mundo encolheu de forma admirável.[4]

A solução de Jane, em outras palavras, prevê que redes sociais são organizadas segundo uma hierarquia: mensagens ascendem na hierarquia a partir da periferia e voltam a descer, com figuras de destaque como a sra. Roosevelt ocupando o centro crítico. Estamos tão acostumados com um mundo de hierarquias — seja dentro de organizações formais, na economia ou na sociedade — que é natural prever que redes sociais devem ser hierárquicas também. De fato, Karinthy usou uma linha de raciocínio similar à de Jane, e, no lugar da sra. Roosevelt, invocou o sr. Ford, escrevendo que "encontrar uma corrente de contatos ligando eu mesmo a um mecânico da Ford Motor Company (...) O mecânico conhece seu supervisor, que conhece o próprio sr. Ford, que, por sua vez, é amigo do diretor-geral do império editorial da Hearst. Bastaria uma palavra do meu amigo para telefonar para o diretor-geral da Hearst, pedindo a ele que entrasse em contato com Ford, que, por sua vez, poderia contatar o supervisor, que poderia então contatar o mecânico, que poderia então montar um novo automóvel para mim, caso eu precise de um".

Por mais plausível que esse método pareça, entretanto, *não é* assim que as mensagens realmente se propagam por redes sociais, como sabemos agora por meio de uma série de "experimentos de mundo pequeno" que começaram a ser conduzidos não muito tempo após Jane escrever sobre a questão. O primeiro desses experimentos foi realizado por ninguém menos que Stanley Milgram, o psicólogo social cuja experiência do metrô discuti no capítulo 1. Milgram recrutou trezentas pessoas — duzentas de Omaha, no Nebraska, e as outras cem da região de Boston — para jogar uma versão do jogo das mensagens com um corretor de ações de Boston que era amigo de Milgram e que se voluntariou para servir de "alvo" do exercício. Assim como na versão imaginária de Jane, os participantes do experimento de Milgram sabiam quem eles estavam tentando alcançar, mas poderiam mandar a mensagem apenas para alguém que conhecessem pelo primeiro nome; assim, cada um dos trezentos "iniciadores" a mandaria para um amigo, que a mandaria para outro amigo, e aí por diante, até que alguém ou se recusasse a participar ou a corrente de mensageiros atingisse o alvo. Por sorte, 64 das correntes iniciais atingiram seu destino, e o comprimento médio dessas correntes era de seis elos; daí a famosa expressão "seis graus de separação".[5]

Mas apesar de os voluntários de Milgram terem conseguido encontrar caminhos tão curtos quanto as hipóteses de Karinthy e Jane, não foi porque eles usaram a sra. Roosevelt ou qualquer outro personagem similar. Em vez disso, pessoas comuns passaram mensagens a outras pessoas comuns, interagindo no mesmo estrato social ao invés de subir e descer na hierarquia, como Karinthy e Jane imaginaram. As correntes também não cresceram indistintamente, dando um nó no meio, como Jane temia. Em vez disso, eles enfrentaram as maiores dificuldades depois que já estavam próximos de seus alvos. Redes sociais, pelo visto, são menos parecidas com pirâmides do que com um jogo de golfe — no qual, já dizia o ditado, "participe pela fama, acerte pela grana". Quando se está longe do alvo é relativamente fácil saltar longas distâncias apenas enviando a mensagem para alguém no país certo, e daí para alguém na cidade certa, e então para alguém na profissão certa. Mas uma vez que você se aproxima do alvo, grandes saltos não vão mais ajudar e as mensagens têm a tendência de ficar em suspensão até que se encontre alguém que conheça o alvo.

Ainda assim, Milgram descobriu que nem todos os mensageiros são criados da mesma forma. Na verdade, das 64 mensagens que chegaram a seus destinos, mais ou menos metade foi entregue ao alvo por uma de três pessoas, e a outra metade — dezesseis correntes — foi entregue por uma única pessoa, o "sr. Jacobs", comerciante de roupas vizinho do alvo. Impressionado com essa concentração de mensagens nas mãos de alguns poucos indivíduos, Milgram especulou que aquilo que chamou de *sociometric stars*, astros da sociometria, podia ser importante para se compreender como funciona o fenômeno do mundo pequeno.[6] O próprio Milgram não concluiu muito mais que isso, mas três décadas depois, em um artigo chamado "The Six Degrees of Lois Weisberg" [em tradução livre, "Os seis graus de Lois Weisberg"], o jornalista da *New Yorker* Malcolm Gladwell usou as descobertas de Milgram sobre o sr. Jacobs para argumentar que "um número muito pequeno de pessoas [como a sra. Weisberg] está ligado a qualquer outra pessoa em poucos graus, e o restante de nós está ligado ao mundo por meio dessas poucas pessoas".[7] Em outras palavras, apesar de o sr. Jacobs e a sra. Weisberg não serem "importantes" da mesma maneira que a sra. Roosevelt ou o sr. Ford, a partir de uma perspectiva de rede eles acabam cumprindo o mesmo tipo de função — como conexões em uma rota aérea pelas quais necessariamente passamos para sair de uma parte do mundo e chegar a outra.

Como a hierarquia de Jane, a metáfora das conexões de uma rota aérea é bastante atraente, mas nos diz mais sobre como organizaríamos o mundo se tivéssemos essa oportunidade do que sobre como o mundo realmente está organizado. Se pensarmos sobre isso por um minuto, na verdade a metáfora é bastante implausível. Algumas pessoas, evidentemente, têm mais amigos que outras. Mas pessoas não são como aeroportos — não podem simplesmente acrescentar mais um avião à frota quando precisam dar conta de um tráfego mais intenso. Como resultado, o número de amigos que as pessoas têm não varia tanto quanto o tráfego nos aeroportos. Uma pessoa tem, em média, algumas centenas de amigos, enquanto os mais sociáveis chegam a alguns milhares — um número mais ou menos dez vezes maior. Essa é uma grande diferença, mas não é nem de longe comparável a um grande aeroporto, como o de O'Hare, em Chicago, que comporta milhares de vezes o número de passageiros de um aeroporto pequeno. Então como é que os conectores em redes sociais podem, às vezes, agir como conexões de linhas aéreas?[8]

De fato, não podem, como eu e meus colaboradores Roby Muhamad e Peter Dodds descobrimos anos atrás, quando replicamos o experimento original de Milgram — só que usando e-mails em vez de uma carga física, o que nos permitiu trabalhar em uma escala muito maior. Enquanto Milgram tinha trezentos iniciadores em duas cidades tentando atingir um único alvo em Boston, nós tínhamos mais de 20 mil correntes buscando um dos dezoito alvos em treze países diferentes ao redor do mundo. Quando a experiência foi encerrada, as correntes haviam passado por mais de 60 mil pessoas em 166 países. Usando modelos de análises estatísticas mais avançadas que aquelas de que Milgram dispunha, também pudemos estimar não apenas a extensão das correntes necessárias para se atingir um alvo, como também a extensão imaginada das correntes que falharam caso elas tivessem sido levadas adiante. Nossa principal descoberta foi notavelmente próxima da efetuada por Milgram — cerca de metade de todas as correntes atingiram seus alvos em sete passos ou menos. Levando-se em conta as diferenças entre as duas experiências, conduzidas em escalas muito diferentes, usando tecnologias diferentes e com um intervalo temporal de cerca de quarenta anos, é de certa forma impressionante que os resultados tenham sido tão próximos, e assim se confirma a afirmação de que muitas pessoas — mas certamente não todas — podem se conectar umas às outras por meio de correntes curtas.[9]

Diferentemente das descobertas de Milgram, entretanto, não descobrimos "conexões" no processo de entrega. Em vez disso, as mensagens alcançaram seus alvos por meio de um número de receptores quase igual ao de correntes. Nós também perguntamos aos participantes como escolheram a pessoa seguinte na corrente, e aqui, também, descobrimos poucas evidências de conexões ou astros. Vimos que os participantes de experiências de mundo pequeno não costumam passar mensagens para seus amigos mais populares ou mais sociáveis. Em vez disso, passam para as pessoas que acreditam ter algo em comum com o alvo, como proximidade geográfica ou ocupação semelhante, ou então passam apenas para pessoas que acreditam que vão continuar repassando a mensagem. Em outras palavras, pessoas comuns são tão capazes de propagar uma mensagem entre círculos sociais e profissionais, entre diferentes nações ou entre diferentes vizinhanças quanto pessoas de destaque. Se quiser mandar uma mensagem para um universitário em Novosibirsk, na Rússia, por exemplo, você não pensa em quem você conhece que tem muitos amigos ou que vai a muitas festas, ou que tem contatos na Casa Branca. Você pensa se conhece algum russo. E se não conhece nenhum russo, então talvez você conheça alguém do Leste Europeu, ou alguém que já viajou para o Leste Europeu, ou já estudou russo, ou que vive em uma parte da cidade conhecida por seus imigrantes do Leste Europeu. A sra. Roosevelt, ou Lois Weisberg, pode, sem dúvida, conhecer muitas pessoas. Mas essas mesmas pessoas também têm outras maneiras de estabelecer conexões. E são essas outras maneiras, menos óbvias, que elas tendem a realmente usar, sobretudo porque, nesse sentido, são várias as possibilidades.

A mensagem principal, aqui, é que redes sociais estão conectadas de formas mais complexas e mais igualitárias do que Jane ou mesmo Milgram imaginaram — um resultado que hoje já foi confirmado por diversas experiências, pesquisas empíricas e modelos teóricos.[10] Porém, apesar de todas essas evidências, quando pensamos sobre como as redes sociais funcionam, continuamos sendo atraídos pela ideia de que algumas "pessoas especiais", sejam esposas famosas de presidentes ou comerciantes locais bem-sucedidos, são desproporcionalmente responsáveis por conectar o restante de nós. As evidências parecem ter pouco a ver com o porquê de pensarmos assim. Afinal, Jane estava escrevendo anos antes das experiências de Milgram e muito antes de alguém ter o tipo de informação que pode ter sustentado sua afirmação sobre a sra. Roosevelt. Então, seja lá de onde ela tirou essa ideia, obviamente não foi baseada em nenhuma evidência real. Em vez disso, parece que Jane se deixou levar pela suposição de que algumas pessoas especiais conectam todos os demais simplesmente porque sem evocar essas pessoas é difícil elaborar qualquer explicação. O resultado é que não importa quantas vezes as evidências descartem um tipo de pessoa especial, simplesmente inserimos outra pessoa especial em seu lugar. Se não é a sra. Roosevelt, então deve ser Lois Weisberg, e se não é Lois Weisberg, então deve ser o sr. Jacobs, o comerciante de roupas. E se não é ele, deve ser nosso amigo Ed, que parece conhecer todas as pessoas do mundo. "Deve ser alguém especial", sentimo-nos compelidos a concluir. "Se não, como é possível que funcione?"

O apelo intuitivo das explicações envolvendo pessoas especiais não está restrito a problemas de redes de contato. A visão do "Grande Homem" sobre a história explica eventos históricos importantes em termos das ações de alguns poucos líderes de destaque. Teóricos da conspiração atribuem a agentes secretos do governo capacidades infinitas de modificar os rumos da sociedade. Analistas de mídia creditam a grandes celebridades o lançamento de uma tendência de moda ou a venda de produtos. Executivos pagam valores exorbitantes a um diretor cujas decisões vão alterar o funcionamento da empresa inteira. Epidemiologistas temem que alguns "supertransmissores" possam dar início a uma epidemia. E marqueteiros aproveitam o poder de "influenciadores" para promover ou destruir uma marca, mudar normas sociais ou transformar a opinião pública.[11] Em *O ponto da virada*, por exemplo, Gladwell explica as origens daquilo que chama de epidemias sociais, que abrange tudo, desde modas e modismos até mudanças nas normas culturais e quedas bruscas em índices de crimes, em termos que denominou de "a lei da minoria". Assim como supertransmissores causam epidemias reais e grandes homens dirigem a história, assim também a lei da minoria afirma que epidemias sociais são "causadas pelo esforço de algumas pessoas excepcionais". Por exemplo, ao discutir o misterioso ressurgimento dos sapatos da marca Hush Puppies em meados dos anos 1990, Gladwell explica que

> o grande mistério é saber como esses calçados deixaram de ser usados apenas por alguns fashionistas de Manhattan e passaram a ser vendidos em shoppings por todo o país. Qual é a relação entre o East Village e a porção central dos Estados Unidos? Segundo a lei da minoria, a resposta para essa pergunta é que algumas dessas pessoas excepcionais descobriram a tendência e, por meio de contatos sociais, energia, entusiasmo e personalidade, difundiram os Hush Puppies, assim como pessoas como Gaëten Dugas e Nushawn Williams foram capazes de propagar o vírus HIV.[12]

A lei da minoria de Gladwell é como uma droga para marqueteiros, empresários, lideranças comunitárias e praticamente qualquer pessoa envolvida em atividades que formam ou manipulam pessoas. E é fácil ver o porquê. Se você pode encontrar apenas essas pessoas especiais e influenciá-*las*, os contatos, a energia, o entusiasmo e a personalidade delas trabalham por você. Soa bastante plausível, mas, assim como tantas ideias atraentes sobre o comportamento humano, a lei da minoria revela ser muito mais uma questão de percepção do que de realidade.

Os "influenciadores"

O culpado é novamente o senso comum. Como os consultores de marketing Ed Keller e Jon Berry afirmam: "Algumas pessoas têm mais contatos, já leram mais, são mais bem-informadas. Você provavelmente sabe disso por experiência própria. Você não pede ajuda a qualquer um quando está decidindo em qual bairro morar, como fazer um plano de previdência ou que tipo de computador ou carro comprar."[13] Enquanto descrição de nossas percepções, essa afirmação provavelmente está correta — quando pensamos sobre o que estamos fazendo quando procuramos informação, acesso ou conselhos, sem dúvida damos preferência a algumas pessoas e não a outras. Mas como já discuti, nossa percepção sobre como nos comportamos está longe de ser um reflexo perfeito da realidade. Uma variedade de pesquisas, por exemplo, sugere que a influência social é majoritariamente inconsciente, surgindo a partir de indicações sutis que recebemos de nossos amigos e vizinhos, não necessariamente "comprando as opiniões deles" por completo.[14] Também não é claro que, quando somos influenciados dessas outras maneiras menos conscientes, reconheçamos que estamos sendo influenciados. Empregados, por exemplo, podem influenciar seus chefes tanto quanto os chefes podem influenciá-los, mas nenhum dos dois lados costuma reconhecer o outro como fonte de influência — simplesmente porque chefes costumam mesmo ser influentes, enquanto empregados não o são. Em outras palavras, nossas percepções sobre quem nos influencia nos diz mais sobre relações sociais e hierárquicas do que a influência em si.

Um dos aspectos mais confusos do debate sobre influenciadores é, de fato, que ninguém pode realmente chegar a um acordo sobre quem realmente são os influenciadores. Originalmente, o termo se referia a pessoas "comuns" que acabaram por exercer um efeito extraordinário sobre seus amigos e vizinhos. Mas, na prática, todo tipo de gente é visto como influenciador: gigantes do entretenimento como Oprah Winfrey; fashionistas como Anna Wintour, editora da *Vogue*; atores e socialites famosos; blogueiros populares; entre vários outros. Todas essas pessoas podem ou não ser influentes a sua própria maneira, mas o tipo de influência que exercem varia tremendamente. O elogio que Oprah Winfrey faz a um livro desconhecido, por exemplo, pode aumentar de forma significativa suas chances de aparecer na lista dos mais vendidos, mas isso porque sua influência individual é aumentada enormemente pelo império midiático que ela governa. Da mesma maneira, um estilista se sai bem quando uma atriz famosa chega à cerimônia do Oscar usando seu vestido, mas isso também se deve ao fato de que sua chegada será filmada, divulgada e comentada pela grande mídia. E quando um blogueiro popular expressa seu entusiasmo com um determinado produto, há potencialmente centenas de pessoas lendo sua opinião. Mas será que sua influência é análoga à de um elogio da Oprah, à recomendação pessoal de um amigo ou algo assim?

Mesmo se limitarmos o problema à influência direta e interpessoal, excluindo a mídia, as celebridades e os blogueiros do mundo, ainda assim, medir a influência é muito mais difícil do que simplesmente medir o tamanho das correntes de mensagens. Por exemplo, para demonstrar apenas um incidente da influência entre dois amigos, Anna e Bill, é preciso demonstrar que toda vez que Anna adota uma certa ideia ou usa certo produto, Bill tende a adotar a mesma ideia ou a usar o mesmo produto.[15] Acompanhar apenas uma dessas relações já não seria fácil; e como os pesquisadores logo descobriram, fazer isso com várias pessoas simultaneamente é ineficaz por ser muito difícil. Assim, em vez de observar a influência diretamente, os pesquisadores propuseram numerosas propostas para a influência, como: quantos amigos um indivíduo tem, ou quantas opiniões eles manifestam, ou quanto são apaixonados ou especializados num assunto específico, ou quantos pontos eles marcam em algum teste de personalidade — coisas que são mais fáceis de medir do que a própria influência. Infelizmente, enquanto todas essas medidas são substitutas plausíveis da influência, todas partem de pressupostos sobre como as pessoas são influenciadas, e ninguém nunca realmente colocou esses pressupostos à prova. Na prática, portanto, não se sabe realmente quem é influenciador e quem não é.[16]

Essa ambiguidade é confusa, mas ainda não é a fonte real do problema. Se pudéssemos inventar um instrumento perfeito para medir influência, talvez descobríssemos que algumas pessoas são de fato mais influentes que outras. No entanto, algumas pessoas são mais altas que outras, e isso não é necessariamente algo com que os marqueteiros se importem. Então por que eles estão tão interessados nos influenciadores? Considere, por exemplo, que muitas pesquisas julgam alguém influente se ao menos três conhecidos a mencionam como uma pessoa a quem pediriam conselhos. Em um mundo onde uma pessoa normal influencia apenas uma pessoa, influenciar três pessoas torna esse alguém 300% mais influente que a média — uma diferença grande. Mas apenas ela não soluciona os tipos de problemas que interessam aos marqueteiros, como lançar um produto de sucesso, chamar atenção para a saúde pública ou aumentar as chances de eleição de um candidato. Todos esses problemas requerem que milhões de pessoas sejam influenciadas. Então, mesmo que cada um de seus influenciadores possa estimular três pessoas, você ainda vai precisar encontrar e estimular milhões delas, o que é bastante diferente das premissas da lei da minoria. Na verdade, há uma solução para esse problema também, mas ele exige que incorporemos outra ideia relacionada, embora distinta, sobre a teoria das redes: a ideia do contágio social.

Influenciadores acidentais

A ideia de contágio — segundo a qual a informação, e potencialmente também a influência, pode se propagar pelas encruzilhadas das redes como uma doença infecciosa — é uma das mais intrigantes da ciência de redes. Como vimos no capítulo anterior, quando todos estão sendo influenciados por aquilo que outras pessoas estão fazendo, coisas surpreendentes podem acontecer. Mas o contágio também traz implicações importantes para os influenciadores — porque uma vez que os efeitos do contágio são levados em conta, a importância de um influenciador não se revela apenas pelos indivíduos que ele influenciou diretamente, mas também por todos aqueles indiretamente influenciados, por seus vizinhos, os vizinhos de seus vizinhos, e por aí em diante. É por meio do contágio, aliás, que a lei da minoria encontra seu verdadeiro poder. Porque se apenas os influenciadores corretos podem iniciar uma epidemia social, então, influenciar 4 milhões de pessoas na verdade exige apenas alguns influenciadores. Esse não é um bom negócio — é um *ótimo* negócio. E como encontrar e influenciar apenas algumas pessoas é bastante diferente de encontrar e influenciar 1 milhão de pessoas, isso modifica qualitativamente a natureza da influência.[17]

Entretanto, isso significa que a lei da minoria não é apenas uma, mas duas hipóteses que foram agregadas: primeiro, que algumas pessoas são mais influentes que outras; segundo, que a influência dessas pessoas é aumentada por um processo de contágio que gera epidemias sociais.[18] Foi essa combinação de ideias que Peter Dodds e eu decidimos testar há alguns anos em uma série de simulações no computador. Essas simulações exigiam que escrevêssemos explicitamente os modelos matemáticos de como a influência se propaga, então tivemos de especificar todos os pressupostos que costumam ser deixados de lado em descrições anedóticas de influenciadores. Como definir um influenciador? Quem influencia quem? Que tipos de escolhas os indivíduos estão fazendo? E como essas escolhas são influenciadas por outras? Como já discuti, ninguém sabe realmente a resposta para nenhuma dessas perguntas; portanto é necessário, como em todo exercício baseado em modelos, elencar uma série de pressupostos, que, é claro, podem estar errados. Todavia, para cobrir nossas bases o máximo possível, consideramos duas classes muito diferentes de modelos, cada uma estudada há décadas por cientistas sociais e de marketing.[19]

O primeiro era uma versão do modelo de motim de Granovetter, do capítulo anterior. Diferentemente desse modelo, entretanto — no qual cada um dos presentes na multidão observava todos a seu redor —, as interações entre indivíduos foram especificadas por uma rede na qual cada indivíduo podia observar apenas um pequeno grupo de amigos ou conhecidos. O segundo modelo era uma versão do "modelo de Bass", batizado em homenagem a Frank Bass, o primeiro cientista de marketing que propôs esse formato como um modelo de adoção de produto, porém intimamente relacionado a um modelo ainda mais antigo utilizado por matemáticos epidemiologistas para estudar a propagação de doenças biológicas. Em outras palavras, enquanto o modelo de Granovetter pressupõe que indivíduos adotam algo quando uma certa fração de seus companheiros o fazem, o modelo de Bass pressupõe que a adoção funciona como um processo de contaminação, com indivíduos "suscetíveis" e "contagiados" interagindo em encruzilhadas da rede.[20] Os dois modelos parecem semelhantes, mas na verdade são bastante diferentes — o que era importante, pois não queríamos que nossas conclusões sobre o efeito de influenciadores dependessem muito dos pressupostos de nenhum dos dois.

O que descobrimos foi que, sob a maioria das condições, indivíduos altamente influentes de fato foram mais bem-sucedidos do que outras pessoas na tentativa de desencadear epidemias sociais. Mas sua influência relativa foi muito menor do que a sugerida pela lei da minoria. Para ilustrar, considere um "influenciador" que age diretamente três vezes mais sobre colegas do que uma pessoa normal. É de esperar que, sob as mesmas condições, ele influencie indiretamente também três vezes mais pessoas. Em outras palavras, o influenciador iria exibir um "efeito multiplicador" sobre os três. A lei da minoria, vale lembrar, afirma que o efeito seria ainda maior — que a desproporcionalidade deveria ser "extrema" —, mas o que descobrimos foi o oposto.[21] Em geral, o efeito multiplicador de um influenciador como esse foi bem menor que três, e em muitos casos ele não era nem um pouco mais efetivo. Em outras palavras: os influenciadores podem existir, mas não são o tipo previsto pela lei da minoria.

A razão para isso é, simplesmente, que quando a influência é propagada por um processo contagioso, o resultado depende muito mais da estrutura geral da rede do que das propriedades dos indivíduos que a desencadeiam. Assim como um incêndio em uma floresta depende de uma conspiração entre vento, temperatura, baixa umidade e combustível para dar início a uma fogueira incontrolável que se espalha por grandes pedaços de terra, epidemias sociais dependem apenas de condições específicas sendo satisfeitas pela rede de influências. Como acabamos por descobrir, a mais importante condição não tinha nada a ver com os poucos indivíduos altamente influentes. Na verdade, ela dependia da existência de uma grande massa de pessoas *facilmente influenciáveis* que influenciavam outras pessoas facilmente influenciáveis. Quando essa grande massa existia, até um indivíduo normal conseguia desencadear uma grande cascata — assim como qualquer fagulha será suficiente para desencadear um grande incêndio numa floresta quando as condições estão adequadas para isso. Da mesma forma, quando a grande massa não existia, nem mesmo o indivíduo mais influente conseguia desencadear muita coisa. O resultado é que, a não ser que possamos ver onde indivíduos em particular se encaixam na rede inteira, não podemos fazer previsões sobre quão influente eles serão — não importa o que possamos avaliar nele.

Quando ouvimos falar em um grande incêndio na floresta, é claro, não pensamos que deve ter havido nada especial na fagulha que o iniciou. A ideia chega a ser risível. Porém, quando vemos algo especial acontecendo no mundo social, instantaneamente somos atraídos pela ideia de que a pessoa que começou deve ser especial também. E, é claro, sempre que uma grande cascata acontecia em nossas simulações, era necessariamente o caso de alguém ter começado. Por mais comum que essa pessoa tenha parecido no início, em retrospecto ela se encaixava exatamente na descrição da lei da minoria: a "pequena porcentagem de pessoas que faz a maioria do trabalho". O que descobrimos com nossas simulações, contudo, foi que não havia *nada* de especial nesses indivíduos — porque assim os criamos. A maior parte do trabalho foi feita não por uma pequena porcentagem de pessoas que agiram como desencadeadoras, mas pela massa muito maior de pessoas facilmente influenciáveis. O que concluímos, portanto, foi que o tipo de pessoa influente, cuja energia e contatos podem transformar seu livro em um campeão de vendas ou seu produto em um sucesso, é provavelmente um acidente do momento e das circunstâncias. Um "influenciador acidental", no fim das contas.[22]

"Influenciadores comuns" no Twitter

Como muitos logo notaram, essa conclusão foi inteiramente baseada em simulações feitas no computador. E, como já mencionei, essas simulações eram versões bastante simplificadas da realidade, tendo como ponto de partida um grande número de pressupostos que podem estar errados. Simulações no computador são ferramentas úteis que podem levar a grandes conclusões. Mas, no fim, são mais experiências do pensamento do que experiências reais e, como tais, mais apropriadas para levantar novas questões do que para respondê-las. Então se realmente quisermos saber como indivíduos são capazes de estimular a difusão de ideias, informações e influências — e se esses influenciadores existem, quais atributos os diferenciam das pessoas comuns —, precisaremos realizar experiências no mundo real. Mas estudar a relação entre influência individual e seu impacto em grande escala sobre o mundo real é mais difícil do que parece.

O principal problema é que seria preciso uma quantidade enorme de informações, a maior parte delas muito difícil de ser coletada. Apenas demonstrar que uma pessoa influenciou outra já é difícil o suficiente. E se quisermos estender a conexão até a maneira como se influenciam grupos maiores, será preciso coletar informações similares para cadeias inteiras de influência, nas quais uma pessoa influencia outra, que por sua vez influencia outra, e assim por diante. Logo estaremos falando de milhares ou até mesmo milhões de interações, apenas para retraçar a maneira como uma única informação foi propagada. E, idealmente, iríamos querer estudar todos esses casos. É uma quantidade assustadora de informações para testar o que parece ser uma afirmação relativamente clara — que algumas pessoas são mais significantes que outras —, mas não há como fugir disso. Tamanha dificuldade também ajuda a explicar por que pesquisas de difusão, como são conhecidas, continuam sendo há tanto tempo um assunto tão cercado de mitos: quando é impossível provar alguma coisa, todos estão livres para propor qualquer história plausível que quiserem. Não há como saber quem está certo.

Como demonstram experiências tais quais o Music Lab, a internet está começando a transformar esse cenário de maneira muito importante. Uma boa parcela de pesquisas recentes começou a explorar a difusão em redes sociais numa escala que seria inimaginável há uma década. Postagens em blogs difundem-se entre redes de blogueiros. Páginas de fãs difundem-se entre redes de amigos no Facebook. Habilidades especiais conhecidas como *gestures* difundem-se entre participantes do jogo on-line Second Life. E serviços de voz difundiram-se em conversas entre amigos por programas de mensagens instantâneas.[23] Inspirados por esses estudos, eu e meus colegas da Yahoo! Jake Hofman e Winter Mason, junto com Eytan Bakshy, um talentoso estudante da Universidade de Michigan, decidimos investigar a difusão de informações na maior rede de comunicações a que poderíamos ter acesso: o Twitter. Ao longo do processo, procuraríamos influenciadores.[23]

Em muitos aspectos, o Twitter é ideal para esse objetivo. Diferentemente do Facebook, digamos, em que as pessoas conectam-se umas às outras por uma multiplicidade de razões, o único objetivo do Twitter é repassar informações a outras pessoas — seus "seguidores" —, que explicitamente indicaram que querem saber o que você tem a dizer. Fazer as pessoas prestarem atenção em você — em outras palavras, influenciá-las — é o objetivo do Twitter. Em segundo lugar, o Twitter é notavelmente variado. Muitos usuários são pessoas comuns cujos seguidores, em geral, são amigos interessados em manter contato. Mas muitos dos usuários mais seguidos no Twitter são pessoas públicas, incluindo blogueiros, jornalistas, celebridades (Ashton Kutcher, Shaquille O'Neal, Oprah), gigantes da mídia como a CNN e até mesmo órgãos públicos e ONGs (o governo Obama, o primeiro-ministro britânico, o Fórum Econômico Mundial). Essa diversidade foi de grande ajuda, pois nos permitiu comparar a força de possíveis influenciadores — desde pessoas comuns até Oprah e Ashton — de maneira consistente.

Finalmente, apesar de muitos tuítes serem apenas atualizações banais ("Tomando café na Starbucks da Broadway! Que dia lindo!!"), muitos referem-se a conteúdos on-line, como notícias recém-divulgadas e vídeos engraçados, ou a outras coisas no mundo, como livros, filmes etc., sobre as quais os usuários do Twitter querem expressar sua opinião. E como o formato do Twitter limita as mensagens a 140 caracteres, os usuários por vezes fazem uso de "encurtadores de URL", como o bit.ly, para substituir a URL longa e confusa do site original por algo como http://bit.ly/beRKJo. Uma coisa interessante desses encurtadores de URL é que eles efetivamente atribuem um código único para todo tipo de conteúdo propagado pelo Twitter. Assim, quando um usuário quiser "retuitar" alguma coisa, é possível ver de onde ela partiu originalmente, traçando então correntes de difusão ao longo dos seguidores.

No total, acompanhamos mais de 74 milhões dessas correntes de difusão iniciadas por mais de 1,6 milhão de usuários, ao longo de um intervalo de dois meses, no final de 2009. Para cada um, contamos o número de vezes que a URL em questão foi retuitada — primeiro pelos seguidores imediatos do usuário "semeador", em seguida por seus seguidores, depois pelos seguidores dos seguidores, e assim por diante —, acompanhando, dessa forma, toda a "cascata" de retuítes desencadeados por cada tuíte original. Como mostra a figura, algumas dessas cascatas eram estreitas e rasas, enquanto outras eram largas e profundas. Outras eram ainda bastante grandes, com estrutura complexa, começando timidamente e escorrendo antes de ganhar destaque em algum outro lugar da rede. Entretanto, acima de tudo, descobrimos que a enorme maioria de tentativas de cascatas — cerca de 98% dos casos — não se propagou.

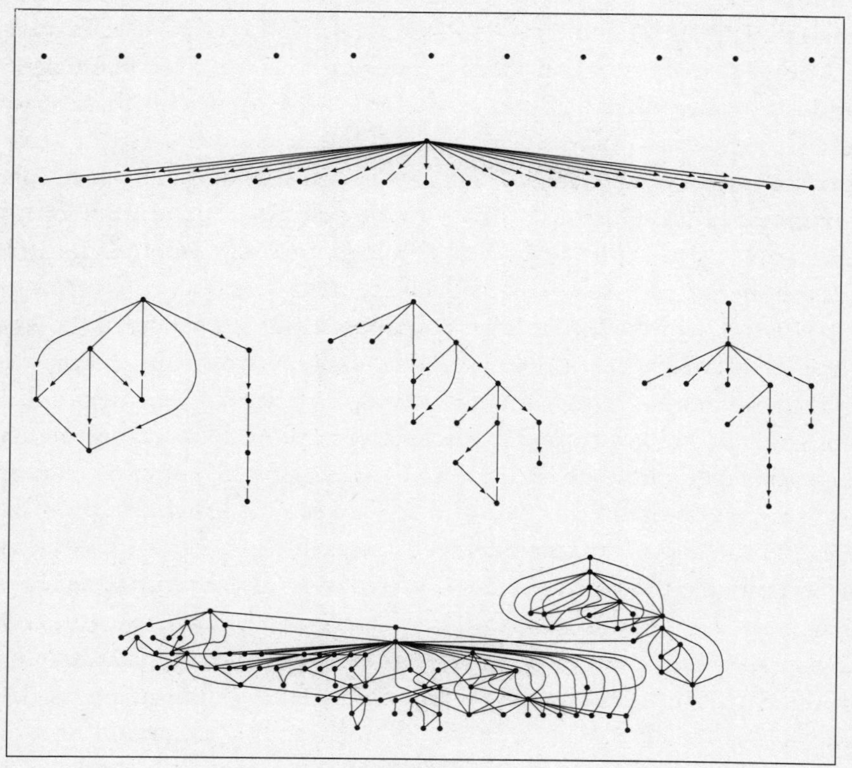

Cascatas no Twitter

Esse resultado é importante, já que, como discutirei mais detalhadamente no próximo capítulo, se quisermos entender por que algumas coisas se tornam "virais" — os ocasionais vídeos do YouTube que atraem milhões de visualizações, ou textos engraçados que circulam por e-mail ou via Facebook —, é um erro considerar apenas aqueles poucos que de fato tiveram sucesso. Na maior parte dos casos, infelizmente, é possível estudar apenas os casos de sucesso pela simples razão de que ninguém se preocupa em registrar todos os fracassos, que têm a tendência de serem varridos para baixo do tapete. Contudo, no Twitter podemos acompanhar todo e qualquer evento, por menor que ele seja, o que nos permite descobrir quem é influente, quão mais influente em relação às pessoas comuns esse usuário realmente é, e se é possível ou não analisar as diferenças entre indivíduos de uma maneira que poderia ser explorada.

Nosso objetivo com esse exercício foi imitar o que um marqueteiro hipotético poderia tentar fazer — isto é, usar tudo o que se sabe sobre os atributos e o desempenho anterior de mais ou menos 1 milhão de indivíduos para predizer a influência de cada um deles no futuro. Baseado nessas predições, o marqueteiro poderia então "patrocinar" um grupo de pessoas para tuitar qualquer informação que ele quisesse disseminar, dando início, dessa forma, a uma série de cascatas. Quanto melhor um marqueteiro puder prever a abrangência da cascata que qualquer indivíduo poderá desencadear, mais eficientemente ele poderá investir em tuítes patrocinados. Na verdade, conduzir uma experiência como essa ainda é extremamente difícil na prática, então, em vez disso, tentamos ao máximo nos aproximar do real, usando as informações que já havíamos coletado. Especificamente, dividimos nossas informações em duas partes, determinando de maneira artificial o primeiro mês de nosso período de tempo como nosso "histórico" e a segunda metade como "futuro". Então transformamos todas as nossas informações de "histórico" em um modelo estatístico, incluindo quantos seguidores cada usuário tinha, quantos estavam seguindo, a frequência com que tuitavam, quando haviam se cadastrado no Twitter e quão bem-sucedidos haviam sido em provocar cascatas durante esse período. Finalmente, usamos o modelo para "prever" o nível de influência que cada usuário teria em nossos dados do "futuro" e verificamos o desempenho do modelo em relação ao que realmente aconteceu.

Em poucas palavras, o que descobrimos foi que previsões em nível individual são repletas de ruídos. Apesar de a tendência ser que indivíduos promotores de cascata no passado e com muitos seguidores tivessem mais chances de promovê-los no futuro, casos individuais aconteceram muito aleatoriamente. Assim como aconteceu com a *Mona Lisa*, para cada indivíduo que exibiu os atributos de um bom influenciador, houve muitos outros usuários com atributos idênticos que não se saíram bem. Da mesma forma, essa incerteza não surgiu simplesmente porque não conseguimos avaliar os atributos corretos — na verdade, tínhamos mais dados do que qualquer marqueteiro costuma ter — ou analisá-los da maneira adequada. O problema era que, assim como as simulações discutidas anteriormente, muito daquilo que provoca difusões de sucesso depende de fatores que estão além do controle dos semeadores individuais. Ou seja: o que esse resultado sugere, é que estratégias de marketing focadas em atingir alguns poucos indivíduos "especiais" não são confiáveis. Como administradores de verba responsáveis, portanto, os marqueteiros devem adotar uma abordagem de "portfólio", procurando atingir um grande número de influenciadores em potencial e controlar o efeito geral, dessa forma reduzindo efetivamente a aleatoriedade que se dá em termos de indivíduos isolados.[24]

Apesar de promissora em teoria, uma abordagem de portfólio levanta uma nova questão: a relação custo-benefício. Para ilustrar esse ponto, considerem uma notícia recente no *New York Times* que dizia que Kim Kardashian, estrela de um *reality show*, estava ganhando 10 mil dólares por tuíte de vários patrocinadores que lhe pediam que mencionasse seus produtos. Na época, Kim já tinha bem mais que 1 milhão de seguidores, então parecia plausível que pagar alguém como ela iria gerar mais atenção do que pagar alguma pessoa comum com apenas algumas centenas de seguidores. Mas como eles escolheram essa pessoa em particular? Isto é, pessoas comuns podem estar dispostas a tuitar sobre determinados produtos por bem menos que 10 mil dólares. Portanto, se indivíduos de maior visibilidade "custam" mais que pessoas de menor visibilidade, os marqueteiros deveriam mirar em um número relativamente pequeno de indivíduos mais influentes e mais caros, ou em um grupo maior de indivíduos menos influentes e menos caros? Ou ainda melhor: como atingir um ponto de equilíbrio?[25]

A rigor, a resposta para essa pergunta depende das especificidades do valor que diferentes usuários do Twitter cobrariam para marqueteiros hipotéticos patrocinarem suas mensagens — e se de fato eles concordariam com um acordo desses. Todavia, como exercício especulativo, testamos uma variedade de pressupostos plausíveis, cada qual correspondendo a uma campanha de marketing hipotética "baseada em influências", e medimos o retorno do investimento usando o mesmo modelo estatístico aqui explicado. O que descobrimos foi surpreendente até mesmo para nós: apesar de as Kim Kardashians do mundo serem de fato mais influentes que a média, elas foram tão mais caras que não fizeram valer o investimento. Em vez disso, foram o que chamamos de influenciadores comuns, os indivíduos que exibem poder de influência padrão, ou ainda abaixo da média, que se mostraram como o melhor custo-benefício para disseminar informações.

O retorno do raciocínio circular

Antes que você corra para cancelar seus investimentos em Kim Kardashian, devo enfatizar que não conduzimos realmente a experiência que imaginamos. Apesar de termos estudado dados do mundo real, não uma simulação no computador, nossos modelos estatísticos ainda dependiam de muitas pressuposições. Supondo, por exemplo, que nosso marqueteiro hipotético pudesse persuadir alguns milhares de influenciadores comuns para tuitar algo sobre seu produto, não é certo que seus seguidores fossem responder tão favoravelmente quanto com tuítes "normais". Como qualquer pessoa que tenha um amigo que já tentou lhe vender produtos da Avon ou da Natura sabe, há algo um tanto repulsivo em uma mensagem comercial embutida em uma comunicação pessoal. Pessoas que seguem Kim Kardashian, entretanto, podem não ter essa preocupação; assim, ela pode ser mais eficiente na vida real do que nossa pesquisa poderia determinar. Ou talvez nossa avaliação da influência — o número de retuítes — seja a avaliação errada. Avaliamos porque é o que podíamos avaliar, e isso definitivamente era melhor que nada. Mas, presume-se, o que realmente importa a você é que muitas pessoas cliquem em um link, doem dinheiro a uma organização de caridade ou comprem seu produto. É possível que os seguidores de Kim façam isso por influência dos tuítes dela mesmo que não repassem para seus amigos — nesse caso, novamente, nós teremos subestimado a influência das personalidades.

Porém, mais uma vez, talvez não. No fim, simplesmente não sabemos quem é influente ou o que os influenciadores, seja lá como eles sejam definidos, podem realizar. Até que seja possível avaliar a influência a partir de algum resultado que realmente importe para nós, e até que alguém realize experimentos com o mundo real que possam medir a influência de diferentes indivíduos, todo resultado — inclusive o nosso — deve ser visto com certa desconfiança. Contudo, as descobertas que expus aqui — a experiência do mundo pequeno, os estudos de influência simulada disseminando-se pela rede e o estudo do Twitter — devem levantar algumas dúvidas sérias sobre afirmações como a da lei da minoria, que explicam epidemias sociais como o fruto da ação de uma minúscula minoria de pessoas especiais.

Na verdade, não é claro nem mesmo que epidemias sociais sejam a maneira correta de pensarmos sobre mudanças sociais. Apesar de o nosso estudo no Twitter ter descoberto que eventos semelhantes a epidemias de fato ocorrem, também descobrimos que eles são incrivelmente raros. Dos 74 milhões de eventos em nossos dados, apenas algumas dúzias geraram pelo menos mil retuítes, e apenas um ou dois chegaram a 10 mil. Em uma rede com dezenas de milhões de usuários, 10 mil não parece um número tão grande, mas o que nossos dados mostraram foi que até mesmo isso é quase impossível de conseguir. Por questões práticas, portanto, é melhor esquecer uma grande e única cascata e, em vez disso, tentar gerar várias cascatinhas. E para esse objetivo, influenciadores comuns podem funcionar muito bem. Eles não atingem resultados fantásticos, então você pode precisar de vários deles, mas ao elencar muitos desses indivíduos você pode também eliminar uma boa parte da aleatoriedade, gerando um efeito positivo consistente.

Finalmente, e afora quaisquer descobertas específicas, essas pesquisas nos ajudam a ver uma grande falha do pensamento do senso comum. É irônico que a lei da minoria seja retratada como uma ideia contraintuitiva porque, na verdade, estamos tão acostumados a pensar em termos de pessoas especiais que a afirmação de que algumas pessoas especiais são responsáveis pela maior parte do resultado é, sim, extremamente natural. Pensamos que ao reconhecer a importância da influência interpessoal e das redes sociais de alguma forma tivéssemos fugido da afirmação do capítulo anterior, de que "X aconteceu porque foi o que as pessoas queriam". Mas quando tentamos imaginar como uma complexa rede de milhões de pessoas está conectada — ou, ainda mais complicado, como a influência se propaga por ela —, nossa intuição é imediatamente derrotada. Ao efetivamente concentrar *toda* a ação nas mãos de alguns indivíduos, argumentos de "pessoas especiais" como a lei da minoria reduzem o problema de compreender a maneira como a estrutura de redes afeta resultados, transformando-o no problema muito mais simples da compreensão daquilo que motiva as pessoas especiais. Assim como todas as explicações do senso comum, parece razoável e pode até estar certo. Mas ao afirmar que "X aconteceu porque algumas pessoas especiais fizeram com que acontecesse", substituímos um raciocínio circular por outro.

5
História, esse professor indeciso

A mensagem dos três capítulos anteriores é que as explicações do senso comum são muitas vezes caracterizadas pelo raciocínio circular. Os professores trapacearam nas provas de seus alunos porque foi isso o que seus incentivos os levaram a fazer. A *Mona Lisa* é o quadro mais famoso do mundo porque tem todos os atributos da *Mona Lisa*. As pessoas pararam de comprar caminhonetes poluentes porque as normas sociais agora ditam que as pessoas não devem comprar caminhonetes poluentes. E algumas pessoas especiais fizeram renascer a moda de uma marca de calçados porque algumas pessoas começaram a usar esses calçados antes de outras. Todas essas afirmações podem ser verdadeiras, mas o que todas, na verdade, nos dizem é que tudo o que aconteceu aconteceu, e não outra coisa. E como tais constatações só podem se dar depois que sabemos do resultado, nunca podemos ter certeza de quanto essas explicações realmente explicam, além de apenas descrever.

O mais curioso em relação a esse problema, entretanto, é que mesmo que se veja a circularidade inerente às explicações do senso comum, ainda não fica óbvio o que está errado com elas. Afinal de contas, na ciência também não necessariamente sabemos por que as coisas acontecem, mas podemos descobrir fazendo experiências em laboratório ou observando regularidades sistemáticas no mundo. Por que não podemos aprender com a história da mesma maneira? Isto é, pense na história como uma série de experiências nas quais algumas "leis" gerais de causa e efeito determinam os resultados que observamos. Ao juntarmos sistematicamente as peças das regularidades em nossas observações, não podemos inferir todas essas leis exatamente como fazemos no âmbito da ciência? Por exemplo, imagine que um concurso em que duas grandes obras de arte disputam atenção fosse uma experiência projetada para identificar os atributos das grandes obras. Ainda que seja verdade que antes do século XX não era óbvio que a *Mona Lisa* fosse se tornar a pintura mais famosa do mundo, nós teríamos conduzido a experiência e já teríamos uma resposta. Poderíamos ainda não estar aptos a dizer o que há na *Mona Lisa* que a torna única, mas teríamos ao menos algumas informações. Ainda que nossas explicações do senso comum tenham uma tendência a confundir o que aconteceu com o porquê de isso ter acontecido, será que simplesmente não estamos dando o melhor de nós mesmos para agirmos como bons experimentalistas?[1]

De certa maneira, a resposta é sim. Provavelmente estamos fazendo o melhor que podemos, e, nas circunstâncias corretas, aprender com a observação e a experiência pode funcionar muito bem. Mas aí está a armadilha: para podermos inferir que "A causa B", precisamos ser capazes de realizar a experiência muitas vezes. Digamos, por exemplo, que A é um novo medicamento para reduzir o colesterol "ruim" e B é o risco de um paciente desenvolver uma doença cardíaca nos próximos dez anos. Se o fabricante puder mostrar que um paciente que toma o medicamento A fica significativamente menos propenso a desenvolver uma doença cardíaca do que uma pessoa que não toma o medicamento, então ele pode afirmar que o medicamento pode ajudar a prevenir doenças cardíacas; do contrário, não. Mas como uma pessoa pode apenas receber ou não o medicamento, a única maneira de provar que ele está causando algum efeito é realizar a "experiência" diversas vezes, quando o exemplo de uma pessoa conta como uma única rodada. Dessa forma, os testes de um medicamento exigem muitos participantes randomicamente escolhidos para se submeter ao tratamento ou não. O efeito do medicamento é então medido como a diferença de resultados entre os grupos de "tratamento" e "controle", e quanto menor o efeito, maior a quantidade de testes necessários para descartar o acaso como explicação.

Em algumas situações do dia a dia em que se exige a resolução de problemas, nos quais encontramos circunstâncias mais ou menos similares repetidas vezes, podemos nos aproximar bastante das condições dos testes de medicamento. Ao dirigirmos do trabalho para casa diariamente, por exemplo, podemos experimentar diferentes rotas ou diferentes horários de partida. Ao repetir essas variações diversas vezes, e presumindo que o tráfego em um dia é mais ou menos igual ao do dia seguinte, podemos efetivamente ignorar todas as complexas relações de causa e efeito apenas observando qual rota resulta no menor tempo de viagem, em média. Da mesma forma, o tipo de conhecimento baseado em experiência que deriva do treinamento profissional, seja na medicina, na engenharia ou no Exército, funciona do mesmo jeito — expondo repetidamente os estagiários a situações o mais semelhantes possível às situações com as quais eles devem lidar em suas futura carreiras.[2]

A HISTÓRIA SÓ ACONTECE UMA VEZ

Sabendo como essa abordagem quase experimental de aprendizado funciona em situações do dia a dia e na formação profissional, talvez não seja surpreendente que nossas explicações baseadas no senso comum implicitamente apliquem o mesmo raciocínio para explicar também acontecimentos econômicos, políticos e culturais. Mas por enquanto você provavelmente suspeita aonde isso vai nos levar. Para problemas de economia, política e cultura — problemas que envolvem muitas pessoas interagindo ao longo do tempo —, a combinação do problema do enquadramento e do problema micro-macro significa que *toda* situação é diferente das situações que vimos anteriormente em algum aspecto importante. Assim, nós nunca podemos realmente conduzir a mesma experiência mais de uma vez. Em algum nível, entendemos esse problema. Ninguém pensa que a guerra no Iraque é diretamente comparável à no Vietnã ou até mesmo à no Afeganistão, portanto é preciso ser cuidadoso ao aplicar as lições aprendidas em um acontecimento. Da mesma forma, ninguém acredita que ao estudarmos o sucesso da *Mona Lisa* podemos de maneira realista esperar compreender muito sobre o sucesso e o fracasso de artistas contemporâneos. Ainda assim, porém, esperamos aprender algumas lições com a história, e é muito fácil persuadirmo-nos de que aprendemos mais coisas do que realmente aprendemos.

Por exemplo, a chamada invasão do Iraque no final de 2007 causou de fato a subsequente queda dos índices de violência no início de 2008? Intuitivamente a resposta parece ser sim — não apenas os índices de violência caíram de maneira razoável logo após a invasão, como também ela foi especificamente planejada para se obter esse resultado. A combinação de intencionalidade e momento sugere fortemente a causalidade, assim como as repetidas afirmações de uma administração buscando algo bom para levar o crédito. Mas muitas outras coisas aconteceram entre o final de 2007 e o início de 2008. A brigada da resistência sunita, vendo uma ameaça ainda maior nas organizações terroristas como a Al-Qaeda do que nos soldados americanos, passaram a cooperar com os outrora ocupantes. As milícias xiitas — mais destacadamente o exército mahdi de Moktada Sadr — também começaram a vivenciar um abalo em suas estruturas, o que talvez os tenha levado a moderar seu comportamento. E o Exército e a polícia iraquianas, finalmente demonstrando competência suficiente para derrubar as milícias, começaram a se afirmar, assim como o governo iraquiano. Qualquer um desses fatores pode ter sido tão responsável pela queda nos índices de violência quanto a invasão. Ou talvez tenha sido uma combinação de fatores. Ou talvez tenha sido algo completamente diferente. Como saber?

Uma maneira de se certificar seria "reprisando" a história diversas vezes, mais ou menos como na experiência do Music Lab, e verificar o que teria acontecido com e sem a invasão. Se em todas essas versões alternativas da história os índices de violência caíssem sempre que houvesse a invasão e não caísse quando não houvesse a invasão, então poderíamos dizer com certa convicção que a invasão causou a queda. E, ao contrário, se descobríssemos que na maior parte das vezes em que houvesse a invasão nada acontecia com os índices de violência, ou descobrirmos que os índices de violência caíssem com invasão ou não, então o que quer que tenha causado a queda claramente não foi a invasão. Na vida real, é claro, essa experiência pôde ser realizada apenas uma vez, então nunca pudemos conferir se todas as outras versões desse acontecimento teriam desfechos diferentes. Como resultado, não podemos realmente nos certificar do motivo que causou a queda dos índices. Mas em vez de produzir dúvidas, a ausência de versões "contrafactuais" da história tende a ter o efeito oposto: perceber o que aconteceu como inevitável.

Essa tendência, que os psicólogos chamam de *creeping determinism*, determinismo gradual, está relacionada ao fenômeno mais conhecido como *hindsight bias*, viés retrospectivo, a impressão que surge após o acontecimento que nos faz acreditar que "sabíamos disso o tempo todo". Em diversas experiências de laboratório, psicólogos pediram aos participantes que fizessem previsões sobre eventos futuros e depois os entrevistaram novamente após os eventos em questão. Ao relembrar suas previsões anteriores, os participantes disseram estar mais certos de suas previsões corretas e menos certos de suas previsões incorretas do que afirmaram na primeira entrevista. O determinismo gradual, entretanto, é sutilmente diferente do viés retrospectivo e ainda mais enganoso. Na verdade, o viés retrospectivo pode ser neutralizado lembrando as pessoas daquilo que elas disseram antes de saberem a resposta ou forçando-as a registrar suas previsões. Mesmo que lembremos perfeita e corretamente como estávamos incertos sobre a maneira como os eventos iriam se desenrolar — mesmo quando admitimos que fomos pegos de surpresa —, ainda temos a tendência de tratar o resultado real como inevitável. Anteriormente, por exemplo, pode ter parecido que a invasão não teria como efeito a queda nos índices de violência. Mas uma vez que sabemos que a queda é o que realmente aconteceu, não importa se sabíamos ou não o tempo todo que isso iria acontecer (viés retrospectivo). Ainda acreditamos que *iria mesmo* acontecer, porque aconteceu.[3]

Amostra polarizada

O determinismo gradual significa que prestamos menos atenção do que deveríamos nas coisas que não acontecem. Mas também prestamos menos atenção do que deveríamos à maioria das coisas que acontecem. Percebemos quando perdemos o metrô por pouco, mas não todas as vezes em que ele chegou pouco depois de nós. Percebemos quando encontramos por acaso um conhecido no aeroporto, mas não todas as vezes em que isso não acontece. Percebemos quando um gerente de fundos atinge o S&P 500 dez anos seguidos, ou quando um jogador de basquete está com a "mão santa", ou quando um jogador de beisebol está em uma maré de sorte, mas não todas as vezes em que gerentes e esportistas de todo tipo não se destacam. E percebemos quando uma nova tendência aparece ou quando uma pequena empresa se torna um fenômeno de sucesso, mas não todas as vezes em que tendências em potencial ou novas empresas desaparecem antes mesmo de ficarem marcados na memória do público.

Assim como nossa tendência de enfatizar as coisas que aconteceram e não as coisas que não aconteceram, nossa inclinação para notarmos coisas "interessantes" é completamente compreensível. Por que nos interessaríamos por coisas desinteressantes? Contudo, isso exacerba nossa tendência a construir explicações que dão conta de apenas parte das informações. Se quisermos saber por que algumas pessoas são ricas, por exemplo, ou por que algumas empresas são bem-sucedidas, pode parecer razoável procurar pessoas ricas ou empresas de sucesso e identificar os atributos que elas têm em comum. Mas o que esse exercício não pode revelar é que se, em vez disso, procurarmos pessoas que não são ricas ou empresas não tão bem-sucedidas, podemos talvez descobrir que elas também têm esses mesmos atributos. A única maneira de identificarmos atributos que diferenciam o sucesso do fracasso é considerar os dois tipos, e procurar diferenças sistemáticas. Mas como o que nos importa é o sucesso, pode parecer inútil — ou simplesmente desinteressante — nos preocuparmos com a ausência de sucesso. Assim, inferimos que certos atributos estão relacionados ao sucesso, quando, na verdade, podem estar igualmente relacionados ao fracasso.

Esse problema de "amostras polarizadas" é especialmente grave quando as coisas às quais prestamos atenção — os acontecimentos interessantes — acontecem apenas raramente. Por exemplo, quando o voo 2605 da Western Airlines caiu sobre um caminhão estacionado em uma pista desativada na Cidade do México no dia 31 de outubro de 1979, os investigadores logo identificaram cinco fatores que contribuíram para o acidente. Primeiro, tanto o piloto quanto o motorista estavam cansados, tendo tido cada um apenas algumas horas de sono nas 24 horas anteriores. Segundo, houve uma confusão na comunicação entre a tripulação e os controladores de tráfego aéreo, que instruíram o piloto a entrar numa área de alcance do radar que abrangia a pista abandonada e então virar para a pista ativa, para o pouso. Terceiro, essa falha de comunicação foi agravada por um rádio que apresentava problemas de funcionamento, que falhou durante uma parte crítica da comunicação, quando a confusão poderia ter sido resolvida. Quarto, o aeroporto estava envolto por uma neblina intensa, obscurecendo tanto o avião quanto a pista ativa. E quinto, o controlador de solo se confundiu durante a comunicação final, provavelmente devido ao estresse, e pensou que a pista desativada fora acesa.

Como o psicólogo Robyn Dawes explica em seu relato sobre o acidente, a investigação concluiu que apesar de nenhum desses fatores — o cansaço, a falha de comunicação, o funcionamento ruim do rádio, as condições de visibilidade e estresse — tenha causado o acidente por si só, a combinação de todos cinco se mostrou fatal. Parece uma conclusão bastante razoável, e é consistente com as explicações que temos sobre quedas de aviões de forma geral. Mas como Dawes também nota, esses cinco fatores acontecem simultaneamente o tempo todo, inclusive em muitas, muitas situações em que aviões não caíram. Então, se em vez de começar com a queda e voltar ao início para identificar suas causas, trabalharmos do passado ao presente, contando todas as vezes em que observamos alguma combinação de cansaço, falhas de comunicação, mau funcionamento de rádios, condições de visibilidade e estresse, é possível que a maior parte desses eventos não resulte em quedas.[4]

A diferença entre essas duas maneiras de observar o mundo é ilustrada na figura a seguir. À esquerda, vemos os cinco fatores de risco identificados pela investigação da queda do voo 2605 e seus resultados correspondentes. Um desses resultados sem dúvida é a queda, mas há também outros. Quer dizer, esses fatores são "necessários mas não suficientes": sem eles, é extremamente improvável que a queda não tivesse acontecido; mas só porque eles estão presentes não significa que uma queda vai acontecer, nem ao menos indica essa probabilidade. Uma vez que a queda ocorre, entretanto, nossa visão do mundo muda para a direita. Agora todas as "não quedas" desapareceram, porque não estamos mais tentando explicá-las — estamos apenas tentando explicar a queda —, e todas as setas dos fatores, até as não quedas, desapareceram também. O resultado é que o mesmo conjunto de fatores que à esquerda fizeram um péssimo trabalho ao prever a queda agora parecem fazer um excelente trabalho.

Ao identificar as condições necessárias, as investigações que se seguem a quedas de aviões ajudam a mantê-las como eventos raros — o que, obviamente, é uma coisa boa —, mas a tentação resultante de tratá-las como condições suficientes inevitavelmente causa confusão em nossa intuição ao pensarmos em por que quedas acontecem quando acontecem. E o mesmo é válido para outros eventos raros, como homicídios em massa em escolas, ataques terroristas e quedas bruscas de bolsas. Muitos jovens que entram atirando em escolas, por exemplo, são garotos que têm relacionamentos distantes ou complicados com os pais,

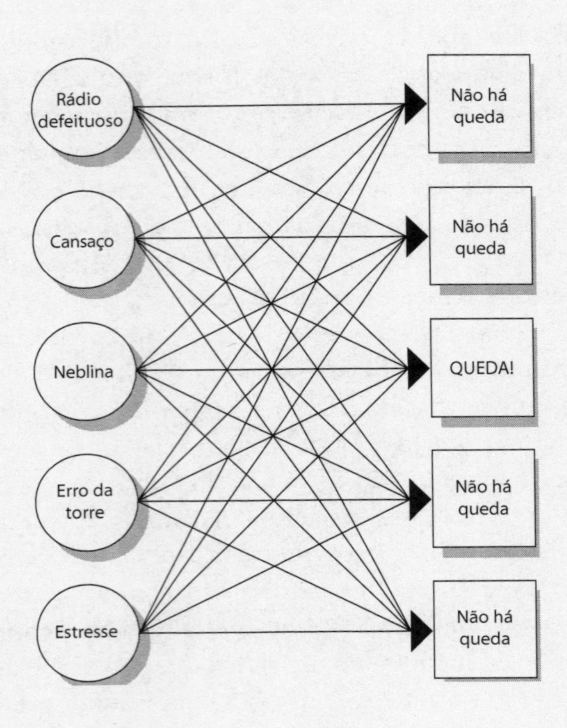

foram expostos a programas de TV e jogos de videogame violentos, foram excluídos pelos colegas e tinham fantasias de vingança. Mas essas mesmas características descrevem literalmente milhares de garotos adolescentes, cuja maioria nunca vai machucar ninguém.[5] Da mesma forma, o chamado erro de sistema que quase permitiu que Umar Farouk Abdulmutallab, um nigeriano de 23 anos, derrubasse um voo da Northwest Airlines com destino a Detroit no Natal de 2009 compreende o tipo de erro e omissão que tende a acontecer nas agências de segurança nacionais milhares de vezes ao ano — quase sempre sem nenhuma consequência adversa. E para cada dia

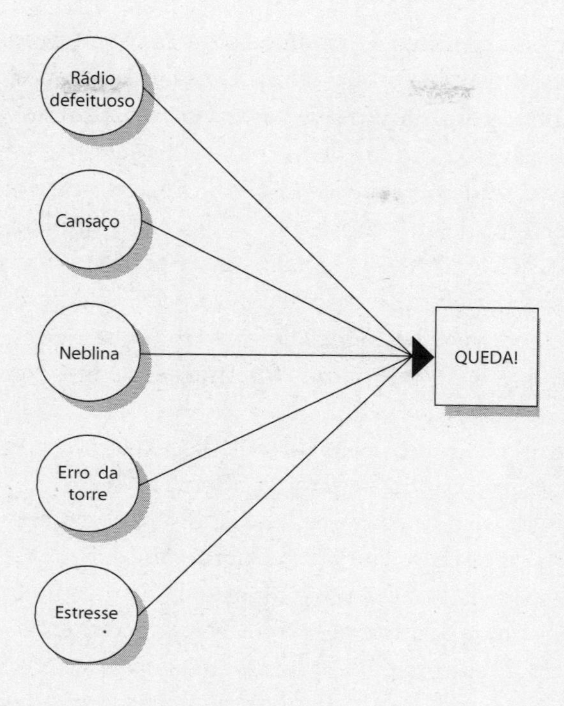

que o mercado de ações vivencia uma queda brusca, há milhares de dias em que quase as mesmas circunstâncias não produzem absolutamente nada de notável.

Causas imaginadas

Somados, o determinismo gradual e a amostra polarizada levam as explicações baseadas no senso comum a sofrer o que chamamos de *post-hoc fallacy*, falácia *post-hoc*, relacionada a um requerimento fundamental de causa e efeito — que para dizermos que A causa B, A deve preceder B no tempo. Se uma bola de bilhar começa a se mover antes de ser atingida por outra bola de bilhar, não foi essa outra bola que a fez se mover. Da mesma forma, se sentimos o vento soprar e só então vemos os galhos de uma árvore próxima balançarem, sentimo-nos seguros para concluir que foi o vento que causou o movimento. Tudo certo até aí.

Mas só porque B se seguiu a A isso não significa que A *causou* B. Se você ouvir um pássaro cantando ou vir um gato andando por um muro e então vir os galhos começarem a se mexer, provavelmente não concluirá que o passarinho ou o gato fez o galho balançar. Isso é óbvio, e no mundo científico temos teorias boas o suficiente sobre como as coisas funcionam, permitindo-nos separar o plausível do implausível. Mas no que diz respeito aos fenômenos sociais, o senso comum é extremamente eficiente para fazer todo tipo de causas em potencial parecer plausível. O resultado é que somos tentados a inferir uma relação de causa e efeito quando tudo o que testemunhamos foi uma sequência de eventos. Essa é a falácia *post-hoc*.

A lei da minoria de Malcolm Gladwell, discutida no capítulo anterior, é o exemplo máximo da falácia *post-hoc*. Sempre que alguma coisa interessante acontece, seja um best-seller imprevisto, um artista revelação ou um produto de sucesso, invariavelmente alguém os terá comprado antes de todo mundo, e essa pessoa vai parecer influente. *O ponto da virada*, aliás, é repleto de histórias sobre pessoas interessantes que parecem ter desempenhado papéis fundamentais em eventos importantes: Paul Revere e sua famosa corrida noturna de Boston a Lexington, que estimularam as milícias locais e desencadearam a Revolução Americana. Gaëtan Dugas, o comissário de bordo canadense sexualmente voraz que ficou conhecido como o Paciente Zero da epidemia americana de HIV. Lois Weisberg, a personagem-título do artigo de Gladwell para a *New Yorker*, que mencionamos anteriormente, que parece conhecer a todos e tem o dom de conectar pessoas. E o grupo de *hipsters* do East Village cuja irônica adoção dos calçados Hush Puppies precedeu uma surpreendente ressurreição do modelo.

Todas essas são ótimas histórias, é difícil lê-las e não concordar com Gladwell, e quando acontece algo tão surpreendente quanto a inesperada defesa de Lexington feita pelos Minutemen no dia 17 de abril de 1775, alguém especial — alguém como Paul Revere — deve ter ajudado. A explicação é especialmente convincente porque Gladwell também relata a história de William Dawes, outro mensageiro que naquela noite também tentou alertar a milícia local, mas acabou escolhendo uma rota diferente da de Revere. Enquanto os habitantes dos locais por onde Revere passou rebelaram-se no dia seguinte, os moradores de lugares como Waltham, em Massachusetts, por onde Dawes passou, parecem só ter ouvido falar da movimentação britânica tarde demais. Como usaram rotas diferentes, parece claro que a diferença nos resultados pode ser atribuída a diferenças entre os dois homens. Revere era um conector, Dawes não.[6]

O que Gladwell não considera, entretanto, é que muitos outros fatores também eram diferentes nas duas corridas: rotas diferentes, cidades diferentes e pessoas diferentes que fizeram escolhas diferentes sobre quem alertar depois que ouviram as notícias. Paul Revere pode muito bem ter sido tão notável e carismático quanto Gladwell descreve, enquanto William Dawes pode não ter sido. Mas, na verdade, havia tanta coisa acontecendo naquela noite que já não é possível atribuir os resultados do dia seguinte aos atributos intrínsecos dos dois homens, assim como não é possível atribuir o sucesso da *Mona Lisa* a suas características particulares, ou a queda dos índices de violência no Iraque em 2008 à invasão americana. Em vez disso, pessoas como Revere, que depois do acontecido parecem ter sido influentes no desencadeamento de um resultado excepcional, podem ser mais bem-identificadas como as "influenciadoras acidentais" que Peter Dodds e eu descobrimos em nossas simulações — indivíduos cujo papel aparente na verdade dependeu de uma confluência de outros fatores.

Para ilustrar como é fácil a falácia *post-hoc* gerar influenciadores acidentais, considere o seguinte exemplo de um evento real: a epidemia de SARS que explodiu em Hong Kong no início de 2003. Uma das descobertas mais surpreendentes da investigação subsequente foi que um único paciente, um jovem que havia viajado de trem do interior da China até Hong Kong e que foi internado no hospital Príncipe de Gales, infectou diretamente cinquenta outros pacientes, levando em seguida a 156 casos apenas naquele hospital. Posteriormente, a disseminação de SARS no Príncipe de Gales levou a um segundo grande foco da doença em Hong Kong, que por sua vez levou à propagação da epidemia pelo Canadá e outros países. Baseado em exemplos como os da epidemia de SARS, um número crescente de epidemiologistas se convenceu de que a seriedade da epidemia depende enormemente das atividades dos superpropagadores — indivíduos como Gaëtan Dugas e o paciente do Príncipe de Gales, que, sozinhos, infectaram muitas outras pessoas.[7]

Mas quão especiais essas pessoas realmente são? Uma investigação mais detalhada do caso do SARS revela que a verdadeira fonte do problema foi um diagnóstico errado de pneumonia quando o paciente chegou ao hospital. Ao invés de isolá-lo — o procedimento padrão para um paciente infectado com um vírus pulmonar desconhecido —, a vítima de SARS foi colocada em um ambulatório lotado, com péssima circulação de ar. E pior: como o diagnóstico era de pneumonia, um ventilador bronquial foi colocado em seus pulmões, o que acabou por espalhar um número imenso de partículas virais no ar ao redor. As condições no ambulatório lotado levaram a um grande número de funcionários do hospital e de pacientes infectados. O acontecimento foi importante na propagação da doença — pelo menos localmente. Mas o que é mais importante nessa história não foi tanto o próprio paciente quanto os detalhes sobre a maneira como ele foi tratado. Antes disso, nada que se pudesse saber sobre o paciente levaria à suspeita de que havia algo de especial nele, porque *não havia nada* de especial nele.

Mesmo após o surto da doença no Príncipe de Gales, seria um erro nos concentrarmos em indivíduos superpropagadores em vez de nas circunstâncias que levaram à propagação do vírus. A segunda grande onda de SARS, por exemplo, aconteceu pouco depois em um prédio residencial de Hong Kong, o Amoy Gardens. Dessa vez, o responsável, que foi infectado no hospital ao ser tratado de falência renal, também teve um caso severo de diarreia. Infelizmente, o sistema de esgoto do prédio não era dos melhores, e por isso a infecção espalhou-se para trezentos outros indivíduos no prédio por meio de um vazamento, sendo que nenhuma dessas vítimas nem ao menos estava no mesmo ambiente. Quaisquer que sejam as lições que alguém poderia inferir sobre os superpropagadores ao estudar as características particulares do paciente no Príncipe de Gales, portanto, seriam inúteis no Amoy Gardens. Em ambos os casos, os chamados superpropagadores foram simplesmente produtos acidentais de circunstâncias mais complicadas.

Nunca vamos saber o que teria acontecido em Lexington no dia 17 de julho de 1775 se Paul Revere tivesse feito o trajeto de William Dawes e Dawes, o de Revere. Mas é perfeitamente possível que o resultado fosse o mesmo, com a exceção de que seria o nome de William Dawes que teria entrado para a história, não o de Paul Revere. Assim como os surtos de

SARS no hospital Príncipe de Gales e no prédio Amoy Gardens aconteceram devido a uma combinação complexa de razões, também a vitória em Lexington dependeu das decisões e interações de milhares de pessoas, sem mencionar outros acasos do destino. Em outras palavras, apesar de ser tentador atribuir o resultado a uma pessoa especial, devemos lembrar que a tentação surge porque é assim que *gostaríamos* que o mundo funcionasse, não porque é assim que ele funciona de verdade. Nesse exemplo, assim como em vários outros, o senso comum e a história conspiram para gerar a ilusão de causa e efeito. Por um lado, o senso comum se destaca na geração de causas plausíveis, sejam pessoas especiais, atributos especiais ou circunstâncias especiais. E, por outro lado, a história obsequiosamente descarta a maior parte das evidências, deixando apenas uma trilha de eventos a serem explicados. Dessa forma, explicações baseadas no senso comum parecem nos dizer *por que* algo aconteceu, quando, na verdade, tudo o que elas fazem é descrever *o que* aconteceu.

A HISTÓRIA NÃO PODE SER CONTADA ENQUANTO ESTÁ ACONTECENDO

A incapacidade de diferenciar "por que" de "o que" dos eventos históricos representa um problema sério para qualquer um que deseja aprender com o passado. Mas certamente podemos ao menos nos certificar de que sabemos o que aconteceu, mesmo que não saibamos muito bem por quê. Se alguma coisa parecer uma questão de senso comum, é porque a história é uma descrição literal de eventos passados. Ainda assim, como afirmou o filósofo russo-britânico Isaiah Berlin, os tipos de descrições feitas por historiadores para eventos históricos não fariam muito sentido para as pessoas que efetivamente participaram deles. Berlin ilustrou esse problema com uma cena de *Guerra e paz*, de Tolstói, na qual "Pierre Bezukhov vaga 'perdido' pelo campo de batalha de Borodino, procurando algo que ele imagina ser um cenário ideal; uma batalha tal qual descrita por historiadores ou pintores. Mas encontra apenas a confusão ordinária de indivíduos, mal dando conta daquele ou deste desejo humano... Uma sucessão de 'acidentes' cujas origens e consequências são, de longe, impossíveis de se traçar e de se prever; são apenas um grupo frouxamente unido de eventos formando um padrão sempre variante, seguindo nenhuma ordem discernível".[8]

Diante de tal objeção, um historiador razoavelmente responderia que Bezukhov simplesmente não tinha a habilidade de observar todas as várias peças do quebra-cabeça do campo de batalha, ou ao menos não conseguiu colocar todas as peças juntas em sua mente. Talvez, em outras palavras, a única diferença entre o ponto de vista de um historiador e o de Bezukhov é que o historiador teve tempo e distanciamento para reunir e sintetizar informações de vários participantes, nenhum dos quais em uma posição de testemunhar o cenário inteiro. Visto por essa perspectiva, sem dúvida pode ser difícil ou mesmo impossível compreender o que está acontecendo no momento em que acontece. Mas a dificuldade deriva somente de um problema prático quanto à velocidade com a qual alguém pode de maneira realista reunir os fatos relevantes. Se verdadeira, essa resposta implica a possibilidade para alguém como Bezukhov de saber o que estava acontecendo na batalha de Borodino *em princípio*, mesmo que não na prática.[9]

Mas vamos imaginar por um momento o que poderia solucionar esse problema prático. Imagine que possamos reunir um ser realmente panóptico, capaz de observar em tempo real cada pessoa, objeto, ação, pensamento e intenção na batalha de Tolstói ou em qualquer outro evento. De fato, o filósofo Arthur Danto propôs precisamente esse ser hipotético, que chamou de Cronista Ideal, ou CI. Substituindo Pierre Bezukhov pelo Cronista Ideal de Danto, poderíamos perguntar: "O que o CI observa?" Para começar, ele teria diversas vantagens sobre o pobre Bezukhov. Ele não apenas poderia observar toda ação de qualquer combatente em Borodino, como também tudo o que estivesse acontecendo no resto do mundo. Além disso, tendo existido desde sempre, o Cronista Ideal também saberia tudo o que aconteceu até aquele instante preciso e teria o poder de sintetizar todas essas informações, até mesmo de inferir suas consequências. O CI, em outras palavras, teria mais informações e infinitamente maior habilidade de processá-las do que qualquer historiador mortal.

Incrivelmente, apesar de tudo isso o Cronista Ideal ainda teria, em essência, o mesmo problema de Bezukhov: ele não poderia produzir descrições sobre *o que estava acontecendo* como os historiadores produzem. A razão para isso é que quando os historiadores descrevem o passado, invariavelmente se baseiam naquilo que Danto chama de sentenças narrativas, ou seja, sentenças que têm o objetivo de descrever algo que aconteceu em um ponto específico no tempo, mas que o fazem de uma maneira que evoca o conhecimento de um ponto mais adiante. Por exemplo, considere a seguinte frase: "Uma tarde, há cerca de um ano, Bob estava em seu jardim plantando rosas." Isso é o que Danto chama de uma frase normal, que não faz nada além de descrever o que estava acontecendo naquele momento. Mas considerem agora a mesma frase, ligeiramente modificada: "Uma tarde, há cerca de um ano, Bob estava em seu jardim plantando suas rosas premiadas." Essa é uma frase narrativa, porque implicitamente se refere a um fato — as rosas de Bob ganhando prêmios — que ainda não havia acontecido no momento do plantio.

A diferença entre as duas frases parece insignificante. Mas o que Danto indica é que apenas o primeiro tipo de frase — a normal — faria sentido para os participantes do fato naquele momento. Isto é, Bob pode ter dito no momento "Estou plantando rosas", ou mesmo "Estou plantando rosas e elas serão premiadas". Mas seria muito estranho ele dizer "Estou plantando minhas rosas premiadas" antes que elas realmente ganhassem prêmios. A razão é que enquanto as duas primeiras afirmações fazem previsões sobre o futuro — que as raízes que Bob está colocando na terra vão um dia florescer, ou que ele pretende inscrevê-las em um concurso e acha que vai vencer —, a terceira é diferente: ela presume o conhecimento prévio de um acontecimento muito específico que vai apenas esclarecer os fatos do presente depois de ter efetivamente acontecido. É o tipo de coisa que Bob poderia dizer apenas se ele fosse um profeta — um personagem que vê o futuro com clareza suficiente para falar sobre o presente como se o estivesse revisitando.

O ponto principal no raciocínio de Danto é que o Cronista Ideal hipotético, que sabe tudo, também não pode usar frases narrativas. Ele sabe tudo o que está acontecendo agora, assim como tudo que levou àquele momento. Pode até mesmo fazer inferências sobre como todos os eventos dos quais ele tem conhecimento podem se encaixar. Mas o que não pode fazer é prever o futuro; ele não pode se referir ao que está acontecendo agora à luz de eventos futuros. Então, quando navios ingleses e franceses começaram a navegar pelo canal da Mancha, em 1337, o Cronista Ideal poderia ter notado que uma guerra de um algum tipo poderia acontecer, nas não poderia registrar a informação "A Guerra dos Cem Anos começa hoje". Não apenas a extensão do conflito entre os dois países era desconhecida naquele momento, mas também o termo "Guerra dos Cem Anos" foi criado apenas após um longo tempo depois de seu fim, como uma síntese para uma série de conflitos intermitentes entre 1337 e 1453. Da mesma forma, quando Isaac Newton publicou sua obra-prima, *Principia*, o Cronista Ideal poderia ter a oportunidade de dizer que aquela era uma grande contribuição à mecânica celeste, e mesmo prever que ela revolucionaria a ciência. Mas afirmar que Newton estava fundamentando o que seria a ciência moderna, ou que ele estava desempenhando um papel fundamental no Iluminismo, seria algo além do alcance do CI. Essas são frases narrativas que só podem ser ditas depois que os eventos já aconteceram.[10]

Isso pode parecer uma discussão trivial sobre semântica. Certamente, mesmo que o Cronista Ideal não possa usar as *palavras* exatas que os historiadores usam, ele ainda pode perceber a essência do que está acontecendo enquanto o fato acontece. Mas, na verdade, o argumento de Danto é precisamente que descrições históricas sobre "o que está acontecendo" são *impossíveis* sem frases narrativas — que frases narrativas são a própria essência de explanações históricas. Esta é uma distinção crítica, porque relatos históricos por vezes afirmam estar descrevendo "apenas" o que aconteceu de maneira neutra, desapaixonada. Porém, como Berlin e Danto argumentam, descrições literais do que aconteceu são impossíveis. Talvez ainda mais importante, elas não vão servir ao propósito da explanação histórica, que é não tanto reproduzir os eventos do passado quanto explicar por que eles são importantes. E a única maneira de saber o que importou, e por quê, é poder ver o que aconteceu como um resultado — informações que, por definição, nem mesmo o impossivelmente talentoso Cronista Ideal possui. A história não pode ser contada enquanto está acontecendo, portanto, não apenas porque as pessoas envolvidas estão ocupadas ou confusas demais para desvendá-la, mas porque o que está acontecendo não pode ser compreendido até que suas implicações tenham sido identificadas. E quando isso vai acontecer? Na verdade, até mesmo essa inocente pergunta pode trazer problemas para as explicações baseadas no senso comum.

No clássico filme *Butch Cassidy*, Butch, Sundance e Etta decidem fugir de seus problemas nos Estados Unidos indo para a Bolívia, onde, de acordo com o protagonista, o ouro praticamente está jorrando das minas. Mas quando eles finalmente chegam lá, depois de uma longa e glamorosa viagem a bordo de um navio que partiu de Nova York, são recepcionados por um quintal empoeirado cheio de porcos e galinhas e alguns mineradores embriagados. Sundance Kid fica furioso, e até mesmo Etta parece deprimida. "Faz-se muito mais com o dinheiro na Bolívia!", afirma Butch com otimismo. "O que eles poderiam ter que você iria querer comprar?", responde Kid tristemente. É claro, sabemos que logo as coisas vão melhorar para a charmosa dupla de ladrões de banco. E, como imaginamos, depois de algumas deliciosas confusões com o idioma, é o que de fato acontece. Mas também sabemos que tudo vai acabar em lágrimas, com Butch e Sundance eternamente congelados naquela imagem em sépia, fugindo do esconderijo, pistolas em punho, sob uma saraivada de tiros.

Então a decisão de ir para a Bolívia foi boa ou má? Por intuição, parece que a última opção é a correta, pois levou inexoravelmente ao desaparecimento de Butch e Kid. Mas agora sabemos que a maneira como pensamos sofre do determinismo gradual — a pressuposição de que, como sabemos que algo terminou mal, teria que terminar mal. Para evitar esse erro, então, precisamos imaginar a "reprise" da história diversas vezes, comparando os diferentes resultados em potencial que Butch e Kid poderiam ter vivenciado se tivessem tomado decisões diferentes. Mas até que ponto dessas várias histórias deveríamos fazer nossas comparações? A princípio, deixar os Estados Unidos pareceu-lhes uma boa ideia — eles estavam fugindo do que parecia ser a morte certa nas mãos de Joe Lefors e sua equipe, e a viagem foi divertida. Mais adiante, a decisão pareceu uma ideia terrível — de todos os lugares para os quais eles poderiam ter escapado, por que diabos eles escolheram aquele fim de mundo? Então pareceu-lhes uma boa ideia mais uma vez — eles estavam ganhando muito dinheiro roubando os bancos das cidades pequenas. E então, finalmente, pareceu-lhes uma má ideia quando seus planos se voltaram contra eles. Mesmo que eles tivessem o dom da previsão — algo que sabemos ser impossível —, ainda poderiam ter chegado a conclusões muito diferentes acerca de suas escolhas, dependendo de em qual ponto no futuro eles decidiram avaliar essa questão. Qual delas está certa?

Dentro da estrutura estreita de uma narrativa cinematográfica, parece óbvio que o momento certo para avaliar qualquer coisa seja o fim do filme. Mas na vida real a situação é muito mais ambígua. Assim como os personagens em uma história não sabem quando é o fim, não podemos saber quando o filme de nossa vida vai chegar à sua cena final. E mesmo se soubéssemos, dificilmente teríamos a oportunidade de avaliar todas as opções, ainda que triviais, à luz de nosso estado final em nosso leito de morte. Aliás, ainda assim não poderíamos ter certeza do significado daquilo que conquistamos. Ao menos quando Aquiles decidiu lutar em Troia, ele sabia qual era a barganha: sua vida em troca da fama eterna. Mas para o resto de nós, as escolhas que fazemos são muito menos claras. A humilhação de hoje pode ser a lição valiosa de amanhã. Ou a "missão cumprida" de ontem pode ser a ironia dolorosa de hoje. Talvez cheguemos a descobrir que aquela pintura que compramos numa loja era uma antiga obra de arte. Talvez nossos patrões em uma empresa familiar sejam derrubados diante de um escândalo ético, sobre o qual não sabíamos. Talvez nossos filhos atinjam grandes feitos e atribuam seu sucesso às pequenas lições que lhes ensinamos. Ou talvez nós os tenhamos mesquinhamente empurrado para a carreira errada e acabado com suas chances de felicidade verdadeira. Escolhas que parecem insignificantes no momento em que as fazemos podem algum dia se revelar imensamente importantes. E outras que parecem incrivelmente importantes para nós agora podem mais tarde parecer ter tido pouco efeito. Simplesmente não sabemos até que saibamos. E ainda assim podemos não saber, porque pode não depender apenas de nós decidir.

Em outras palavras: em boa parte da vida, a própria noção de um "resultado" bem definido cujas consequências podemos avaliar em algum momento de maneira definitiva é uma conveniente invenção. Na vida real, os eventos que rotulamos como resultados nunca são mesmo pontos finais. São, na verdade, marcos artificialmente impostos, assim como o fim de um filme é, na verdade, artificial em uma história que, no mundo real, continuaria se desenrolando. E dependendo do ponto em que decidimos impor um "fim" a um processo, podemos inferir lições muito diferentes a partir do que temos em mãos. Digamos, por exemplo, que observamos que uma empresa está tendo muito sucesso e que queremos emular esse sucesso em nossa empresa. Como podemos fazer isso? O senso comum (reforçado por uma centena de livros de negócios campeões de vendas) sugere que devemos estudar a empresa, identificar os principais fatores responsáveis por seu sucesso e então replicar essas práticas e características em nossa organização. Mas e se eu dissesse a você que no ano seguinte essa mesma empresa perdeu 80% de seu valor de mercado e que a mesma mídia corporativista que antes a elogiou agora quer seu sangue? O senso comum sugeriria que talvez você devesse procurar um modelo de sucesso em outro lugar. Mas como saber disso? E como você vai saber o que vai acontecer ano que vem, ou daqui a dois anos?

Problemas como esse surgem no mundo dos negócios o tempo todo. No fim dos anos 1990, por exemplo, a Cisco Systems — um fabricante de roteadores e aparelhos de telecomunicação — era a grande estrela do Vale do Silício e a queridinha de Wall Street. Com um início humilde nos primórdios da era da internet, em março de 2000 já era a empresa mais valiosa do mundo, com um valor de mercado que ultrapassava os 500 bilhões de dólares. Como era de esperar, as revistas especializadas em negócios ficaram enlouquecidas. A *Fortune* chamou a Cisco de "a nova superpotência da computação" e nomeou John Chambers, o CEO, como o melhor da era da informação. Entretanto, em 2001 as ações da Cisco despencaram e em abril do mesmo ano chegaram a apenas quatorze dólares, muito abaixo de seu pico de oitenta dólares apenas um ano antes. A mesma imprensa que se desvelara em elogios apaixonados à Cisco agora rechaçava sua estratégia, sua execução e sua liderança. Teria sido tudo uma fraude? Era o que parecia naquele momento, e muitos artigos foram escritos para explicar como uma companhia que parecia tão bem-sucedida podia ter tantas falhas. Mas espere: no fim de 2007, o valor das ações da Cisco duplicou e passou dos 33 dólares, e a empresa, ainda guiada pelo mesmo CEO, voltou a ser bastante lucrativa.[11]

Então a Cisco foi mesmo a grande empresa como se esperava no fim dos anos 1990? Ou seria ainda o castelo de areia como parecia ser em 2001? Ou seria os dois, ou nenhum dos dois? Acompanhando a flutuação dos valores de suas ações desde 2007, não se poderia dizer. A Cisco caiu novamente para quatorze dólares no início de 2009, em meio à crise financeira, mas em 2010 se recuperou e chegou a 24 dólares. Ninguém sabe como vão estar as ações da Cisco daqui a um ou a dez anos. Mas é possível que a imprensa especializada vá ter na época uma história que "explique" todos os altos e baixos da Cisco até aquele ponto de uma maneira que nos conduzirá claramente a qualquer que seja a avaliação no momento. Infelizmente, essas explicações sofrerão do mesmo problema que todas as explicações que surgiram antes delas — que em nenhum momento a história realmente "acabou". Sempre acontece alguma coisa depois, e isso que acontece depois tende a transformar nossa percepção do resultado corrente, assim como nossa percepção dos resultados que já explicamos. Na verdade, de certa forma é bastante impressionante como conseguimos reescrever completamente nossas explicações anteriores sem nenhum desconforto sobre aquela que estamos articulando no momento, sempre agindo como se *agora* fosse o momento certo de avaliação. Porém, como podemos ver com o exemplo da Cisco, sem mencionar inúmeros outros exemplos do mundo dos negócios, da política e do planejamento, não há razão para pensarmos que agora é um momento melhor para parar e avaliar do que em qualquer outro.

Quem conta a melhor história ganha

Explicações históricas não são nem explicações causais nem realmente descrições — ao menos não no sentido em que imaginamos que sejam. Elas são histórias. Como afirma o historiador John Lewis Gaddis, são histórias limitadas por certos fatores históricos e outras evidências observáveis.[12] Contudo, como uma boa história, explicações históricas concentram-se naquilo que é interessante, evitando as múltiplas causas e omitindo todas as coisas que poderiam ter acontecido mas não aconteceram. Como em uma boa história, elas destacam o drama focando a ação em torno de alguns acontecimentos e agentes, dando-lhes, dessa forma, significado ou sentido especial. E assim como em boas histórias, boas explicações históricas são também coerentes, o que significa que tendem a enfatizar o determinismo simples e linear em detrimento da complexidade, da aleatoriedade e da ambiguidade. E, acima de tudo, elas têm começo, meio e fim, de tal modo que tudo — incluindo os personagens identificados, a ação em que os eventos são apresentados e a maneira como tanto os personagens quanto os eventos são descritos — tem que fazer sentido.

O apelo de uma boa história é tão forte que até mesmo quando estamos tentando avaliar uma explicação cientificamente — tendo como critério a maneira como ela dá conta dos dados — não podemos evitar julgá-la em termos de seus atributos narrativos. Em diversas experiências, por exemplo, psicólogos descobriram que explicações mais simples são julgadas como provavelmente mais verdadeiras do que explicações complexas, não porque explicações simples na verdade expliquem mais, mas *só porque* são mais simples. Em uma pesquisa, por exemplo, ao ter que escolher entre explicações para um quadro fictício de sintomas clínicos, a maioria dos participantes optou pela explicação que envolvia apenas um problema de saúde em vez de uma que envolvesse dois problemas, mesmo quando a combinação de duas doenças era duas vezes mais comum que apenas uma doença.[13] Um pouco paradoxalmente, as explicações também são vistas como mais prováveis de serem verdadeiras quando têm mais detalhes, mesmo se os detalhes extras são irrelevantes ou tornam a explicação menos coerente. Em uma experiência famosa, por exemplo, estudantes receberam descrições de dois indivíduos fictícios, "Bill" e "Linda", e geralmente preferiam descrições mais detalhadas — que Bill era tanto contador quanto músico de jazz em vez de simplesmente músico de jazz, ou que Linda era uma gerente de banco feminista em vez de simplesmente uma gerente de banco —, mesmo sabendo que as descrições menos detalhadas eram logicamente mais prováveis.[14] Além disso, em conjunto com seu conteúdo, as explicações que são habilmente expostas são vistas como mais plausíveis do que aquelas menos elaboradas, mesmo quando as explicações em si são idênticas. E explicações que são intuitivamente plausíveis são julgadas mais verdadeiras do que aquelas que se opõem à intuição — mesmo que, como sabemos depois de ler todos os livros de Agatha Christie, a explicação mais plausível possa estar totalmente errada. Enfim, as pessoas mostram-se mais confiantes de seus julgamentos quando têm uma explicação à mão, mesmo quando não têm ideia da veracidade daquela explicação.[15]

É verdade, claro, que explicações científicas muitas vezes começam também como histórias e, portanto, têm alguns desses mesmos atributos.[16] A principal diferença entre fazer ciência e contar histórias, entretanto, é que na ciência conduzimos experiências que explicitamente testam nossas "histórias". E quando elas não funcionam, nós as modificamos até que funcionem. Mesmo em ramos da ciência como a astronomia, em que verdadeiras experiências são impossíveis, fazemos algo análogo — construímos teorias baseadas em observações passadas e as testamos em observações futuras. Mas como a história acontece apenas uma vez, a impossibilidade de realizar experiências efetivas exclui o exato tipo de evidência necessária para se inferir uma relação de causa e efeito genuína. Na falta de experiências, portanto, nossa habilidade de contar histórias é livre para circular sem verificação, enterrando, nesse processo, muitas das evidências que existem, seja por não serem interessantes, seja por não se encaixarem na história que queremos contar. Logo, esperar que a história obedeça aos padrões da explicação científica é não apenas irrealista, como fundamentalmente confuso — ou seja, como Berlin conclui, é "pedir que ela contradiga sua essência".[17]

Basicamente pelas mesmas razões, historiadores muitas vezes têm necessidade de enfatizar a dificuldade de se generalizar a partir de um contexto qualquer para um outro contexto qualquer. Não obstante, sendo relatos do passado, uma vez construídos, guardam muita semelhança com os tipos de teoria que construímos na ciência, e é tentador tratá-los como se eles tivessem o mesmo poder de generalização — mesmo para os historiadores mais cuidadosos.[18] Quando tentamos entender *por que* determinado livro tornou-se best-seller, estamos implicitamente fazendo uma pergunta sobre como livros em geral tornam-se best-sellers e, assim, como esse sucesso pode ser repetido por outros escritores ou outras editoras. Quando investigamos as *causas* da bolha imobiliária recente, ou dos ataques terroristas do 11 de Setembro, estamos inevitavelmente procurando também respostas que esperamos aplicar no futuro — para melhorar a segurança nacional ou a estabilizar os mercados financeiros. E quando concluímos que a invasão do Iraque *causou* a subsequente queda nos índices de violência, somos invariavelmente tentados a aplicar a mesma estratégia mais uma vez, assim como o governo fez no Afeganistão. Em outras palavras: não importa o que dizemos que estamos fazendo, sempre que tentamos aprender algo *sobre* o passado, invariavelmente tentamos aprender *com* ele também — uma associação que está implícita nas palavras do filósofo George Santayana: "Aqueles que não conseguem lembrar o passado estão condenados a repeti-lo."[19]

Essa confusão entre histórias e teorias atinge o núcleo do problema ao se usar o senso comum como maneira de compreender o mundo. De uma tacada, falamos como se tudo que estivéssemos tentando fazer é compreender algo que já aconteceu. Mas na seguinte estamos aplicando a "lição" que achamos que aprendemos em qualquer projeto ou política que planejamos implementar no futuro. Fazemos essa troca entre contar histórias e construir teorias tão fácil e instintivamente que na maior parte do tempo nem temos consciência de que fazemos isso. Mas a troca ignora que se trata de dois exercícios fundamentais com diferentes objetivos e padrões de evidências. Não é de surpreender, então, que explicações que foram escolhidas com base em suas qualidades como histórias são péssimas em prever padrões e tendências futuras. Contudo, é assim que as utilizamos. Compreender os limites do que podemos explicar sobre o passado pode, portanto, lançar luz sobre o que podemos prever no futuro. E como previsões são tão centrais para planejamento, políticas, estratégias, marketing e todos os outros problemas que discutiremos a seguir, é para a previsão que agora voltaremos nossa atenção.

6

O SONHO DA PREVISÃO

SERES HUMANOS ADORAM FAZER PREVISÕES, seja sobre os movimentos das estrelas, as oscilações do mercado de ações ou a cor da moda da próxima estação. Pegue o jornal de qualquer dia e você encontrará uma quantidade gigantesca de previsões; tantas que você provavelmente nem as nota mais. Para ilustrar isso, considere uma única notícia escolhida mais ou menos aleatoriamente na primeira página do *New York Times*. A história, que foi publicada em meados de 2009, era sobre tendências nas vendas do varejo e continha nada menos que dez previsões sobre a temporada de retorno às aulas, que estava por vir. Por exemplo, de acordo com uma fonte citada no artigo — um grupo chamado National Retail Foundation —, uma típica família com filhos em idade escolar iria gastar "quase 8% menos neste ano em relação ao ano anterior", enquanto de acordo com a empresa de pesquisas ShopperTrak, a circulação de consumidores nas lojas seria 10% menor. Finalmente, citava-se um especialista identificado como o presidente da Customer Growth Partners, uma empresa de consultoria comercial, afirmando que aquela seria "a pior temporada de volta às aulas em muitos e muitos anos".[1]

Todas as três previsões foram feitas por fontes aparentemente confiáveis e eram explícitas o suficiente para serem levadas a sério. Mas quão corretas estavam? Para ser honesto, não faço a mínima ideia. O *New York Times* não publica estatísticas sobre a acuidade das previsões feitas em suas páginas, assim como a maior parte das empresas consultadas. Uma das coisas mais estranhas em relação às previsões, aliás, é que nossa ansiedade de fazer pronunciamentos sobre o futuro é comparável apenas à nossa relutância a sermos responsabilizados por isso. Em meados da década de 1980, o psicólogo Philip Tetlock notou exatamente este padrão nos especialistas em política da época. Determinado a fazê-los investir seu dinheiro no mesmo lugar que indicavam, Tetlock projetou um teste memorável que deveria revelar seus resultados em vinte anos. Para começar, ele convenceu 284 especialistas em política a fazer, cada um, cerca de cem previsões sobre uma variedade de possíveis eventos futuros, indo desde os resultados das eleições seguintes à probabilidade de duas nações entrarem em conflito armado. Para cada uma dessas previsões, Tetlock insistiu em que os especialistas especificassem qual dos dois resultados eles esperavam que se confirmasse e também que determinassem a probabilidade de suas previsões realmente se realizarem. Ele fez isso de maneira que previsões confiantes ganhassem mais pontos quando se revelassem corretas, mas também perdessem mais pontos quando estivessem erradas. Com essas previsões em mãos, ele então se sentou e esperou que os acontecimentos se desenrolassem. Vinte anos depois ele publicou os resultados, e o que descobriu foi impressionante: apesar de os especialistas terem obtido resultados ligeiramente melhores que previsões a esmo, eles não chegaram nem perto dos resultados de um modelo estatístico minimamente sofisticado. E ainda mais surpreendente: os especialistas tiveram resultados melhores ao opinar sobre algo *fora* de sua área de atuação do que sobre algo dentro dela.[2]

Os resultados de Tetlock são por vezes interpretados como demonstrativos da presunção dos chamados especialistas, e sem dúvida há alguma verdade nisso. Mas apesar de eles não serem melhores que o restante de nós em suas previsões, também não são piores. Quando eu era jovem, por exemplo, muitas pessoas acreditavam que o futuro seria repleto de carros voadores, cidades espaciais orbitantes e tempo livre infinito. Em vez disso, nós dirigimos carro de combustão interna em avenidas congestionadas, suportamos inúmeras falhas nos serviços de transporte aéreo e trabalhamos mais do que nunca. Enquanto isso, buscas na internet, celulares e compras on-line — as tecnologias que de fato afetaram nossas vidas — surgiram meio que do nada. Mais ou menos ao mesmo tempo que Tetlock estava dando início a sua experiência, na verdade, um pesquisador de gerenciamento chamado Steven Schnaars tentou medir a acuidade de previsões sobre tendências em tecnologia investigando um número gigantesco de livros, revistas e reportagens e registrando centenas de previsões que foram feitas ao longo da década de 1970. Ele concluiu que cerca de 80% de todas as previsões estavam erradas, tivessem sido feitas por especialistas ou não.[3]

E não são somente as previsões de tendências sociais e tecnológicas a longo prazo que são descabidas. Editores, produtores e marqueteiros — profissionais experientes e motivados na área de negócios, com muito conhecimento do jogo — têm tanta dificuldade em dizer quais livros, filmes e produtos vão ser os próximos grandes sucessos quanto especialistas em política têm em apontar qual será a próxima revolução. Na verdade, a história do mercado cultural é repleta de exemplos de sucessos — Elvis, *Star Wars*, "Seinfeld", *Harry Potter*, "American Idol" — que editores e estúdios de cinema deixaram de lado enquanto apostavam alto em grandes fracassos.[4] E se considerarmos as mais impressionantes falências dos últimos tempos — Long-Term Capital Management em 1998, Enron em 2001, WorldCom em 2002, o quase colapso de todo o sistema financeiro em 2008 — ou histórias de sucesso espetaculares, como a ascensão do Google e do Facebook, o que mais impressiona é que praticamente *ninguém* parecia ter ideia alguma do que estava prestes a acontecer. Em setembro de 2008, por exemplo, mesmo sabendo que o colapso do Lehman Brothers era iminente, autoridades do Tesouro e do Banco Central americanos — que, acreditamos, tinham as melhores informações possíveis em todo o mundo — não conseguiram identificar o congelamento global de crédito que se seguiu. Da mesma forma, no fim dos anos 1990 os fundadores do Google, Sergey Brin e Larry Page, tentaram vender a empresa por 1,6 milhão de dólares. Felizmente para eles, ninguém se interessou, pois o Google atingiu um valor de mercado acima dos 160 bilhões, cerca de 100 mil vezes o que eles e, aparentemente, todo o resto do mundo achavam que a empresa valia apenas alguns anos antes.[5]

Resultados como esse parecem demonstrar que nós, seres humanos, somos simplesmente ruins em previsões, mas na verdade não é bem essa. Na vida real há diversos tipos de previsões que poderíamos fazer bem se quiséssemos. Por exemplo, eu aposto que faria uma ótima previsão do tempo em Santa Fé, no Novo México — aposto até que iria acertar em 80% das vezes. Por mais impressionante que isso pareça diante dos resultados pífios dos especialistas na experiência de Tetlock, entretanto, minha habilidade de prever o tempo em Santa Fé não vai me render um emprego na estação meteorológica. O problema é que nessa cidade faz sol cerca de trezentos dias por ano, então podemos acertar trezentos em

365 dias simplesmente fazendo a previsão impensada de que "amanhã vai fazer sol". Da mesma maneira, previsões de que os Estados Unidos não vão entrar em guerra contra o Canadá nos próximos dez anos ou que o sol vai continuar a nascer no leste tendem a estar corretas, mas não impressionam ninguém. O problema real da previsão, em outras palavras, não é que sejamos todos bons ou ruins nesse quesito, mas, sim, que somos ruins em distinguir previsões que podemos fazer com segurança daquelas que não podemos.

O demônio de Laplace

De certa forma, esse problema começa lá em Newton. Partindo de suas três leis de movimento, junto com sua lei de gravitação universal, ele conseguiu comprovar não apenas as leis de movimentos planetários de Kepler, como também a frequência das marés, as trajetórias de projéteis e uma quantidade realmente impressionante de outros fenômenos naturais. Foi um feito científico admirável, mas que também criou uma expectativa difícil de ser realizada em relação ao que poderia ser conquistado com leis matemáticas. O movimento dos planetas, a frequência das marés — essas são coisas maravilhosas que somos capazes de prever. Mas deixando de lado as vibrações dos elétrons ou o tempo que é preciso para a luz viajar uma certa distância, são também os fenômenos mais previsíveis da natureza. E ainda assim, como prever esses movimentos estava entre os primeiros problemas que os cientistas e, matemáticos concentraram-se em resolver, e, como eles tiveram um sucesso tão impressionante, foi tentador concluir que tudo funcionava da mesma maneira. Como o próprio Newton escreveu:

> Se pudéssemos ao menos aferir outros fenômenos da natureza de princípios mecânicos com o mesmo tipo de raciocínio! Pois muitas coisas me levam a suspeitar de que todos os fenômenos dependem de certas forças pelas quais partículas de matéria, por causas ainda desconhecidas, ou são impelidas umas em direção a outras e agregam-se em figuras regulares ou são repelidas umas das outras e recuam.[6]

Um século depois, o astrônomo e matemático francês Pierre-Simon Laplace levou a visão de Newton a seu extremo lógico, afirmando que a mecânica newtoniana reduzira a previsão do futuro — até mesmo o futuro do Universo — a uma questão de mera computação. Laplace idealizou um "intelecto" conhecedor de todas as forças que "colocavam a natureza em movimento, e todas as posições de todos os itens dos quais a natureza é composta". E continuou: "Para um intelecto como esse, nada seria incerto e o futuro, assim como o passado, estaria presente diante de seus olhos."[7]

O "intelecto" da imaginação de Laplace logo receberia um nome — "o demônio de Laplace" —, e desde então esteve espreitando a visão da humanidade acerca do futuro. Para os filósofos, o demônio era controverso, pois, ao reduzir a previsão do futuro a um exercício mecânico, parecia roubar da humanidade seu livre-arbítrio. Mas, no fim das contas, eles não precisavam ter se preocupado tanto. Começando com a segunda lei da termodinâmica, continuando com a mecânica quântica e finalmente chegando à teoria do caos, a ideia de Laplace de um Universo que funciona como um relógio — e com isso as preocupações acerca do livre-arbítrio — vem recuando há mais de um século. Mas isso não significa que o demônio foi embora. Apesar da controvérsia sobre o livre-arbítrio, havia algo incrivelmente sedutor na noção de que as leis da natureza, aplicadas aos dados apropriados, poderiam ser usadas para prever o futuro. As pessoas, sem dúvida, vêm fazendo previsões sobre o futuro desde o início das civilizações, mas a diferença no alarde feito por Laplace era que ele não apelava a poderes mágicos ou mesmo a epifanias que ele próprio tivera. Nada disso: ele se baseava exclusivamente na existência de leis científicas que a princípio todos poderiam dominar. Assim, a previsão, outrora o território de oráculos e místicos, foi trazida para dentro da esfera objetiva e racional da ciência moderna.

Entretanto, ao fazê-lo, o demônio obscureceu uma diferença crítica entre dois tipos diferentes de processos, que, visando a uma argumentação mais clara, chamarei de simples e complexo.[8] Sistemas simples são aqueles que um modelo pode capturar a maioria ou mesmo todas as variações que observamos. As oscilações de pêndulos e as órbitas de satélites são, portanto, "simples" nesse sentido, apesar de não ser necessariamente uma questão de modelo e previsão. Um tanto paradoxalmente, os modelos mais complicados no âmbito da ciência — modelos que preveem as trajetórias de sondas espaciais interplanetárias ou que acusam a localização por meio de aparelhos GPS — muitas vezes descrevem processos relativamente simples. As equações básicas de movimento que governam a órbita de um satélite de comunicações ou a elevação da asa de um avião podem ser ensinadas a um estudante de ensino médio. Mas como a diferença entre um bom modelo e um modelo ligeiramente melhor pode ser significativa, os modelos reais usados por engenheiros para construir sistemas de satélites e aviões precisam dar conta de todo tipo de pequenas correções, e assim acabam sendo muito mais complicados. Quando o Mars Climate Orbiter da Nasa se incendiou e se desintegrou na atmosfera marciana em 1999, por exemplo, a falha encontrada foi em um simples erro de programação (foram usadas unidades imperiais em vez do sistema métrico) que colocou a sonda em uma órbita a cerca de sessenta quilômetros da superfície de Marte em vez de a 140. Quando se considera que para chegar a Marte a nave primeiro teve que atravessar mais de 50 milhões de quilômetros, a magnitude do erro parece trivial. Ainda assim, foi essa a diferença entre o que seria um sucesso retumbante para a Nasa e o que acabou sendo um fracasso humilhante.

Já sistemas complexos são coisas completamente diferentes. Ninguém de fato concorda quanto ao que torna um sistema "complexo", mas é aceito de forma geral que a complexidade surge de muitos componentes interdependentes interagindo de maneiras não lineares. A economia dos Estados Unidos, por exemplo, é produto das ações individuais de milhões de pessoas, bem como de centenas de milhares de empresas, milhares de órgãos governamentais e inúmeros outros fatores internos e externos, que vão do clima no Texas até as taxas de juros na China. Traçar a trajetória da economia, portanto, não é como traçar a trajetória de um foguete. Em sistemas complexos, pequenas perturbações em uma parte podem ser amplificadas e produzir grandes efeitos em outra parte — o "efeito borboleta" da teoria do caos que apareceu anteriormente na discussão sobre vantagem acumulada e imprevisibilidade. Quando todo mínimo fator em um sistema complexo pode potencialmente ser amplificado de formas imprevisíveis, muito pouco pode ser previsto por um modelo. Como resultado, modelos de sistemas complexos tendem a ser bastante simples — não porque modelos simples funcionam bem, mas porque melhorias fazem pouca diferença diante dos inúmeros erros que persistem. Os economistas, por exemplo, podem apenas sonhar com o planejamento da economia com o mesmo tipo de precisão que levou à destruição do Mars Climate Orbiter. O problema, entretanto, não é tanto a má qualidade dos modelos, mas a invariável má qualidade dos modelos de sistemas complexos.[9]

O erro fatal na visão de Laplace, portanto, é que seu demônio funciona apenas para sistemas simples. Ainda assim, praticamente tudo no mundo social — desde o efeito de uma campanha de marketing até as consequências de uma política econômica ou o resultado de um plano corporativo — entra na categoria de sistemas complexos. Sempre que pessoas se juntam — em encontros sociais, torcidas, empresas, organizações voluntárias, mercados, partidos políticos ou até mesmo sociedades inteiras —, elas afetam o pensamento e o comportamento umas das outras. Como discuti no capítulo 3, são essas interações que tornam "sociais" os sistemas sociais: porque fazem um agrupamento de pessoas ser mais que apenas um agrupamento de pessoas. Mas no processo, também geram complexidades gigantescas.

O futuro não é como o passado

A onipresença de sistemas complexos no mundo social é importante porque restringe severamente os tipos de previsões que podemos fazer. Isto é, em sistemas simples é possível prever com alto grau de precisão o que vai *realmente* acontecer — por exemplo, quando o cometa Halley vai retornar ou em qual órbita um determinado satélite vai entrar. Já para sistemas complexos, o melhor que podemos esperar é prever corretamente a *probabilidade* de que algo aconteça.[10] À primeira vista, esses dois exercícios parecem similares, mas eles são fundamentalmente diferentes. Para entender por que, imagine que você está atirando uma moeda para o alto. Por ser um evento aleatório, o máximo que você pode fazer é prever que, em média, 50% das vezes vai dar cara. Uma lei que diz "a longo prazo, 50% dos lances de uma moeda serão cara e 50% serão coroa" é, de fato, perfeitamente precisa no sentido de que cara e coroa, de forma geral, aparecem nessa proporção exata. Mas mesmo conhecendo a regra, ainda não podemos prever corretamente o *resultado* de um lance mais de 50% das vezes, não importa qual estratégia adotemos.[11] Sistemas complexos não são realmente aleatórios da mesma maneira que o lançamento de moeda é aleatório, mas na prática é extremamente difícil apontar as diferenças. Conforme a experiência do Music Lab demonstrou anteriormente, você pode saber tudo sobre uma pessoa no mercado — pode lhe fazer uma centena de perguntas em um questionário, segui-las para ver o que vai fazer e monitorar suas ondas cerebrais —, mas ainda assim o melhor que você pode fazer é prever a probabilidade de que uma determinada música será a vencedora em um determinado mundo virtual. Algumas músicas têm mais tendência a vencer do que outras, mas em qualquer mundo as interações entre indivíduos aumentam flutuações aleatórias de forma a produzir resultados imprevisíveis.

Para entender por que esse tipo de imprevisibilidade é problemático, considere outro tipo de sistema complexo sobre o qual podemos fazer previsões: o clima. Ao menos no futuro próximo — o que geralmente significa as próximas 48 horas —, as previsões do tempo são bastante precisas, ou, como meteorologistas preferem usar, "confiáveis". Isto é, nos dias em que o serviço meteorológico diz que há 60% de chance de chuva, de fato chove em 60% dos casos.[12] Então por que as pessoas reclamam das previsões do tempo? Por uma razão: não é que elas não sejam confiáveis — apesar de que podiam ser mais confiáveis —; a confiabilidade é que não é o tipo de precisão que queremos. Não queremos saber o que vai acontecer em 60% dos casos em dias como amanhã. Não: queremos saber o que efetivamente vai acontecer amanhã — vai chover ou não? Então, quando ouvimos "60% de chance de chuva amanhã" é natural interpretarmos a informação como o serviço meteorológico informando que provavelmente vai chover amanhã. E quando não chove metade das vezes em que ouvimos isso e levamos um guarda-chuva para o trabalho, concluímos que eles não sabem do que estão falando.

Pensar em acontecimentos futuros em termos de probabilidades é suficientemente difícil até mesmo para o cara ou coroa ou a previsão do tempo, em que mais ou menos o mesmo tipo de coisa está acontecendo repetidas vezes. Mas para eventos que acontecem apenas uma vez na vida, como a eclosão de uma guerra, a eleição de um presidente ou mesmo as faculdades para as quais você passou, a distinção torna-se quase impossível de ser apontada. O que significa, por exemplo, dizer no dia anterior à vitória de Barack Obama, nas eleições de 2008, que ele tinha 90% de chance de ser eleito? Que ele iria vencer em nove das dez vezes em que disputasse a eleição? É claro que não, pois há apenas uma eleição, e qualquer tentativa de repeti-la — digamos, na eleição seguinte — não será comparável da mesma maneira que são lançamentos consecutivos de uma moeda. Então isso se traduz nos palpites que fazemos em apostas? Isto é, para ganhar dez dólares se ele for eleito, tenho que apostar nove, enquanto se ele for derrotado, posso ganhar dez dólares apostando apenas um? Mas como vamos determinar quais são as chances "corretas", sabendo que, enquanto aposta, ela só pode ser resolvida uma vez? Se acha que a resposta não está clara, você não está sozinho — mesmo matemáticos discutem sobre o que significa determinar uma probabilidade para um evento único.[13] Então se até eles têm problemas para compreender o significado da afirmação "a probabilidade de chuva amanhã é de 60%", não é surpresa que nós tenhamos a mesma dificuldade.

A dificuldade com que nos deparamos ao tentar pensar sobre o futuro em termos de probabilidades é a imagem espelhada de nossa preferência por explicações que dão conta de resultados conhecidos à custa de possibilidades alternativas. Como discutimos no capítulo anterior, quando olhamos para o passado, tudo o que vemos é uma sequência de eventos que já aconteceram. Ontem choveu, há dois anos Barack Obama foi eleito presidente dos Estados Unidos etc. De alguma forma sabemos que esses eventos poderiam ter se desenrolado de maneiras diferentes. Mas não importa quanto nos lembremos de que as coisas podem ser diferentes, o que realmente aconteceu continua sendo o que aconteceu. Nem 40% nem 60% das vezes, mas, sim, 100%. É natural, portanto, quando pensamos no futuro, nos preocuparmos sobretudo com o que *vai realmente acontecer*. Para chegar a uma previsão, devemos contemplar uma variedade de futuros possíveis alternativos, e talvez nos arrisquemos a dizer que um tem mais tendência a se realizar do que os outros. Mas, no fim das contas, sabemos que apenas um desses futuros possíveis vai realmente se realizar, e queremos saber qual será.

A relação entre nossa visão do passado e nossa visão do futuro é ilustrada pela imagem da página 140, que mostra os valores das ações de uma empresa fictícia ao longo do tempo. Olhando em retrospectiva, é possível ver o histórico das ações (a linha contínua), que naturalmente traça um trajeto único. Entretanto, olhando para o futuro, tudo o que podemos dizer sobre o valor das ações é a probabilidade de elas caírem em um dado momento. Meus colegas da Yahoo! David Pennock e Dan Reeves programaram um aplicativo que gera figuras como essa ao alimentarmos o programa com os preços das diferentes ações na bolsa. Como o valor de uma opção depende do preço da ação a que se refere, os preços a que várias opções estão sendo vendidas agora podem ser interpretados como previsões sobre o preço das ações na data em que as opções estão agendadas para amadurecer. Mais precisamente, podemos usar os preços das opções para inferir vários "envelopes de probabilidades", como aqueles mostrados na figura. Por exemplo, o envelope interno mostra o alcance de preços que a ação pode atingir em uma queda com 20% de probabilidade, enquanto o envelope externo mostra o alcance da probabilidade de 60%.

Entretanto, nós também sabemos que em algum ponto no futuro o preço das ações será revelado — como indicado pela trajetória "futura" pontilhada. Nesse momento, sabemos que a nuvem confusa de probabilidades definidas pelo envelope terá sido substituída por um único preço a cada vez, assim como os preços que vimos no passado. Sabendo disso, é tentador dar o próximo passo e supor que essa trajetória futura já foi determinada por alguma influência cósmica, mesmo que ainda não tenha sido revelada para nós. Mas esse último passo seria um erro. Até que seja efetivamente realizado, tudo o que podemos dizer sobre os futuros preços das ações é que eles têm uma certa probabilidade de estar localizados dentro de uma certa margem — não porque ele realmente está em algum ponto dessa margem e apenas não sabemos ainda qual é, mas no sentido de que ela existe *apenas* como uma margem de probabilidades. Dito de outra maneira: há uma diferença entre a incerteza sobre o futuro e o fato de o próprio futuro ser incerto. Este último é apenas uma questão de falta de informação — algo que não sabemos —, enquanto o primeiro implica a informação ser, a princípio, desconhecível. O primeiro é o universo ordenado do demônio de Laplace, no qual, se simplesmente nos esforçarmos, poderemos prever o futuro. O último é essencialmente um mundo aleatório, no qual o melhor que podemos esperar é expressar nossas previsões sobre vários resultados como probabilidades.

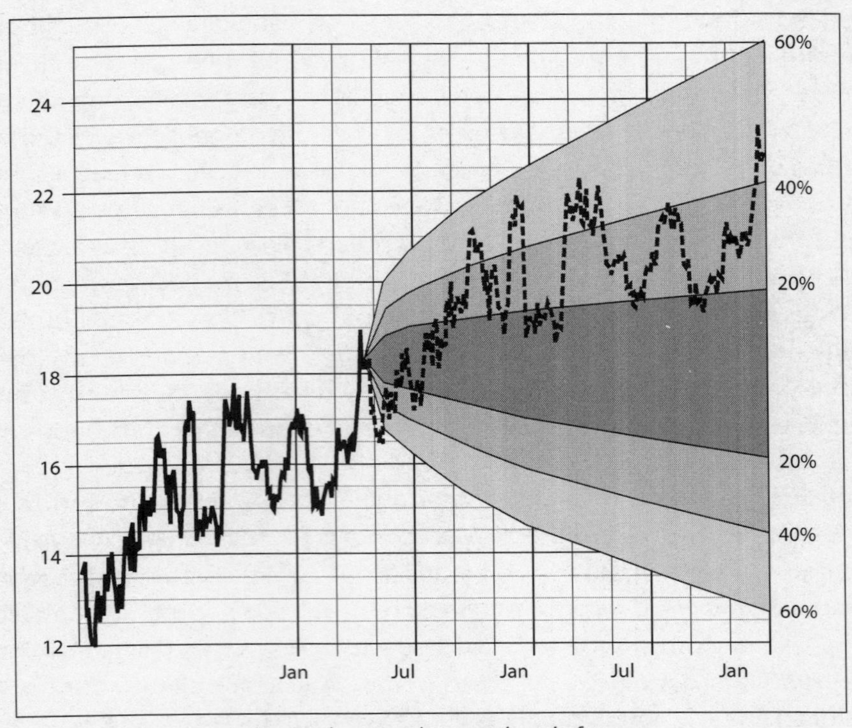

Preços de ações do passado e do futuro

Prevendo o que prever

A distinção entre prever resultados e prever probabilidades de resultado é fundamental para mudar nossa visão sobre os *tipos* de previsões que podemos fazer. Mas há outro problema que também surge com a maneira de como aprendemos com o passado, e que é ainda mais contraintuitivo: não podemos saber *quais* resultados nós podemos fazer previsões. Verdade seja dita, há uma infinidade de previsões que podemos fazer a qualquer momento, assim como há uma infinidade de "coisas que aconteceram" no passado. E assim como não nos importamos nem um pouco com quase nenhum dos eventos do passado, não nos preocupamos com praticamente nenhuma das previsões em potencial. Em vez disso, nos preocupamos é com o ínfimo número de previsões que, se pudéssemos ter feito corretamente, poderiam ter mudado as coisas de uma maneira que de fato faria diferença. Se os oficiais da Aeronáutica dos Estados Unidos pudessem ter previsto que terroristas armados iriam sequestrar aviões com a intenção de jogá-los contra o World Trade Center e o Pentágono, poderiam ter tomado medidas preventivas, como reforçar as portas das cabines e observar com atenção as triagens em aeroportos, e isso teria evitado uma tragédia. Da mesma forma, se um investidor soubesse, no fim dos anos 1990, que uma pequena empresa iniciante chamada Google se tornaria um gigante da internet, poderia ter feito fortuna investindo nessa empresa.

Olhando para trás, parece que deveríamos ter sido capazes de prever eventos como esses. Mas o que não percebemos é que a retrospectiva nos diz mais do que possíveis previsões; além de nos revelar que previsões deveríamos estar fazendo. Em novembro de 1963, como alguém imaginaria que era importante se preocupar com atiradores e não com comida envenenada durante a visita de JFK a Dallas? Como alguém poderia saber antes do 11 de Setembro que a resistência das portas de cabines de aviões, não a ausência de cães farejadores, era a chave para evitar sequestros de aviões? Ou que sequestros de aviões e não bombas no metrô eram a maior ameaça aos Estados Unidos? Como poderíamos saber que mecanismos de busca iriam fazer dinheiro com anúncios e não outro tipo de negócio? Ou que alguém deveria estar interessado na monetarização de mecanismos de busca em vez de sites de conteúdo, de venda on-line ou algo completamente diferente?

Com efeito, esse problema é o outro lado da afirmação de Danto sobre a história, que vimos no capítulo anterior: só sabemos depois o que é *relevante*. Isto é, os tipos de previsões que mais queremos fazer exigem que primeiro determinemos quais das coisas que podem acontecer no futuro vão se mostrar relevantes, para que possamos começar a prestar atenção nelas agora. Parece que devemos ser capazes de fazer isso, assim como parece que o Cronista Ideal de Danto deveria ser capaz de dizer o que está acontecendo. Mas se tentássemos registrar nossas previsões sobre tudo o que pode acontecer, imediatamente nos afogaríamos nas possibilidades. Será que deveríamos nos preocupar com o horário em que o caminhão do lixo vai passar hoje à noite? Provavelmente não. Por outro lado, se nosso cachorro se desprende da coleira e corre para o meio da rua nesse momento, vamos desejar ter sabido disso antes de sairmos para um passeio. Deveríamos tentar prever se nossos voos serão cancelados? Mais uma vez, provavelmente não. Mas se somos transferidos para um voo que enfrentará problemas mecânicos e cairá, ou se nos sentarmos ao lado da pessoa com quem vamos acabar nos casando, esse evento vai parecer tremendamente significativo.

Esse problema da relevância é fundamental e não pode ser eliminado simplesmente com mais informações ou um algoritmo mais preciso. Por exemplo, em seu livro sobre previsão o cientista político e "previsor" Bruce Bueno de Mesquita enaltece o poder da teoria dos jogos para prever os resultados de complexas negociações políticas.[14] Dada a imprevisibilidade intrínseca de sistemas complexos, parece improvável que seus modelos computacionais possam de fato prever, como ele diz. Mas deixando isso de lado por enquanto, devemos nos concentrar na questão maior sobre o que eles poderiam prever se funcionassem perfeitamente. Veja por exemplo sua afirmação de saber com antecedência o resultado dos Acordos de Oslo, de 1993, entre Israel e a Organização para a Libertação da Palestina. Naquele momento, isso poderia ter parecido um feito impressionante. Mas o que o algoritmo não mostrou foi que os Acordos de Oslo foram, na verdade, uma ilusão, uma fagulha temporária de esperança que rapidamente se apagou devido a eventos subsequentes. Ou seja: diante do que sabemos agora sobre o que aconteceu em seguida, fica claro que o resultado das negociações em Oslo não era a coisa mais importante a se prever.

É claro, Bueno de Mesquita pode muito bem argumentar que seus modelos não foram projetados para fazer esse tipo de previsão. Mas é precisamente esta a questão: *fazer a previsão correta é tão importante quanto acertar a previsão*. Quando olhamos para o passado, não desejamos ter previsto qual seria o poder de mercado do Google em 1999 ou quantos dias levariam para que os soldados americanos chegassem a Bagdá durante a segunda Guerra do Golfo. Essas, sem dúvida, são previsões válidas que podemos ter pensado em fazer. Mas em algum ponto teríamos percebido que não importa se elas estavam certas ou erradas — porque elas simplesmente não eram tão importantes. Em vez disso, acabaríamos desejando ter conseguido prever no dia em que o Google abriu seu capital para o mercado acionário que dentro de alguns anos o valor de suas ações ultrapassaria os quinhentos dólares, porque assim poderíamos ter investido e ficado ricos. Gostaríamos de ter sido capazes de prever a carnificina que se seguiria à derrubada de Saddam Hussein e ao desmantelamento de suas forças de segurança, porque assim poderíamos ter adotado uma estratégia diferente ou mesmo evitado todo o problema.

Mesmo quando estamos lidando com os tipos mais banais de previsões — a maneira como consumidores vão reagir a essa ou aquela cor ou design, ou se médicos vão passar mais tempo se dedicando à medicina preventiva se forem recompensados conforme a saúde de seus pacientes em vez da quantidade e do valor dos procedimentos por eles recomendados — enfrentamos o mesmo problema. Ainda que pareçam tipos menos problemáticos que saber qual será a próxima grande empresa ou a próxima guerra, assim que começamos a pensar sobre por que nos importamos com essas previsões, somos forçados a imediatamente fazer outras — sobre os efeitos das previsões que estamos fazendo agora. Por exemplo, estamos preocupados com a maneira como os consumidores vão reagir a determinada cor não porque nos preocupamos com a reação deles em si, mas porque queremos que o produto seja um sucesso e acreditamos que a cor é importante. Da mesma forma, nos importamos com a reação de médicos aos incentivos porque queremos controlar os custos da saúde e posteriormente projetar um sistema que ofereça cuidados pelos quais todos possam pagar sem levar o país à falência. Se nossa previsão de alguma forma não ajuda a revelar resultados mais abrangentes, então é de pouco interesse ou valor. O que reforça que nos importamos com coisas que importam, porém são precisamente essas previsões mais abrangentes e mais significativas sobre o futuro que nos impõem as maiores dificuldades.

Cisnes negros e outros "eventos"

Em nenhuma outra circunstância esse problema de prever aquilo que importa é mais agudo do que nos casos do que o ex-agente de derivativos e crítico da indústria financeira Nassim Taleb chama de cisnes negros, ou seja, eventos que acontecem raramente — como a invenção do prelo, a queda da Bastilha e os ataques ao World Trade Center —, mas que são imbuídos de grande importância.[15] Mas o que faz de um evento um cisne negro? É aí que a questão se complica. Nós tendemos a falar sobre eventos como se eles fossem isolados e distintos e pudessem ser rotulados com um nível de importância da mesma maneira como descrevemos eventos naturais, como terremotos, avalanches e tempestades, a partir de sua magnitude ou proporção. Na verdade, muitos desses eventos naturais são caracterizados não por distribuições "normais", mas por distribuições intensamente enviesadas que abrangem muitas ordens de magnitude. A altura das pessoas, por exemplo, é distribuída mais ou menos de forma equilibrada: o homem típico americano tem 1m75, e nunca vemos adultos com sessenta centímetros ou três metros de altura. Já terremotos, avalanches, tempestades e incêndios florestais apresentam distribuições *heavy-tail*, de "cauda pesada", o que significa que a maior parte desses fenômenos é relativamente pequena e chama pouca atenção, enquanto a menor parte pode ser extremamente intensa.

É tentador pensar que eventos históricos também seguem uma distribuição de cauda pesada, na qual os cisnes negros de Taleb ficam bem longe, na cauda da distribuição. Mas como o sociólogo William Sewell explica, eventos históricos não são meramente "maiores" que outros no mesmo sentido de que alguns furacões são mais fortes que outros. "Eventos", no sentido histórico, adquirem seu significado por meio das transformações que desencadeiam em arranjos sociais mais abrangentes. Para ilustrar, Sewell revisita a tomada da Bastilha, no dia 14 de julho de 1789, um evento que certamente parece corresponder à definição de Taleb de um cisne negro. Porém, como aponta Sewell, o evento não foi apenas uma série de ações que aconteceram em Paris num mesmo dia, mas englobava todo o período entre 14 de julho e 23 de julho, durante o qual Luís XVI lutou para controlar a rebelião em Paris e a Assembleia Nacional em Versalhes debatia se era necessário condenar a violência ou aceitá-la como uma expressão da vontade popular. Foi só depois que o rei recolheu suas tropas da periferia da cidade e retornou a Paris que a Assembleia pôde se decidir, e a Bastilha tornou-se um "evento" no sentido histórico. É difícil parar até mesmo aí, na verdade, porque é claro que a única razão para nos importarmos com a Bastilha é o que aconteceu depois — a Revolução Francesa, e a transformação da soberania por direito divino de um rei, que lhe era assegurada ao nascer, em um poder inerente ao próprio povo. E *esse* evento incluiu não apenas os dias até 23 de julho, mas também as repercussões subsequentes, como o pânico em massa por vezes chamado de Grande Medo, que invadiu as províncias na semana seguinte, e a famosa sessão legislativa que durou toda a noite de 4 de agosto, quando a ordem política e social do Antigo Regime foi derrubada.[16]

Quanto mais quisermos explicar um evento cisne negro como a tomada da Bastilha, mais abrangentes devem ser os limites dentro dos quais você considera o evento. Isso é verdadeiro não apenas para eventos políticos, mas também para "cisnes negros tecnológicos", como os computadores, a internet e o raio laser. Por exemplo, pode ser verdade que a internet foi um cisne negro, mas o que isso significa? Quer dizer que a invenção de redes de comutação de pacotes foi um cisne negro? Ou foi um cisne negro o crescimento dessa rede original, que se tornou algo muito maior, que acabou por formar o que seria no início chamado de arpanet e depois essa coisa chamada internet? Teria sido isso apenas o desenvolvimento da infraestrutura física em que outras inovações tecnológicas, como a web e a voz sobre IP, foram construídas? Ou será que foram essas tecnologias que, por sua vez, levaram a novos modelos de negócios e formas de interação social? Ou esses desenvolvimentos que finalmente mudaram a maneira como descobrimos informações, compartilhamos opiniões e expressamos nossas identidades? Presume-se que sejam todos esses desenvolvimentos juntos que dão à internet seu status de cisne negro. Mas se bem que a internet não é uma coisa. Ela é um atalho para todo um período da história e todas as mudanças tecnológicas, econômicas e sociais que aconteceram nesse período.

Isso é verdadeiro até mesmo para eventos naturais que adquirem o status de cisne negro. O furacão Katrina, por exemplo, foi uma grande tempestade, mas não foi a maior que já presenciamos, nem mesmo a maior daquele verão. O que a tornou um cisne negro, portanto, tinha menos a ver com a tempestade em si e mais com o que aconteceu em seguida: a impotência das barragens, a inundação da maior parte da cidade, as ações de emergência lentas e ineficientes, os milhares de residentes que foram submetidos a sofrimento desnecessário e humilhações, as mais de 1.800 pessoas mortas, as centenas de milhares que deixaram o estado, a decisão de muitas dessas pessoas de não retornar nunca mais, o efeito econômico sobre a cidade de Nova Orleans depois de perder grande parte de sua população e a impressão deixada no povo de um desastre monstruoso, intensificado pela discriminação racial e social latente, pela incompetência administrativa e pela indiferença dos ricos e poderosos para com os fracos e vulneráveis. Quando falamos do furacão Katrina como um cisne negro, portanto, não estamos falando de uma tempestade em essência, mas sim de todo o conjunto de eventos que se desenrolaram a partir dela, associado a uma série igualmente complicada de consequências sociais, culturais e políticas — consequências que ainda se revelam.

Assim, prever cisnes negros é fundamentalmente diferente de prever eventos como a queda de aviões ou mudanças nos índices de desemprego. Esse último tipo de evento pode ser impossível de se prever com precisão — e, portanto, teremos que nos contentar com probabilidades de resultados em vez dos próprios resultados —, mas é ao menos possível dizer com antecedência o que estamos tentando prever. Já cisnes negros podem apenas ser identificados a posteriori, porque é só nesse momento que podemos sintetizar todos os vários elementos da história sob um rótulo organizado. Prever cisnes negros, em outras palavras, exige não apenas que visualizemos os resultados futuros sobre os quais estamos fazendo previsões, como também que visualizemos o futuro *além* do resultado, pois só então sua importância será reconhecida. Como no exemplo de Danto citado no capítulo anterior, sobre Bob descrevendo suas rosas premiadas antes de elas realmente receberem algum prêmio, esse tipo de previsão não é realmente uma previsão, mas uma profecia — a habilidade de prever não apenas o que vai acontecer, mas também qual será seu significado.[17]

Contudo, uma vez que sabemos sobre os cisnes negros, não podemos lamentar não ter conseguido prevê-los. E assim como as explicações baseadas no senso comum confundem histórias e teorias — o tópico do capítulo anterior —, também a intuição baseada no senso comum sobre o futuro tende a misturar previsões e profecias. Quando olhamos para o passado, vemos apenas as coisas que aconteceram — não todas as coisas que poderiam ter acontecido mas não aconteceram —, e, como resultado, nossas explicações baseadas no senso comum por vezes chamam de causa e efeito o que na verdade é uma sequência de eventos. Da mesma maneira, quando pensamos sobre o futuro, imaginamos que seja uma sucessão de eventos que simplesmente ainda não nos foram revelados. Na verdade, essa sucessão não existe — o futuro é mais como um pacote de possíveis sucessões, cada qual com uma possibilidade de se realizar, e o melhor que podemos fazer é estimar as probabilidades de cada uma das sequências de eventos. Mas como sabemos que em algum ponto no futuro todas essas probabilidades terão se tornado uma única sucessão, naturalmente queremos nos concentrar na única sucessão que vai de fato importar.

Da mesma forma, quando olhamos para o passado, não há nenhuma confusão com o que entendemos por "eventos", nem parece difícil dizer quais desses eventos foram importantes. E assim como a singularidade do passado nos faz considerar o futuro singular também, o mesmo acontece com a aparente obviedade de eventos anteriores, que nos leva a pensar que deveríamos ser capazes de prever quais eventos serão importantes no futuro. Porém, o que essas noções do senso comum ignoram é que tal visão do passado é um produto de um esforço coletivo de relatos de histórias — por parte não apenas de historiadores, mas também de jornalistas, especialistas, líderes políticos e outros formadores de opinião — cujo objetivo é compreender "o que aconteceu". Só quando essa história estiver completa, e todos concordarem com ela, poderemos dizer quais foram os eventos importantes, ou os mais relevantes. Assim, prever a importância dos eventos exige prever não apenas os próprios eventos, mas também o resultado do processo social que lhes confere sentido.

Do senso comum ao senso incomum

Para continuarmos levando adiante nossa rotina, nada dessa confusão poderá nos causar problemas sérios. Como já discuti anteriormente, o senso comum é extraordinariamente bom na tarefa de navegar por circunstâncias particulares. E como as decisões do dia a dia estão divididas em várias partes, cada uma devendo ser encarada individualmente, não importa muito que a confusão de leis, fatos, percepções, crenças e instintos sobre os quais se constrói o senso comum forme um todo coerente. Pela mesma razão, pode não importar muito que a lógica do senso comum nos leve a pensar que compreendemos a causa de alguma coisa quando, na verdade, nós apenas a descrevemos, ou a acreditar que podemos fazer previsões quando, na verdade, não podemos. Quando o futuro chegar nós já teremos esquecido a maior parte das previsões que tivermos feito, e então não nos preocuparemos com a possibilidade de a maior parte delas ter se revelado errada ou simplesmente irrelevante. E quando decidirmos compreender o que de fato aconteceu, a história já terá enterrado a maior parte dos fatos inconvenientes, dando-nos a liberdade de contar histórias sobre o que ficou. Dessa forma, podemos pular de um dia para outro e de uma observação para outra, substituindo perpetuamente o caos da realidade com a ficção reconfortante de nossas explicações. E para objetivos cotidianos, isso é suficiente, pois os erros que inevitavelmente cometemos não costumam ter consequências importantes.

Esses enganos começam a ter consequências importantes quando confiamos no senso comum para fazer os tipos de planos que sustentam políticas governamentais, estratégias empresariais ou campanhas publicitárias. Devido a sua natureza, o planejamento de políticas externas ou de desenvolvimento econômico afeta um grande número de pessoas durante um longo período de tempo, por isso precisa funcionar com consistência em vários contextos específicos. Devido a sua natureza, planejamentos eficientes de publicidade ou da saúde pública dependem de nossa capacidade de associar com eficiência causa e consequência, e também exigem que saibamos diferenciar explicação científica de simples relatos de histórias. Devido a sua natureza, planejamentos estratégicos, seja de empresas ou de partidos políticos, necessariamente fazem previsões sobre o futuro, e por isso precisam diferenciar as previsões confiáveis das duvidosas. E, finalmente, todos esses tipos de planejamento por vezes têm consequências de magnitude considerável — seja financeira, política ou social — que fazem valer a pena nos perguntarmos se há uma maneira melhor, baseada no *senso incomum*, de fazê-los. Portanto, é para as virtudes do senso incomum e suas implicações para previsões, planejamentos, justiça e até mesmo ciências sociais que agora nos voltamos.

PARTE II

O SENSO INCOMUM

7

Os melhores planos

A mensagem central do capítulo anterior é que os tipos de previsões que o senso comum nos faz são de fato impossíveis por duas razões. Primeiro, o senso comum diz que apenas um futuro vai se desenrolar e que, portanto, é natural querer fazer previsões específicas sobre esse futuro. Entretanto, em sistemas complexos — que compreendem a maior parte de nossa vida econômica e social —, o melhor que podemos esperar é estimar com certa precisão as probabilidades de certos tipos de eventos ocorrerem. Segundo, o senso comum também exige que ignoremos as muitas previsões desinteressantes e desimportantes que poderíamos estar fazendo o tempo todo e que foquemos nos resultados que de fato importam. Na verdade, porém, não há maneira de anteciparmos, mesmo em princípio, quais eventos serão importantes no futuro. E ainda pior: os eventos cisnes negros, que são aqueles que mais desejamos ter previsto, não são de fato eventos, mas descrições resumidas — "A Revolução Francesa", "a internet", "o furacão Katrina", "a crise financeira global" — de grandes "faixas" da história. Prever cisnes negros é, portanto, duplamente inviável, pois até que a história tenha se desenrolado é impossível até mesmo saber quais são os termos relevantes.

É uma mensagem séria. Mas só porque não podemos fazer os tipos de previsões que gostaríamos não significa que não podemos prever *absolutamente nada*. Como qualquer bom jogador de pôquer pode confirmar, contar cartas não nos informa exatamente qual carta vai ser virada em seguida, mas conhecer as probabilidades antes de seus oponentes ainda pode lhe render muito dinheiro ao longo do tempo, ao fazer apostas baseadas em mais informação, além de fazê-lo ganhar mais do que perder.[1] E mesmo para os resultados que não podem ser previstos com nenhuma confiabilidade, apenas saber os limites do que é possível já pode ser proveitoso — porque isso nos obriga a mudar a maneira como nos planejamos. Então que tipos de previsões podemos fazer, e como podemos torná-las o mais precisas possível? E como devemos mudar a maneira como pensamos sobre o planejamento — na política, nos negócios, nas relações internacionais, na publicidade e no gerenciamento — para acomodar a compreensão de que algumas previsões jamais poderão ser feitas? Essas questões podem parecer distantes dos tipos de problemas e encruzilhadas com que nos deparamos diariamente, mas de um jeito ou de outro — por sua influência sobre as empresas em que trabalhamos, ou sobre a economia de forma geral, ou sobre os problemas sobre os quais lemos diariamente nos jornais — elas afetam a todos nós.

O QUE PODEMOS PREVER?

Simplificando muito, há dois tipos de eventos que surgem nos sistemas sociais complexos — eventos em conformidade com algum padrão histórico estável, e eventos em não conformidade —, e é apenas sobre o primeiro tipo que podemos fazer previsões confiáveis. Como disse no capítulo anterior, até mesmo para esses eventos não podemos prever mais resultados específicos do que para qualquer outro evento. Mas se pudermos reunir informações suficientes sobre o histórico de tais eventos, podemos razoavelmente prever possibilidades, o que é suficiente para diversos objetivos.

Todo ano, por exemplo, cada um de nós pode ter ou não o azar de pegar uma gripe. O melhor que podemos antecipar é que em qualquer estação temos uma certa probabilidade de ficarmos doentes. Porém, como somos muitos, e como o fluxo de gripes sazonais é relativamente consistente ano após ano, a indústria farmacêutica pode fazer um trabalho básico para estimar quantas vacinas contra a gripe vai precisar enviar para uma parte do mundo específica em determinado mês. Da mesma forma, consumidores com a mesma situação financeira podem variar muito quanto a pagar ou não a fatura do cartão de crédito, dependendo do que esteja acontecendo na vida de cada um. Mas as empresas de cartão de crédito podem fazer um trabalho surpreendente em prever o número de inadimplentes prestando atenção à variação de índices socioeconômicos, demográficos e comportamentais. E empresas virtuais estão cada dia tirando mais vantagem das montanhas de informações sobre a navegação de seus usuários para saber a probabilidade de um certo usuário clicar em um resultado de busca específico, responder favoravelmente a uma notícia ou ser convencido por uma determinada recomendação. Como o cientista político Ian Ayres escreveu em seu *Super Crunchers*, previsões desse tipo estão sendo feitas cada vez mais em indústrias altamente dependentes de dados, como a financeira, a de saúde e a de comércio eletrônico, nas quais os ganhos geralmente modestos associados com previsões baseadas em dados podem se utilizar de milhões, ou até mesmo bilhões, de decisões minúsculas — em alguns casos diariamente — para produzir ganhos muito substanciais no fim das contas.[2]

Até aí, tudo bem. Mas há muitas áreas de negócios — assim como no governo e na política — dependentes de previsões que não se encaixam tão bem nesse molde de superanálise. Por exemplo, sempre que uma editora decide o valor de adiantamento que vai oferecer a um autor em potencial, ela está efetivamente fazendo uma previsão sobre as vendas futuras do livro proposto. Quanto mais exemplares o livro vender, mais royalties o autor vai receber e mais dinheiro a editora deve oferecer para impedir que o autor venda seu livro para uma editora concorrente. Mas se ao fazer esse cálculo a editora superestima as vendas do livro, vai acabar pagando um valor excessivo ao autor — bom para ele, mas ruim para as finanças da editora. Da mesma forma, quando um estúdio de cinema decide desenvolver um projeto, está efetivamente fazendo uma previsão sobre quanto aquele filme vai lhe render, e, assim, decidindo quanto pode gastar em sua produção e em sua campanha publicitária. Ou quando um laboratório farmacêutico decide ir adiante com os testes de um novo medicamento, deve justificar os custos altíssimos a partir de alguma previsão sobre o provável sucesso dos testes e a parcela de mercado que o medicamento terá.

Todas essas frentes de negócio, portanto, dependem de previsões, mas são previsões consideravelmente mais complicadas do que aquelas que envolvem o número de casos de gripe esperados na América do Norte no próximo inverno, ou a probabilidade de alguém clicar em uma propaganda on-line específica. Quando uma editora oferece um valor adiantado por um livro, o próprio livro costuma estar pelo menos um ano ou dois distante de sua publicação; então a editora deve fazer uma previsão não apenas sobre como o livro vai vender, mas também sobre como o mercado o receberá quando for publicado, como serão as críticas e um sem-número de outros fatores relacionados. Os mesmos tipos de previsões sobre filmes, medicamentos e outros tipos de negócio ou de projeto são, com efeito, previsões sobre processos complexos e multifacetados que se desenrolam ao longo de meses ou anos. E pior: como os encarregados de tomar a decisão estão limitados a fazer apenas algumas a cada ano, eles não se dão ao luxo de tirar a média de suas incertezas em meio a um número imenso de previsões.

Contudo, mesmo nesses casos, os responsáveis pela tomada de decisões por vezes têm pelo menos algum histórico no qual se basear. Editoras podem ter registros do número de vendas de livros semelhantes já lançados, enquanto estúdios de cinema podem fazer o mesmo com bilheteria, vendas de DVD e lucros com publicidade. Já laboratórios farmacêuticos podem consultar os índices de medicamentos semelhantes no mercado, publicitários podem investigar o desempenho de produtos comparáveis e editores de revistas podem analisar a venda de edições anteriores que tiveram uma matéria de capa equivalente. Responsáveis pela tomada de decisões por vezes têm também muitos outros dados nos quais se basear, incluindo pesquisas de mercado, avaliações internas do produto em questão e seu conhecimento da indústria de forma geral. Então, desde que nada excepcional aconteça no mundo entre o momento em que eles se comprometeram com um projeto e o momento em que ele é lançado, as previsões feitas continuam a fazer parte do grupo de previsões que são ao menos minimamente confiáveis. Mas como fazê-las?

Mercados, multidões e modelos

Um medo que está se tornando mais popular a cada dia é usar o que vem sendo chamado de mercado preditivo — ou seja, um mercado no qual compradores e vendedores podem negociar valores mobiliários cujos preços correspondem à probabilidade de que um resultado específico ocorra. Por exemplo, um dia antes da eleição presidencial norte-

-americana de 2008, um investidor poderia ter pagado 92 centavos de dólar por um contrato na Iowa Electronic Markets — um dos mais antigos e mais conhecidos mercados preditivos —, que lhe teria rendido um dólar se Barack Obama tivesse vencido. Participantes do mercado preditivo, portanto, comportam-se muito como participantes de mercados financeiros, comprando e vendendo contratos por preços variáveis. Mas nesse caso, os preços são explicitamente interpretados como uma previsão sobre o resultado em questão — por exemplo, a probabilidade de uma vitória de Obama na véspera da eleição foi prevista pelo Iowa Electronic Markets como sendo de 92%.

Ao gerar previsões como essa, mercados preditivos exploram um fenômeno que o colunista da *New Yorker* James Surowiecki chamou de "sabedoria das multidões" — a noção de que, apesar de indivíduos, separadamente, terem uma tendência maior a fazer previsões errôneas, quando muitas dessas estimativas são vistas em conjunto, os erros costumam se anular; assim, o mercado é, em certo sentido, "mais inteligente" que as pessoas que o constituem. Muitos desses mercados também exigem que os participantes apostem dinheiro de verdade; assim, é mais provável que os participantes sejam pessoas que conheçam um tópico específico mais a fundo. O mais importante dessa característica dos mercados preditivos é que não importa *quem* tem a informação relevante — um único especialista ou um grande número de leigos, ou qualquer combinação entre os dois extremos. Em teoria, o mercado deveria incorporar todas as suas opiniões proporcionalmente ao valor que cada um está disposto a apostar. Aliás, em tese ninguém deveria ser capaz de se sair melhor que um mercado preditivo bem-planejado. A razão para isso é que se alguém *pudesse* se sair melhor que o mercado, esse alguém teria um incentivo para ganhar dinheiro com isso. Mas o próprio ato de ganhar dinheiro no mercado imediatamente transformaria os preços para incorporar a nova informação.[3]

O potencial dos mercados preditivos de circundar a sabedoria coletiva gerou uma grande onda de animação tanto entre economistas profissionais quanto entre políticos. Imagine, por exemplo, que um mercado tivesse sido planejado para prever a possibilidade de um fracasso catastrófico na exploração do petróleo no Golfo antes do desastre ocorrido em abril de 2010. Possivelmente pessoas ligadas à empresa British Petroleum, como engenheiros, poderiam ter participado do mercado, tornando público o conhecimento dos riscos que a empresa estava assumindo. Então, possivelmente os supervisores teriam tido um relatório mais preciso desses riscos e tenderiam a controlar a indústria petrolífica mais de perto, antes que um problema sério acontecesse. Talvez o desastre tivesse sido evitado. Esses são os tipos de afirmações dos defensores de mercados preditivos; e é fácil ver por que eles despertaram tanto interesse. Nos últimos anos, aliás, mercados preditivos foram planejados para fazer previsões que variam desde o provável sucesso de novos produtos e as rendas de bilheteria de novos filmes até os resultados de eventos esportivos.

Na prática, entretanto, mercados preditivos são mais complicados do que sugere a teoria. Na eleição presidencial de 2008, por exemplo, um dos mais populares mercados preditivos, o Intrade, sofreu uma série de estranhas flutuações quando um negociante desconhecido começou a fazer grandes apostas em John McCain, gerando grandes vantagens na previsão da vitória de McCain. Ninguém descobriu quem estava por trás dessas apostas, mas suspeitou-se de um partidário do candidato ou até mesmo de um auxiliar de campanha. Ao manipular os preços do mercado, essa pessoa estava tentando criar a impressão de que uma respeitada fonte de informações sobre a eleição indicava a vitória a McCain, presumivelmente na esperança de criar uma profecia que se cumpriria pelo próprio mérito. Não funcionou. As apostas foram rapidamente revertidas por outros negociantes, e o apostador misterioso acabou perdendo dinheiro; assim, o mercado funcionou exatamente como deveria. Contudo, isso expôs uma vulnerabilidade em potencial da teoria, segundo a qual negociantes racionais não vão deliberadamente perder dinheiro. O problema é que se o objetivo de um participante é manipular as percepções de pessoas *fora* do mercado (como a mídia), e se os valores envolvidos forem relativamente pequenos (dezenas de milhares de dólares, digamos, comparados às dezenas de milhões de dólares gastos em propaganda na TV), então eles podem não se importar em perder dinheiro; nesse caso, deixa de ser claro qual sinal o mercado está enviando.[4]

Problemas como esse levaram alguns céticos a afirmar que os mercados preditivos não são necessariamente superiores a métodos menos sofisticados, como as enquetes, que na prática são mais difíceis de manipular. Entretanto, pouca atenção foi dispensada à avaliação do desempenho relativo de métodos diferentes, então ninguém pode saber ao certo.[5] Para tentar resolver a questão, realizei com meus colegas da Yahoo! Research uma comparação sistemática entre diferentes métodos de previsão, no qual as previsões em questão eram os resultados dos jogos de futebol americano do campeonato nacional. Para começar, para cada um dos cerca de quatorze jogos que aconteciam todo fim de semana ao longo da temporada de 2008, nós montamos uma enquete em que pedimos aos participantes que declarassem a probabilidade de que o time da casa ganhasse o jogo, assim como sua confiança nessa previsão. Também coletamos informações similares no site Probability Sports, um concurso on-line no qual participantes podem ganhar prêmios em dinheiro se adivinharem os resultados dos jogos. Em seguida, comparamos os resultados dessas duas enquetes com o mercado de apostas de Las Vegas — um dos mais antigos e mais populares de todo o mundo — e fizemos o mesmo com outro mercado preditivo, o TradeSports. Finalmente, comparamos a previsão de ambos os mercados e das enquetes contra dois modelos estatísticos simples. O primeiro modelo se baseava apenas na probabilidade histórica de os times da casa vencerem — coisa que acontece em 58% dos jogos —, enquanto o segundo modelo também levava em conta os índices de vitória e derrota dos dois times em questão. Dessa maneira, montamos uma comparação em seis mãos entre diferentes métodos preditivos — dois modelos estatísticos, dois mercados e duas enquetes.[6]

Considerando as diferenças entre esses métodos, o que descobrimos foi surpreendente: todos eles tiveram mais ou menos o mesmo resultado. Para ser justo, os dois mercados preditivos saíram-se um pouco melhor que os outros métodos, o que é consistente com o argumento teórico anterior. Mas o método com melhor desempenho — o mercado de Las Vegas — foi apenas 3% mais preciso que o método com pior desempenho, que foi o modelo que sempre previa que o time da casa ganharia com 58% de probabilidade. Todos os demais métodos ficaram entre esses dois resultados. Na verdade, o modelo que também incluía os índices recentes de vitórias e derrotas ficou tão próximo do mercado de Las Vegas que se você usasse ambos para prever a diferença real de pontos entre as equipes, a margem de erro em suas previsões teria uma diferença de menos de 0,1%. Porém, se você estiver apostando nos resultados de centenas ou milhares de jogos, essas pequenas variações ainda podem ser a diferença entre ganhar e perder dinheiro. Entretanto, é surpreendente que a sabedoria agregada de milhares de participantes dos mercados, que coletivamente devotam inúmeras horas à análise de jogos futuros para levantar informações úteis, seja apenas um pouco melhor que o simples modelo estatístico baseado apenas em médias históricas.

Na primeira vez que contamos a alguns pesquisadores do mercado preditivo sobre esse resultado, eles argumentaram que isso devia refletir alguma característica especial do futebol americano. O campeonato norte-americano, afirmaram, tem muitas regras, como tetos salariais e acordos, que ajudam a manter as equipes em pé de igualdade. E o futebol americano, é claro, é um jogo em que o resultado pode ser decidido por pequenas atitudes aleatórias, como o *widereceiver* agarrando o passe desesperado do *quarterback* com a ponta dos dedos enquanto corre para a linha do gol e vence a partida nos segundos finais. Ou seja: jogos de futebol têm muita aleatoriedade intrínseca — e talvez seja isso o que os torna tão empolgantes. Talvez, portanto, não seja tão surpreendente que todas as informações e análises geradas por um pequeno exército de especialistas em futebol americano, que bombardeiam fãs com previsões semana após semana, não sejam muito úteis (apesar de isso poder ser marcante para os especialistas). Para serem convencidos, nossos colegas do mercado preditivo insistiram, nós deveríamos ter encontrado os mesmos resultados em outros domínios nos quais a relação sinal-ruído pudesse ser consideravelmente maior do que foi no caso específico do futebol americano.

Ok, que tal o beisebol? Os fãs do beisebol se orgulham de prestar atenção quase fanática a todo e qualquer detalhe mensurável do jogo, desde índices de rebatimento até rotações para arremesso. Toda uma área de pesquisa, chamada *sabermetrics* ["sabremétrica", em tradução livre], foi criada especialmente para analisar estatísticas de beisebol, contando até mesmo com jornal próprio, o *Baseball Research Journal*. Pode-se pensar, portanto, que os mercados preditivos, com sua capacidade muito superior de avaliar diferentes tipos de informação, se sairiam melhor que modelos estatísticos simplistas, e com uma vantagem muito maior do que no caso do futebol americano. Mas isso não aconteceu. Comparamos as previsões do mercado de apostas de Las Vegas com cerca de 20 mil jogos de beisebol da Liga Profissional disputados entre 1999 e 2006 com um modelo estatístico simples, novamente baseado na vantagem do time da casa e nos índices recentes de derrota e vitória dos dois times. Dessa vez, a diferença entre os dois foi ainda menor — na verdade, a diferença no desempenho do mercado e do modelo foi ínfima. Em outras palavras, apesar de todas as estatísticas e análises, e também da ausência de tetos salariais significativos no beisebol e da resultante concentração de superjogadores em times como o New York Yankees e o Boston RedSox, os resultados dos jogos estão ainda mais próximos de eventos aleatórios do que no caso do futebol americano.

A partir disso, encontramos ou descobrimos o mesmo tipo de resultado em outros tipos de eventos em que mercados preditivos costumavam trabalhar, desde a bilheteria no fim de semana de estreia de filmes ao resultado da eleição presidencial. Diferentemente dos esportes, esses eventos ocorrem sem nenhuma das regras ou condições projetadas para tornar os esportes competitivos. Há também muitas informações relevantes que mercados preditivos poderiam explorar para melhorar sua performance para muito além de um modelo simples ou uma enquete de indivíduos relativamente desinformados. Porém, quando comparamos o Hollywood Stock Exchange (HSX) — um dos mais populares mercados preditivos, que tem a reputação de concentrar as previsões mais precisas — com um modelo estatístico simples, o HSX se saiu apenas um pouco melhor.[7] E em um estudo secundário sobre os resultados de cinco eleições presidenciais americanas realizadas entre 1988 e 2004, os cientistas políticos Robert Erikson e Christopher Wlezien descobriram que uma simples correção estatística de enquetes de opinião comuns teve desempenho melhor até mesmo do que o elogiado Iowa Electronic Markets.[8]

Não confie em ninguém, especialmente em você mesmo

Então o que estamos querendo dizer aqui? Não temos certeza, mas nossa suspeita é de que a impressionante similaridade de métodos diferentes é um efeito colateral inesperado do jogo da previsão do capítulo anterior. Por um lado, no que diz respeito a sistemas complexos — se envolvem partidas esportivas, eleições ou audiência de filmes — há limites rígidos para a precisão de nossa capacidade de prever o que vai acontecer. Mas por outro parece que podemos nos aproximar bastante do limite do que *é* possível com métodos relativamente simples. Por analogia, se você tiver em mãos um dado adulterado, conseguirá descobrir quais lados vão aparecer mais em algumas poucas jogadas, e poderá apostar nesses resultados. Mas para além disso, métodos mais elaborados, como estudar o dado em um microscópio para encontrar todas as fissuras minúsculas e irregularidades em sua superfície, ou programar uma simulação complexa no computador, não ajudarão você nas suas apostas.

Da mesma maneira, descobrimos que em jogos de futebol americano uma única informação — que o time da casa ganha pouco mais da metade das vezes que o time visitante — é suficiente para melhorar o desempenho de alguém na previsão do resultado, ficando acima de adivinhações aleatórias. Além disso, um segundo *insight* simples — que o time com o maior número de vitórias tem uma pequena vantagem — é outro fator de melhora nas previsões. Mas fora isso, todas as informações adicionais que você possa considerar — o desempenho recente do *quarterback*, os jogadores lesionados, os problemas que o astro do time está tendo com a namorada — vão auxiliar muito pouco em suas previsões. Ou seja: previsões sobre sistemas complexos são sujeitas à lei dos rendimentos decrescentes: o primeiro dado ajuda bastante, mas rapidamente é esgotado qualquer potencial de melhora.

Claro, há circunstâncias nas quais podemos nos importar com melhorias minúsculas ao prever com precisão. Na publicidade de um grupo de investimentos veiculada na internet, por exemplo, podemos fazer milhões ou mesmo bilhões de previsões diariamente, e grandes quantias de dinheiro podem estar em questão. Sob essas circunstâncias, talvez seja válido o esforço e o custo de se investir em métodos sofisticados que podem tirar partido de sutilezas. Mas em qualquer outro negócio, desde a produção de filmes ou a publicação de livros até o desenvolvimento de novas tecnologias, áreas em que é preciso fazer apenas algumas previsões por ano e em que as previsões que se fazem geralmente são apenas um aspecto do processo de tomada de decisões, você pode provavelmente prever com a melhor precisão possível utilizando um método relativamente simples.

O método que você não vai querer usar ao tomar decisões é confiar na opinião de uma única pessoa — muito menos se essa pessoa for você. Isso porque, apesar de seres humanos serem geralmente bons em perceber quais fatores são potencialmente relevantes para um determinado problema, geralmente são ruins em estimar a importância de um fator em relação a outro. Ao prever a bilheteria da semana de estreia de um filme, por exemplo, você poderia pensar que variáveis como a produtora e o valor gasto, assim como o número de salas de cinema em que ele vai estrear e as críticas antecipadas da mídia especializada, são altamente relevantes — e você estaria correto. Mas qual é o equilíbrio desejável entre uma crítica um pouco mais favorável que a média e 10 milhões de dólares a mais na campanha publicitária? Não está claro. Nem está claro, ao se decidir como utilizar as verbas de publicidade, como as pessoas serão influenciadas pelas propagandas que veem em sites ou em uma revista *versus* o que elas ouvem de seus amigos a respeito dos produtos — mesmo sabendo que todos esses fatores provavelmente são relevantes.

Você pode pensar que os especialistas são bons em fazer justamente esses tipos de julgamento com precisão, mas como Tetlock mostrou em sua experiência, especialistas são tão ruins em fazer previsões quantitativas quanto leigos, talvez ainda piores.[9] O verdadeiro problema em confiar em especialistas, entretanto, não é que eles sejam piores que leigos, mas que, por serem especialistas, tendemos a consultar apenas um deles. Em vez disso, o que deveríamos fazer é concatenar a opinião de *muitos* indivíduos — sejam especialistas ou não — e tirar a média. A maneira precisa como isso é feito pode não importar muito. Com todos os seus alarmes e apitos chiques, mercados preditivos podem produzir previsões ligeiramente melhores do que um método simples como uma enquete, mas a diferença entre os dois é muito menos importante do que as vantagens em avaliarmos muitas opiniões *de alguma maneira*. Alternativamente, podemos estimar a importância relativa de várias previsões a partir diretamente de dados históricos, o que é mesmo tudo o que um modelo estatístico consegue fazer. E, mais uma vez, apesar de um modelo rebuscado poder funcionar um pouco melhor do que um modelo simples, a diferença é pequena em relação ao resultado obtido quando não usamos nenhum deles.[10] No fim das contas, tanto os modelos quanto as multidões cumprem o mesmo objetivo. Primeiro, ambos se baseiam em alguma versão do julgamento humano para identificar quais fatores são relevantes para a previsão. E, segundo, ambos estimam e avaliam a importância relativa de cada um desses fatores. Como o psicólogo Robyn Dawes certa vez notou, "o truque é saber para quais variáveis olhar, e então saber como apreender".[11]

Ao aplicar esse truque diversas vezes, podemos aprender com o tempo quais previsões podem ser feitas com uma margem pequena de erro e quais não podem. Todo o resto permanecendo constante — por exemplo, quanto mais para o futuro prevemos o resultado de um evento —, maior será o erro. É simplesmente mais difícil prever a bilheteria em potencial de um filme quando ele está apenas sendo projetado do que uma semana ou duas antes de sua estreia, não importa quais métodos sejam utilizados. Da mesma maneira, previsões sobre as vendas de um novo produto tendem a ser menos precisas do que previsões sobre a venda de produtos que já existem, não importa quando essas análises sejam feitas. Quanto a isso não há nada que possamos fazer, mas podemos começar a usar quaisquer outros dos diversos métodos — ou mesmo utilizá-los simultaneamente, como fizemos em nosso estudo sobre mercados preditivos — e registrar seu desempenho ao longo do tempo. Como mencionei no início do capítulo anterior, registrar nossas previsões não é algo que aconteça de maneira natural: nós fazemos muitas, mas raramente olhamos para trás a fim de conferir com que frequência acertamos. Mas registrar seu desempenho é, talvez, a atividade mais importante de todas — porque só assim você pode aprender a precisão do que é possível prever e, então, quanto confiar nas previsões que faz.[12]

Choque futuro

Por mais que você siga esse conselho com o maior cuidado, uma limitação séria em todos os métodos de previsão é que eles são confiáveis apenas enquanto o mesmo tipo de evento acontece no futuro da mesma maneira como aconteceu no passado e com a mesma frequência.[13] Em intervalos regulares, por exemplo, empresas de cartão de crédito fazem um trabalho muito bom em prever índices de inadimplência. Indivíduos podem ser complicados e imprevisíveis, mas tendem a ser complicados e imprevisíveis da mesma maneira essa semana como na semana passada; assim, de forma geral os modelos funcionam razoavelmente bem. Mas como diversos críticos dos modelos preditivos apontaram, muitos dos resultados que mais nos interessam — como a gênese de uma crise financeira, a emergência de uma nova tecnologia revolucionária, a derrubada de um regime opressivo ou uma queda precipitada dos índices de violência — são interessantes para nós precisamente porque *não* acontecem com regularidade. E nessas situações surgem problemas muito sérios ao confiarmos em dados históricos para prever resultados futuros — como descobriu uma parcela das empresas de cartões de crédito quando os índices de inadimplência aumentaram logo após a recente crise financeira.

Ainda mais importante, os modelos que muitos bancos estavam usando para cobrar por derivativos de hipoteca anteriores a 2008 — como os infames CDOs — agora parecem ter confiado demais em dados do passado recente, durante o qual os preços de imóveis apenas subiram. Como resultado, analistas de desempenho e negociantes coletivamente apostaram muito pouco na probabilidade de uma queda nacional nos preços de imóveis, e então subestimaram o risco de inadimplência em hipotecas e em taxas de execução hipotecárias.[14] A princípio, podemos pensar que isso teria sido uma aplicação perfeita dos mercados preditivos, que poderiam ter se saído melhor em prever a crise, em relação a todos os "especialistas" dos bancos. Mas, na verdade, seriam precisamente essas pessoas — junto com políticos, assessores governamentais e especialistas do mercado financeiro, que também falharam em prever a crise — que teriam participado do mercado preditivo, então é improvável que a sabedoria das multidões teria sido de ajuda. Pode-se discutir, aliás, que foi justamente a "sabedoria" da multidão que nos meteu nessa confusão. Então se modelos, mercados e multidões não podem ajudar a prever cisnes negros como a crise financeira, então o que devemos fazer com eles?

Um segundo problema relacionado aos métodos que se baseiam em dados históricos é que não se tomam decisões grandes e estratégicas com frequência suficiente para que seja útil uma abordagem estatística. Pode ser o caso, historicamente falando, de que a maior parte das guerras terminou em falência, ou que a maior parte da fusão de empresas não valeu a pena. Mas pode ser verdadeiro também que algumas intervenções militares têm justificativa e que algumas fusões tiveram sucesso, talvez seja impossível apontar essa diferença com antecedência. Se você pudesse fazer milhões, ou mesmo centenas, de apostas como essas, faria sentido confiar nas probabilidades históricas. Mas diante de decisões sobre conduzir ou não o país a uma guerra, ou fazer uma aquisição estratégica ou não, não se pode contar com mais de uma chance. Mesmo que você pudesse medir as probabilidades, a diferença entre uma probabilidade de sucesso de 60% e de 40% poderia não ser muito significativa.

Portanto, assim como prever cisnes negros, a tomada de decisões estratégicas é pouco apropriada para modelos estatísticos ou para a sabedoria das multidões. Contudo, esse tipo de decisão tem que ser feito o tempo todo, e são potencialmente as decisões que trazem mais consequências. Há alguma maneira de aumentar nosso sucesso aqui também? Infelizmente, não há uma resposta clara para essa pergunta. Tentaram-se diversas abordagens ao longo dos anos, mas nenhuma delas foi de fato bem-sucedida. Em parte porque as técnicas podem ser difíceis de ser implementadas corretamente, mas principalmente devido aos problemas apontados no capítulo anterior — que apenas já há um nível de incerteza acerca do futuro no qual estamos travados, incerteza essa que gera erros mesmo nos melhores planos.

O paradoxo da estratégia

Ironicamente, as organizações que incorporam o que poderiam parecer as *melhores* práticas em planejamento estratégico — as que, por exemplo, têm grande clareza de visão e agem de maneira decisiva — podem também ser as mais vulneráveis a erros de planejamento. O problema é aquilo que o consultor de estratégias e escritor Michael Raynor chama de paradoxo da estratégia. Em seu livro homônimo, Raynor ilustra esse paradoxo revisitando o caso dos videocassetes Betamax da Sony, que ficaram famosos ao serem derrotados pela tecnologia VHS, muito mais barata e de qualidade muito inferior, desenvolvida pela Matsushita. De acordo com a sabedoria popular, a derrota da Sony foi dupla: primeiro, ela se concentrou na qualidade da imagem e não no tempo de gravação, o que deu ao VHS a vantagem de ser capaz de registrar filmes inteiros. Segundo, o Betamax foi projetado como um formato único, enquanto o VHS era "aberto", permitindo que diversos fabricantes competissem para fabricar aparelhos de reprodução das imagens, e em consequência abaixando os preços. Quando o mercado de locação de vídeos explodiu, o VHS inevitavelmente saiu na frente, embora por uma diferença pequena em relação ao seu concorrente, mas essa diferença logo cresceu, graças a um processo de vantagem cumulativa. Quanto mais pessoas compravam aparelhos VHS, mais lojas compravam fitas VHS, e vice-versa. Depois de certo tempo, o resultado foi uma saturação quase total do mercado pelo formato VHS e uma derrota humilhante da Sony.[15]

O que a sabedoria convencional ignora, entretanto, é que a Sony não via o VCR como um aparelho a ser usado para assistir a filmes. A Sony esperava que as pessoas usassem VCRs para gravar programas de TV, permitindo-lhes assistir a seus programas favoritos quando quisessem. Considerando a popularidade crescente de VCRs digitais servindo exatamente a esse propósito, a visão que a Sony tinha do futuro não era tão descabida. E se tivesse dado certo, a qualidade superior de imagem da Betamax poderia ter compensado o preço mais elevado dos aparelhos, enquanto o menor tempo de gravação pareceria irrelevante.[16] Tampouco a Matsushita se antecipou mais do que a Sony sobre a rapidez do mercado de aluguel de vídeos — na verdade, um experimento anterior com o aluguel de fitas, realizado pela CTI, empresa de Palo Alto, fracassara completamente. Ainda assim, quando ficou claro que assistir a filmes em casa, não gravar programas de TV, seria o uso mais comum do VCR, já era tarde demais. A Sony fez o que pôde para corrigir a estratégia, e de fato produziu muito rapidamente um aparelho com maior tempo de gravação, eliminando a vantagem inicial da Matsushita. Mas foi em vão. Uma vez o VHS tendo alcançado larga liderança de mercado, o efeito em rede resultante foi impossível de ser detido. O fracasso da Sony, em outras palavras, não foi realmente o erro de estratégia que dizem ter sido, mas foi, na verdade, resultado de uma mudança na demanda de consumo que aconteceu com muito mais rapidez do que *qualquer um* na indústria havia previsto.

Pouco depois de a Betamax ser derrotada, a Sony fez mais uma grande aposta estratégica em tecnologias de gravação — dessa vez, com seus tocadores de MiniDiscs. Determinada a não cometer o mesmo erro duas vezes, a empresa tomou cuidado especial em observar onde a Betamax tinha dado fracassado e fez o que pôde para colocar as lições em prática. Ao contrário do que fizeram com a Betamax, a Sony certificou-se de que os MiniDiscs tinham capacidade de gravar álbuns inteiros. E, consciente da importância da distribuição de conteúdo após a guerra dos VCRs, adquiriu seu próprio repositório de conteúdo, a Sony Music. Quando lançados, no início dos anos 1990, os MiniDiscs contavam com vantagens técnicas claras sobre o então dominante formato do CD. Em especial, os MiniDiscs podiam, além de reproduzir, também gravar, e sendo menores e mais resistentes a impactos, eram mais adaptados a aparelhos portáteis. Já os CDs graváveis exigiam máquinas completamente novas, o que na época era bastante caro.

Com todas essas medidas preventivas, os MiniDiscs deveriam ter sido um sucesso estrondoso. E, ainda assim, não foi esse o caso. O que aconteceu? Em resumo, aconteceu a internet. O custo da memória caiu drasticamente, permitindo que fossem estocadas bibliotecas inteiras de músicas em seus computadores pessoais. Conexões de banda larga permitiram que as pessoas compartilhassem suas músicas em programas P2P. *Pen drives* permitiram o download fácil de mídia e seu armazenamento em aparelhos portáteis. E novos sites de busca e download de músicas se multiplicaram. O crescimento explosivo da internet não foi estimulado pela indústria fonográfica, nem a Sony foi a única empresa que fracassou em prever as consequências que a internet teria sobre a produção, a distribuição e o consumo de música. Ninguém poderia imaginar. A Sony, em outras palavras, realmente estava fazendo o melhor para aprender com o passado e prever o futuro — mas foi, ainda assim, derrotada por forças que iam além da habilidade de qualquer um de prever ou controlar.

Surpreendentemente, a empresa que "acertou" na indústria da música foi a Apple, com sua combinação do aparelho iPod e da loja iTunes. Em retrospecto, a estratégia da Apple parece visionária, e tanto analistas como consumidores se desdobram em elogios à dedicação da Apple ao design e à qualidade. Porém, o iPod foi exatamente o tipo de jogada estratégica que as lições da Betamax, sem mencionar a experiência da própria Apple no mercado dos PCs, deveria ensinar que não daria certo. O iPod era grande e caro. Era baseado na arquitetura fechada que a Apple se recusa a licenciar, funciona com um software específico, e encontrou resistência por parte da maioria dos provedores de conteúdo. Ainda assim foi um sucesso gigantesco. Então em que sentido a estratégia da Apple foi melhor que a da Sony? Sim, a Apple criou um excelente produto, mas a Sony também. Sim, a Apple pensou no futuro e deu o melhor de si para descobrir para qual direção os ventos da tecnologia estavam soprando, mas a Sony também. E, sim, uma vez que fez suas escolhas, a Apple se agarrou a elas e as executou com brilhantismo, mas é exatamente o mesmo que a Sony fez. A única diferença importante, na visão de Raynor, é que as escolhas da Sony acabaram se mostrando as erradas, enquanto as da Apple acabaram sendo as certas.[17]

Esse é o paradoxo da estratégia. A principal causa do fracasso estratégico, Raynor argumenta, não é a estratégia ruim, mas uma ótima estratégia que simplesmente se revela errada. A estratégia ruim se caracteriza pela falta de visão, liderança confusa e execução inepta — certamente não é o caminho para o sucesso, mas tende a levar mais para a mediocridade persistente do que para o fracasso colossal. Já a ótima estratégia é marcada pela clareza de visão, a liderança ousada e a execução precisa. Quando aplicada ao conjunto certo de comprometimentos, a ótima estratégia pode levar ao sucesso estrondoso — como aconteceu com a Apple e seu iPod —, mas também ao fracasso retumbante. Se a ótima estratégia vai ser um sucesso ou um fracasso, depende inteiramente de a visão inicial estar certa ou errada. E isso não é apenas difícil de antever, é impossível.

Flexibilidade estratégica

A solução para o paradoxo da estratégia, afirma Raynor, é reconhecer abertamente que há limites para o que pode ser previsto, e desenvolver métodos de planejamento que respeitem esses limites. Em particular, ele recomenda que planejadores busquem maneiras de integrar o que ele chama de incerteza estratégica — a incerteza sobre o futuro do negócio em que você está envolvido — ao próprio processo de planejamento. A solução de Raynor, na verdade, é uma variante de uma técnica de planejamento muito mais antiga chamada *scenario planning*, planejamento de cenário, desenvolvida por Herman Kahn, da RAND Corporation, nos anos 1950, como uma ajuda para estrategistas militares durante a Guerra Fria. A ideia básica do planejamento de cenário é criar o que o consultor de estratégia Charles Perrottet chama de "narrativas da 'história futura' detalhadas, especulativas e bem-pensadas". Entretanto, planejadores de cenários tentam mapear uma vasta variedade desses futuros hipotéticos com o objetivo principal não tanto de decidir quais dos cenários é mais provável, mas de desafiar pressupostos possivelmente não declarados que sustentam estratégias existentes.[18]

No início dos anos 1970, por exemplo, o economista e estrategista Pierre Wack liderava uma equipe na Royal Dutch/Shell que usava planejamento de cenário para testar os pressupostos dos diretores sobre o sucesso futuro dos esforços para exploração do petróleo, a estabilidade política do Oriente Médio e a emergência de tecnologias energéticas alternativas. Apesar de a maior parte dos cenários ter sido construída nos relativamente plácidos anos da produção de energia anterior à crise do petróleo nos anos 1970 e à subsequente ascensão da Opep — eventos que definitivamente se encaixam na categoria de cisnes negros —, Wack mais tarde afirmou que as principais tendências foram, de fato, capturadas em um de seus cenários, e que a empresa, como resultado, estava mais bem-preparada tanto para explorar oportunidades emergentes quanto para se prevenir de fracassos em potencial.[19]

Uma vez que esses cenários foram desenhados, Raynor afirma que os planejadores deveriam formular não uma estratégia, mas um portfólio inteiro de estratégias, cada uma das quais otimizada para um cenário específico. Além disso, todas deveriam diferenciar elementos *centrais* — comuns — de elementos *contingentes* — específicos. Gerenciar incertezas torna-se, então, uma questão de criação de "flexibilidade estratégica" ao construírem-se planos ao redor dos elementos centrais e restringirem-se os elementos contingentes por meio de investimentos em diversas opções. No caso da Betamax, por exemplo, a Sony esperava que o uso dominante dos VCRs fosse para gravar programas de TV a fim de assisti-los em diferentes ocasiões, mas isso de fato *teve* algumas evidências da experiência da CTI, que mostrava que o uso dominante acabaria sendo para assistir a filmes alugados. Diante dessas possibilidades, a Sony adotou um planejamento tradicional, decidindo, em primeiro lugar, quais desses resultados seriam mais prováveis e então otimizando sua estratégia em torno desse resultado. A otimização segundo a flexibilidade estratégica, no entanto, teria levado a Sony a identificar elementos que poderiam ter funcionado independentemente do que se tivesse confirmado na realidade, e em seguida limaria a incerteza residual, talvez encarregando diferentes divisões de operações para desenvolver modelos de mais e menos qualidade para serem vendidos com preços diferentes.

A abordagem de Raynor para o gerenciamento da incerteza por meio da flexibilidade estratégica certamente é intrigante. Entretanto, é também um processo que consome bastante tempo — construir cenários, decidir o que é central e o que é contingente, identificar barreiras estratégicas, e daí em diante — e necessariamente desvia a atenção da questão da mesma forma importante de gerenciar uma empresa. De acordo com Raynor, o problema com a maioria das empresas é que seus dirigentes, ou seja, o quadro de diretores e executivos, passam tempo demais gerenciando e otimizando as estratégias que já existem — o que ele chama de gerenciamento operacional — e tempo de menos pensando sobre incertezas estratégicas. Em vez disso, ele afirma que seria preciso dedicar *todo* o seu tempo ao gerenciamento da incerteza estratégica, deixando o planejamento operacional para os chefes de cada departamento. Em suas palavras, "o corpo de diretores e executivos de uma organização não deveria se preocupar primeiramente com a performance a curto prazo da organização, mas ocupar-se com a criação de opções estratégicas para os departamentos operacionais".[20]

A justificativa de Raynor para essa proposta radical é que a única maneira de lidar de forma adequada com a incerteza estratégica é gerenciá-la continuamente — "Uma vez que uma organização passou pelo processo de construção de cenários, desenvolvendo estratégias otimizadoras e identificando e adquirindo o portfólio desejado de opções estratégicas, é hora de fazer tudo de novo". E se de fato o planejamento estratégico requer esse *loop* contínuo, até faz sentido que as pessoas mais indicadas para fazer isso sejam os diretores. Contudo, é difícil imaginar como diretores podem de uma hora para outra parar de fazer o tipo de coisa que os alçou a diretores e começar a agir como universitários empolgados. Também não parece provável que os investidores, ou mesmo os funcionários, tolerariam um executivo que não acha que é seu trabalho pôr estratégias em prática ou preocupar-se com o desempenho a curto prazo.[21] Isso não quer dizer que Raynor não está certo — ele pode estar —, apenas que suas propostas não foram exatamente bem-recebidas pelo pensamento corporativo norte-americano.

Da previsão à reação

Uma preocupação mais fundamental é que mesmo que os diretores de fato abraçassem o gerenciamento estratégico de Raynor como tarefa principal ainda assim isso poderia não funcionar. Considerem o exemplo de uma empresa de exploração de petróleo em Houston, que começou a se dedicar ao exercício de planejamento de cenários por volta de 1980. Como mostrado na figura da página 171, os planejadores identificaram três diferentes cenários que consideravam representativos de toda a variedade de futuros possíveis, e planejaram os futuros previstos correspondentes — exatamente o que eles deveriam fazer. Infelizmente, nenhum dos cenários considerava a possibilidade de que o súbito crescimento da exploração de petróleo que começou nos anos 1980 fosse uma aberração histórica. De fato, foi exatamente isso que aconteceu, e como resultado o que de fato se desenrolou não tinha sido previsto por nenhuma das possibilidades imaginadas. O planejamento de cenário, portanto, deixou a empresa tão despreparada para o futuro quanto estaria se eles não tivessem se preocupado em utilizar o método. Na verdade, pode-se até mesmo dizer que o exercício os deixou em uma posição ainda pior. Apesar de ter alcançado o objetivo de desafiar seus pressupostos iniciais, eles acabaram tornando-se mais seguros do que todos os possíveis cenários considerados, o que, é claro, não era verdade, deixando-os, portanto, ainda mais vulneráveis a surpresas do que antes.[22]

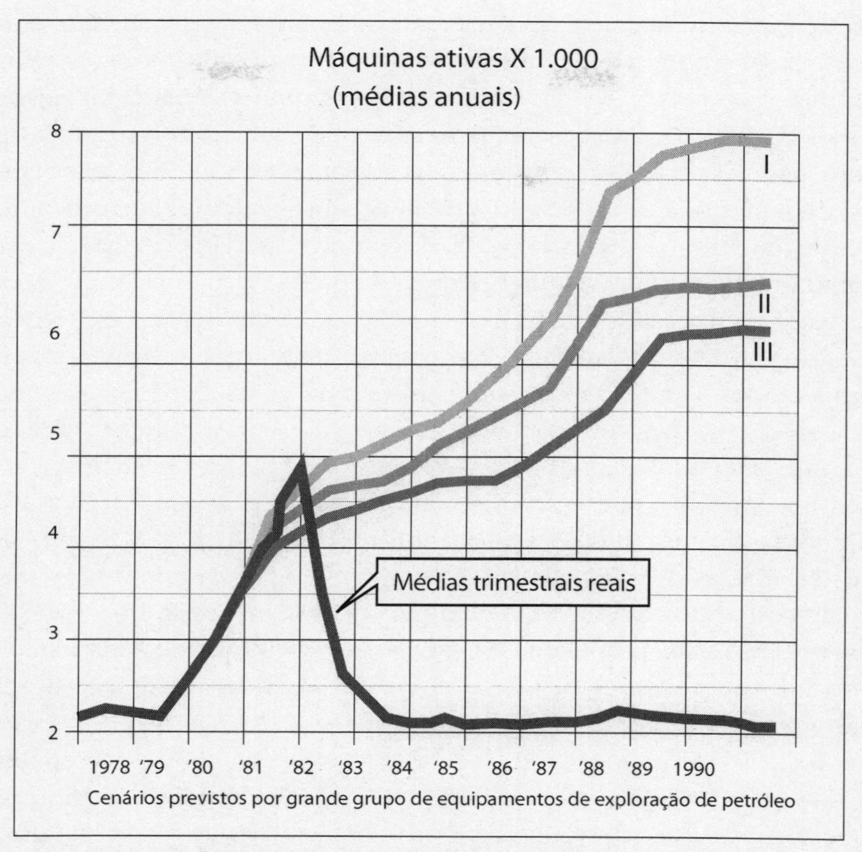

Planejamento de cenário que deu errado (reprodução de Schoemaker, 1991)

É possível que esse péssimo resultado tenha sido meramente uma consequência da má execução do planejamento de cenário, não uma limitação fundamental do método.[23] Mas como uma empresa se aventurando na análise de cenários pode saber que não está cometendo o mesmo erro dessa refinadora de petróleo? Talvez a Sony pudesse ter levado o mercado de locação de vídeos mais a sério, mas o que a derrubou foi realmente a velocidade com que isso explodiu. É difícil imaginar como se poderia ter previsto isso. Ainda pior: ao desenvolver o MiniDisc, é difícil imaginar como a Sony poderia ter previsto a complicada combinação de mudanças tecnológicas, econômicas e culturais que apareceram rapidamente com o crescimento explosivo da internet. Como Raynor explica:

"Não apenas tudo o que poderia dar errado para a Sony de fato deu, como também tudo que deu errado *tinha* de dar errado para conseguir afundar o que era na verdade uma estratégia brilhantemente planejada e executada."[24] Então, apesar de uma maior flexibilidade na estratégia da Sony pudesse ter ajudado, é pouco claro quanta flexibilidade era preciso para adaptar-se a um mercado que mudou tão rapidamente, ou como a Sony poderia ter construído a barragem necessária sem destruir sua habilidade de executar alguma estratégia.

Para terminar, o problema principal da flexibilidade estratégica como uma abordagem de planejamento é precisamente o problema que ela se propõe a resolver — a saber, que, em retrospectiva, as tendências que acabaram por modelar uma indústria específica sempre parecem óbvias. E como resultado, quando revisitamos a história parece fácil demais nos convencermos de que se tivéssemos ficado diante de uma decisão estratégica "naquela época", poderíamos ter afunilado a lista de futuros possíveis para uma pequena lista de competidores — incluindo, é claro, o futuro que se tornou realidade. Mas quando imaginamos nosso futuro, vemos uma miríade de tendências possíveis, qualquer uma delas podendo fazer uma grande diferença, e a maioria das quais se provará passageira ou irrelevante. Como podemos saber qual é qual? E sem saber o que é relevante, quais possibilidades devem ser consideradas? Técnicas como o planejamento de cenário podem ajudar administradores a pensar nessas questões de maneira sistemática. Da mesma forma, uma ênfase na flexibilidade estratégica pode ajudá-los a gerenciar a incerteza que os cenários expõem. Porém, por mais que você os analise, o planejamento estratégico envolve previsões, que por sua vez envolvem o problema fundamental da "profecia" que discuti no capítulo anterior: simplesmente não podemos saber com o que devemos nos preocupar até que se revele sua importância. Uma abordagem alternativa, portanto — o assunto do próximo capítulo —, é repensar toda a filosofia do planejamento de forma geral, concentrando-se menos em prever o futuro, ou mesmo múltiplos futuros, e mais na reação ao presente.

8

A MEDIDA DE TODAS AS COISAS

DE TODOS OS PROGNÓSTICOS, PREVISÕES E adivinhações, poucos são mais confiantes no próprio sucesso e ao mesmo tempo mais irresponsáveis do que aqueles que determinam futuras tendências de moda. Todo ano, as várias indústrias no mercado de design, produção, vendas e críticas especializadas sobre sapatos, roupas e acessórios são tomadas por previsões sobre o que poderia ser, o que deveria ser, o que talvez seja e certamente será a próxima tendência. A precisão dessas previsões quase nunca é verificada, muitas tendências chegam sem ter sido previstas, e as explicações só são possíveis em retrospectiva — mas isso tudo parece ter pouco efeito sobre o ar fresco de autoconfiança que os árbitros da moda respiram. Por isso é encorajador que pelo menos uma empresa de moda bem-sucedida não dê atenção a nada disso.

Essa empresa é a Zara, a loja de roupas espanhola que está ganhando manchetes há mais de uma década com sua abordagem inovadora que visa à satisfação da demanda dos consumidores. Em vez de tentar antecipar o que os consumidores vão comprar na próxima estação, a Zara reconhece que, efetivamente, não faz ideia. Em vez disso, ela adota o que chamamos de estratégia de *measure-and-react strategy*, avaliação e reação. Primeiro, ela manda agentes para fazer um levantamento em shopping centers, centros comerciais e outros locais badalados para saber o que as pessoas já estão vestindo, o que então gera muitas ideias sobre o que pode funcionar. Em seguida, bebendo desta ou daquela fonte de inspiração, a Zara produz um portfólio extraordinariamente variado de estilos, tecidos e cores — em que cada combinação é feita, no início, em pequenas quantidades — e as envia para suas lojas, onde se poderá medir diretamente o que está ou não vendendo. E, enfim, a Zara conta com uma operação flexível de fabricação e distribuição que pode reagir com rapidez às informações vindas das lojas, abandonando a fabricação das peças que não estão vendendo (com relativamente pouco desperdício de inventário) e aumentando a produção das que vendem bem. Tudo isso depende da habilidade da Zara de desenhar, produzir, distribuir e vender uma nova peça de roupa em qualquer lugar do mundo num prazo de apenas duas semanas — um feito impressionante para qualquer um que tenha esperado no limbo por uma peça de um estilista famoso na ativa.[1]

Dez anos antes de a Zara se tornar um estudo de caso em faculdades de administração, o teórico de gerenciamento Henry Mintzberg antecipava essa estratégia de avaliação e reação em um conceito que chamou de *emergent strategy*, "estratégia emergente". Refletindo sobre o problema levantado no capítulo anterior — que o planejamento estratégico tradicional exige previsões sobre o futuro, tornando-o vulnerável a erros inevitáveis —, Mintzberg recomendava que os planejadores confiassem menos em previsões sobre tendências estratégicas a longo prazo e mais na reação rápida às mudanças na área. Isto é, em vez de tentar prever o que vai acontecer no futuro, eles deveriam melhorar sua habilidade em descobrir o que está funcionando no momento presente. Em seguida, deveriam, como faz a Zara, reagir a essa descoberta o mais rapidamente possível, abandonando alternativas que não estivessem funcionando — por mais promissoras que tenham parecido — e dirigindo os recursos para as alternativas que estivessem funcionando, ou mesmo desenvolvendo novas alternativas ao longo do caminho.[2]

Ensaios, mullets e multidões

Em nenhum outro lugar as virtudes da estratégia de avaliação e reação são mais aparentes do que no mundo virtual, onde a combinação de desenvolvimento de baixo custo, grande número de usuários e ciclos rápidos de *feedback* permitem que muitas variantes de praticamente tudo possam ser testadas e selecionadas baseadas em seu desempenho. Antes de a Yahoo! inaugurar sua nova *home page* em 2009, por exemplo, a empresa passou meses "ensaiando" (*bucket testing*) todos os elementos do design. Cerca de 100 milhões de pessoas têm o site da Yahoo! como página inicial, o que leva a um número gigantesco de acessos a outras propriedades da empresa; assim, qualquer mudança deve ser feita com cautela. Ao longo do processo de redesign, portanto, toda vez que a equipe da *home page* tinha uma ideia para um novo elemento, uma pequena porcentagem de usuários — o grupo de controle — era escolhida aleatoriamente para ver uma versão da página com o novo elemento. Então, por meio de uma combinação de *feedback* dos usuários e observações métricas, como o tempo que os usuários do grupo de controle permaneceram na página, ou no que clicaram, os resultados podiam ser comparados aos de usuários comuns e a equipe da *home page* podia avaliar se o elemento criava um efeito positivo ou negativo. Dessa forma a empresa pôde descobrir o que funcionaria e o que não funcionaria em tempo real e com audiência real.[3]

Ensaios como esse são agora rotineiros. Grandes empresas da internet, como Google, Yahoo! e Microsoft, os utilizam para otimizar a inserção de publicidade, a seleção de conteúdo, os resultados de buscas, as recomendações, os valores cobrados e até mesmo o layout da página.[4] Um número crescente de empresas iniciantes começou também a oferecer aos anunciantes serviços automáticos que descartam uma porção significativa de anúncios em potencial para dar preferência àqueles que têm melhor desempenho, segundo a média de cliques que tiveram.[5] Mas a filosofia da avaliação e reação do planejamento não está restrita a descobrir como os consumidores vão reagir a opções apresentadas — pode incluir também o consumidor como produtor de conteúdo. No mundo da imprensa, essa visão é exemplificada por aquilo que o cofundador do *Huffington Post*, Jonah Peretti, chama de Estratégia do Mullet, batizado em homenagem ao penteado definido como "homem de negócios na frente, espírito de festa atrás".

A Estratégia do Mullet parte da visão tradicional de que o conteúdo gerado por usuários é uma mina de ouro em potencial para a imprensa, em parte porque o número de usuários pode se ampliar enormemente e aumentar o conteúdo de, digamos, uma reportagem. Mas não só isso: também permite que os usuários participem de discussões sobre a notícia, mudando a natureza da experiência — do mero consumo à participação — e dessa forma aumentando seu engajamento e sua lealdade. Porém, assim como em minas de ouro de verdade, boa parte do conteúdo gerado por usuários está mais próximo de pedras do que de ouro. Como qualquer um que acompanha blogs populares ou sites de notícias pode confirmar, muitos comentários dos usuários não procedem ou são apenas estúpidos, e alguns deles são pura e simplesmente maldosos. Seja como for, eles não constituem o tipo de conteúdo que publicitários querem promover ou a que anunciantes querem ligar suas marcas. A moderação dos comentários é a solução óbvia para esse problema, mas isso tende a alienar usuários, que se ressentem por serem supervisionados e querem ver seus comentários sendo publicados sem filtros. Edições supervisionadas também não funcionam bem, como o *Huffington Post* logo descobriu: com apenas alguns editores, é simplesmente impossível ter todas as talvez centenas de postagens diárias de blogs. A solução é a Estratégia do Mullet: nas páginas finais dos cadernos, nas quais poucas pessoas vão se interessar pelas histórias, deixe espaço para muitas ideias de muitas pessoas; e então, após uma seleção, promova parte do material do fim à primeira página, com todo o seu valioso espaço para publicidade, e mantenha essa página sob rígido controle editorial.[6]

A Estratégia do Mullet é um exemplo de *crowdsourcing*, termo cunhado em 2006 em um artigo da *Wired* escrito por Jeff Howe para descrever a terceirização de trabalhos pequenos para um número potencialmente gigantesco de indivíduos. De fato, o jornalismo on-line está cada vez mais inclinado para um modelo de *crowdsourcing* — não apenas para gerar uma atividade comunitária em torno de uma notícia, mas também para os próprios leitores criarem histórias, ou até mesmo decidirem que tópicos serão cobertos. O *Huffington Post*, por exemplo, depende de centenas de blogueiros não remunerados que contribuem com conteúdo, seja por paixão pelo assunto sobre o qual escrevem, seja para se beneficiar da visibilidade de serem publicados em um site de notícias bastante popular. Enquanto isso, outros sites, como o Examiner.com, contam com um exército de colaboradores que escrevem sobre temas específicos de seu interesse e os pagam proporcionalmente ao número de visualizações. E, finalmente, sites como o blog de notícias da Yahoo!, "The Upshot", e o Associated Content não apenas se utilizam dos textos de colaboradores, como também mantêm registros de resultados de buscas e outros indicadores de relevância para decidir sobre quais assuntos escrever.[7]

A ideia de medir o interesse da audiência e reagir a isso quase em tempo real também começou a ganhar destaque para além do mundo sujeito a restrições de orçamento, que é o das notícias. Por exemplo, o canal de TV por assinatura Bravo regularmente produz *reality shows* que são *spin-offs* de seus programas já existentes, seguindo o burburinho gerado na internet em torno de diferentes personagens. Os programas podem ser lançados sem demora e têm custo relativamente baixo; e se não alcançam bons índices de audiência, a emissora pode rapidamente tirá-los do ar. Seguindo um princípio similar, a Cheezburger Network — um conjunto de cerca de cinquenta sites que contam com contribuições de fotos e vídeos engraçados enviados por usuários, geralmente acompanhados de legendas divertidas — é capaz de lançar um novo site uma semana após notar uma nova tendência, e descarta sites menores praticamente na mesma velocidade. E o BuzzFeed — uma plataforma para lançamento de "mídia contagiosa" — registra centenas de hits potenciais, promovendo apenas aqueles que já estão recebendo respostas entusiasmadas dos usuários.[8]

Embora muito criativos, esses exemplos de *crowdsourcing* funcionam melhor para sites de notícias e entretenimento que já atraem milhões de visitantes, pois automaticamente geram informações em tempo real sobre a preferência das pessoas. Então se você não é a Bravo, o Cheezburger ou o BuzzFeed — se você é apenas uma empresa sem graça de cartões de aniversário ou qualquer coisa assim —, como pode tirar vantagens do poder das multidões? Felizmente, serviços de *crowdsourcing* como o Mechanical Turk da Amazon (que Winter Mason e eu usamos para conduzir nossas experiências sobre pagamento e desempenho que apresentei no capítulo 2) podem ser usados também para realizar pesquisas de mercado rápidas e baratas. Não sabe que título dar a seu próximo livro? Em vez de trocar exaustivas ideias com seu editor, você pode criar uma enquete rápida no Mechanical Turk e obter milhares de opiniões dentro de algumas horas por cerca de dez dólares — ou, ainda melhor, pedir aos *turkers* que criem sugestões de títulos além de apenas votar. Procurando *feedback* quanto ao design de um novo produto ou uma campanha publicitária? Jogue as imagens no Mechanical Turk e os usuários votarão. Quer uma avaliação individual dos seu mecanismo de busca? Retire os nomes e jogue seus resultados e de seus concorrentes no Mechanical Turk e deixe que os usuários reais da internet decidam. Em dúvida se a imprensa está sabotando seu candidato? Separe algumas centenas de notícias na internet e coloque os *turkers* para lê-las e avaliá-las como positivas ou negativas — tudo em apenas um fim de semana.[9]

É claro que o Mechanical Turk, junto com outras potenciais soluções de *crowdsourcing*, tem suas limitações — mais obviamente a representatividade e confiabilidade dos *turkers*. Muitas pessoas podem achar estranho que alguém desempenhe tarefas banais em troca de alguns centavos, portanto podem suspeitar que os *turkers* não representam a população em geral ou que eles não levam o trabalho a sério. Sem dúvida essas são preocupações válidas, mas à medida que a comunidade do site amadurece e pesquisadores descobrem mais sobre ela, os problemas parecem cada vez mais contornáveis. Por exemplo, os *turkers* são muito mais diversos e representativos do que os pesquisadores acreditavam de início, e diversos estudos recentes mostraram que eles demonstram confiabilidade comparável à de profissionais "especialistas". Finalmente, mesmo quando a confiabilidade do site é pequena — o que às vezes acontece —, ela pode ser melhorada por meio de técnicas simples, como solicitar avaliações independentes de diferentes *turkers* para cada um dos conteúdos e confiar na maioria ou na média de resultados.[10]

Prevendo o presente

Em um nível superior, a internet como um todo pode também ser vista como uma forma de *crowdsourcing*. Centenas de milhões de pessoas estão cada vez mais se voltando para mecanismos de busca a fim de obter informações e fazer pesquisas, gastando mais tempo do que nunca com notícias, entretenimento, compras on-line e sites de viagens, e cada vez mais dividindo conteúdo e informações com amigos em redes sociais como o Facebook e o Twitter. Assim, em princípio podemos agregar todas essas atividades para formar uma imagem em tempo real do mundo pelo filtro de interesses, preocupações e intenções da população global de usuários da internet. Contando o número de buscas feitas sobre termos relacionados à gripe, como "resfriado" e "vacinas contra a gripe", por exemplo, pesquisadores do Google e da Yahoo! conseguiram estimar um número de casos impressionantemente próximo ao registrado pelo Centro de Controle e Prevenção de Doenças.[11] O Facebook, enquanto isso, publica o índice de "felicidade bruta nacional" baseado nas atualizações dos status dos usuários,[12] enquanto a Yahoo! compila uma lista anual de itens mais buscados, que serve como uma espécie de guia para o *zeitgeist* cultural.[13] Sem dúvida, no futuro próximo será possível combinar busca e atualização de dados, junto com tuítes no Twitter, check-ins no Foursquare e muitas outras fontes para desenvolver índices mais específicos associados com o mercado imobiliário, a venda de automóveis ou taxas de desocupação de hotéis — não apenas nacionalmente, mas em nível local.[14]

Tendo sido propriamente desenvolvidos e calibrados, índices baseados na web, como esses, podem capacitar empresários e governantes a medir e reagir às preferências e aos humores das respectivas audiências — o que o principal economista do Google, Hal Varian, chama de "prever o presente". Em alguns casos, na verdade, pode até ser possível usar as multidões para fazer previsões sobre o futuro próximo. Consumidores pensando em comprar uma nova máquina fotográfica, por exemplo, podem usar a busca para fazer comparações entre modelos. Cinéfilos podem pesquisar a data de estreia de um filme ou localizar salas de cinemas. E quem estiver planejando férias pode pesquisar lugares de seu interesse e buscar preços de passagens aéreas ou de diárias em hotéis. Assim, segue-se que ao agregarmos dados de buscas relacionados ao comércio, ao entretenimento ou ao turismo, podemos fazer previsões a médio prazo sobre o comportamento dos interesses econômicos, culturais ou políticos.

Determinar que tipo de comportamento pode ser previsto usando buscas, assim como a precisão dessas previsões e a escala de tempo em que podem ser feitas mantendo-se úteis são questões que os pesquisadores estão começando a investigar. Por exemplo, eu e meus colegas na Yahoo! recentemente pesquisamos a utilidade do volume de buscas para prever a renda da bilheteria de um filme no fim de semana de sua estreia, as vendas do primeiro mês após o lançamento de um novo videogame e o ranking da Billboard das cem músicas mais populares. Todas essas previsões foram feitas no máximo com poucas semanas de antecedência ao próprio evento, então não estamos falando aqui de previsões a longo prazo — como foi dito no capítulo anterior, essas são muito mais difíceis de ser feitas. Contudo, ter uma ideia, mesmo que apenas ligeiramente melhor, e ainda que só uma semana antes, do interesse da audiência pode ajudar um estúdio de cinema ou um distribuidor de filmes a decidir quantas salas de exibição devem ser dedicadas a quais filmes em diferentes regiões.[15]

O que descobrimos foi que a melhora que podemos obter com mecanismos de buscas em relação a outros tipos de informações públicas — como orçamentos de produção ou planos de distribuição — é pequena, porém significativa. Como discuti no capítulo anterior, modelos simples baseados em dados históricos são surpreendentemente difíceis de serem superados, e a mesma regra se aplica a dados referentes a buscas. Mas há ainda diversas maneiras de buscas e outros dados da internet que podem nos ajudar nesse sentido. Algumas vezes, por exemplo, você não terá acesso a fontes confiáveis de informações históricas — digamos que você esteja lançando um jogo que não é como os outros jogos que lançou no passado, ou que você não tem acesso ao número de vendas da concorrência. E às vezes, como também já disse, o futuro não é como o passado — como quando indicadores econômicos geralmente regulares subitamente tornam-se voláteis ou o preço de imóveis, que só fazia aumentar, de repente sofre uma queda brusca —, e nessas circunstâncias podemos esperar que os métodos de previsão baseados em dados históricos não serão tão eficazes. Toda vez que dados históricos não estão disponíveis, ou simplesmente não são informativos, ter acesso à consciência coletiva em tempo real — como revelado por meio daquilo que as pessoas digitam em mecanismos de buscas — pode criar uma vantagem valiosa.

Em geral, o poder da internet de facilitar estratégias de avaliação e reação deve ser uma novidade animadora para os negócios, a ciência e os governos. Porém, é importante lembrar que o princípio da avaliação e reação não está restrito a tecnologias da internet — como o caso da Zara exemplifica. A questão é que nossa habilidade cada vez melhor de avaliar o estado do mundo deve mudar o pensamento convencional acerca do planejamento. Em vez de imaginar como as pessoas vão se comportar e tentar elaborar maneiras de fazer os consumidores responderem de forma específica — seja a um anúncio, um produto ou uma medida governamental —, podemos avaliar diretamente como elas respondem a uma variedade de possibilidades, e reagir de acordo com isso. Em outras palavras, a mudança do "prever e controlar" para "avaliar e reagir" não é apenas tecnológica — apesar de a tecnologia ser necessária —, mas psicológica. Apenas quando aceitarmos que não podemos depender de nossa habilidade de prever o futuro estaremos abertos ao processo que o descobre.[16]

Não apenas avalie: experimente

Sob muitas circunstâncias, entretanto, meramente melhorar nossa habilidade de avaliação não vai por si só nos dizer o que precisamos saber. Por exemplo, um colega meu recentemente relatou sua conversa com o diretor de uma poderosa companhia americana que confessou que no ano anterior sua empresa havia gastado cerca de 400 milhões de dólares em "publicidade de marca", o que significa que não se estava promovendo nenhum produto ou serviço em particular — apenas a marca. Em que medida foi efetivo esse valor gasto? De acordo com meu colega, o diretor lamentou não saber se o valor correto deveria ter sido zero ou 400 milhões. Agora, vamos pensar sobre isso por um segundo. O diretor não estava dizendo que os 400 milhões não haviam sido eficientes — ele estava dizendo que *não tinha ideia* de quão eficiente esse valor fora. Só sabia que era inteiramente possível terem tido o mesmo desempenho se não tivessem gastado dinheiro algum na promoção da marca. Ao mesmo tempo, não gastar o dinheiro poderia ter sido um desastre. Ele simplesmente não sabia.

Quatrocentos milhões de dólares pode parecer muito dinheiro para *não se ter ideia* de sua eficácia, mas na verdade é apenas uma gota d'água no oceano. A cada ano, empresas americanas gastam, juntas, cerca de 500 *bilhões* de dólares com marketing, e não há razão para pensar que esse diretor é diferente de qualquer outro diretor — talvez mais honesto, mas não mais ou menos confiante na publicidade de marca. Então, na verdade, deveríamos nos perguntar a mesma coisa em relação aos 500 bilhões. Qual é seu impacto real sobre o comportamento do consumidor? Alguém tem alguma ideia? Quando tocamos nesse ponto, os publicitários em geral citam o magnata das lojas de departamentos John

Wanamaker, que leva a fama de ser o autor da frase: "Metade do dinheiro que gasto com publicidade vai pelo ralo, só não sei qual metade." É extremamente coerente e sempre arranca algumas risadas. Mas o que muitas pessoas não percebem é que Wanamaker disse isso há cerca de um século, mais ou menos na mesma época em que Einstein publicava sua teoria da relatividade. Como é possível que mesmo com toda a incrível expansão científica e tecnológica desde a época de Wanamaker — penicilina, bomba atômica, DNA, lasers, voos espaciais, supercomputadores, internet — essa questão continue tão relevante hoje como era na época?

Certamente *não é* porque publicitários ficaram melhores em avaliar as coisas. Com seus próprios bancos de dados eletrônicos para controlar as vendas, suas agências de monitoramento de audiência como a Nielsen e a comScore, e a onda recente dos dados coletados on-line via *clickstream*, os publicitários podem avaliar muito mais variáveis, e com muito mais precisão, do que Wanamaker. Aliás, pode-se dizer que o mundo da publicidade tem mais informações do que usos para tantos dados. Não, o problema real é que os publicitários querem saber se suas propagandas estão *causando* o aumento das vendas; mas quase sempre o que eles avaliam é a *correlação* entre os dois.

Em teoria, é claro, todos "sabem" que correlação e relação causa/efeito são diferentes, mas é tão fácil confundir os dois na prática que acabamos fazendo isso o tempo todo. Se começamos uma dieta e em seguida perdemos peso, é tentador concluir que a dieta foi a responsável. Porém, em muitas das vezes que as pessoas começam dietas, elas também mudam outros aspectos de suas vidas — exercitam-se mais, dormem mais ou simplesmente prestam mais atenção ao que estão comendo. Qualquer uma dessas outras mudanças, ou, mais provavelmente, uma combinação delas, pode ser tão responsável pela perda de peso quanto a decisão de começar uma dieta. Mas como é na dieta que as pessoas se concentram, não nessas outras mudanças, é a ela que atribuem o resultado. Da mesma forma, toda campanha publicitária se realiza num mundo onde muitos outros fatores estão mudando também. Publicitários, por exemplo, muitas vezes determinam o orçamento para o próximo ano em função do volume de vendas previsto ou aumentam os gastos durante períodos de picos em compras, como feriados. Ambas as estratégias terão como efeito a tendência de correlacionar vendas e publicidade, esteja a publicidade causando qualquer alteração ou não. Mas assim como na dieta, é no esforço da publicidade que as empresas focam sua atenção; assim, se as vendas ou outras medidas de interesse subsequentemente aumentam, é tentador concluir que a causa foi a publicidade, e não outra coisa.[17]

Diferenciar correlação e relação causa/efeito pode ser, de forma geral, extremamente complicado. Mas uma solução simples, ao menos em princípio, é realizar uma experiência em que o "tratamento" — seja a dieta ou a campanha publicitária — se aplique em alguns casos e não em outros. Se o resultado visado (perda de peso, aumento nas vendas etc.) acontece com mais significância na presença do tratamento do que no grupo de "controle", podemos concluir que é de fato isso que está causando o efeito. Do contrário, não podemos. Lembrem-se de que nas ciências médicas um medicamento só pode ser aprovado pelo FDA, órgão de controle norte-americano, depois de ter passado por estudos de campo em que algumas pessoas são aleatoriamente escolhidas para tomar a droga enquanto outras são escolhidas para não tomar nada ou então tomar um placebo. Apenas se as pessoas que estão medicando-se melhoram mais que as pessoas que não estão é que o fabricante pode afirmar que ele funciona.

É precisamente o mesmo raciocínio que deve ser aplicado à publicidade. Sem experiência, é quase impossível diferenciar causa e efeito e, portanto, avaliar o retorno *real* do investimento de uma campanha publicitária. Digamos, por exemplo, que o lançamento de um produto é acompanhado de uma campanha publicitária e o produto vende como pão quente. É claro que poderíamos computar o retorno do investimento baseado em quanto foi gasto na campanha e quantas vendas foram geradas, e é geralmente isso que publicitários fazem. Mas e se o item fosse simplesmente um ótimo produto que teria sido vendido de qualquer maneira, mesmo sem nenhuma campanha publicitária? Então é claro que aquele dinheiro foi desperdiçado. Por outro lado, e se uma campanha diferente tivesse gerado o dobro de vendas pelo mesmo valor? Mais uma vez, de certa forma a campanha gerou um retorno pequeno, mesmo que tenha "funcionado".[18]

Sem experiências, vale repetir, é muito difícil medir quanto do efeito aparente de uma campanha se deveu simplesmente à predisposição da pessoa que o viu. É comum, por exemplo, que os *search ads* — os links patrocinados que encontramos do lado direito de uma página de resultados em mecanismos de busca — tenham desempenho muito melhor do que propagandas veiculadas em outras páginas. Mas por quê? Em grande parte porque os links patrocinados, no primeiro caso, dependem bastante do que você acabou de procurar. Pessoas que digitem "cartão Visa" provavelmente verão propagandas de cartões de crédito, enquanto pessoas que digitem "tratamentos com Botox" provavelmente verão propagandas de dermatologistas. Além disso, tais pessoas tendem a estar mais interessadas precisamente naquilo que esses anunciantes em particular têm a oferecer. Como resultado, o fato de alguém clicar em uma propaganda do cartão Visa e depois solicitar um pode ser atribuído apenas em parte ao anúncio, pela simples razão de que esse consumidor poderia ter solicitado seu cartão de qualquer maneira.

Isso parece óbvio, mas é uma questão muito malcompreendida.[19] Publicitários, na verdade, às vezes pagam um valor altíssimo para atingir consumidores que acreditam se interessar por seus produtos — só porque um dia já os compraram (por exemplo, fraldas Pampers); ou porque compraram produtos da mesma categoria (por exemplo, um concorrente direto das fraldas Pampers); ou porque seus atributos e circunstâncias indicam que eles o farão em breve (por exemplo, um jovem casal esperando o primeiro filho). Publicidade direcionada desse tipo geralmente é vista como a quintessência de uma abordagem científica. Mas, novamente, ao menos alguns desses consumidores, e talvez muitos deles, teriam comprado aqueles produtos de qualquer maneira. Como resultado, os anúncios que os visaram foram tão desperdiçados quanto aqueles vistos por consumidores que não se interessaram. Dessa maneira, os únicos anúncios que importam são aqueles que atraem o consumidor *marginal* — aquele que acaba comprando o produto, mas que não o teria comprado se não tivesse visto a propaganda. E a única maneira de determinar o efeito sobre consumidores marginais é realizar uma experiência na qual a decisão sobre quem vê a propaganda e quem não a vê é feita aleatoriamente.

Uma objeção comum à realização desse tipo de experiência com uso da randomização é que pode ser difícil conduzi-lo na prática. Se você colocar um outdoor em uma rodovia ou inserir um anúncio em uma revista, é geralmente impossível saber quem vai vê-lo — até mesmo os consumidores por vezes não sabem dizer quais anúncios viram. Além disso, os efeitos podem ser difíceis de se medir. Os consumidores podem fazer uma compra dias ou até mesmo semanas depois, estágio em que a relação entre ter visto o anúncio e agir motivado por ele se perdeu. Essas são objeções razoáveis, mas cada vez mais podem ser contornáveis, como três de meus colegas na Yahoo! — David Reiley, Taylor Schreiner e Randall Lewis — demonstraram recentemente em uma "experiência de campo" envolvendo 1,6 milhão de consumidores de uma grande loja que também eram usuários ativos dos sites da Yahoo!.

Para realizar a experiência, Reiley e seus companheiros aleatoriamente escolheram 1,3 milhão de usuários para o grupo de "tratamento", o que significa que quando eles chegaram aos sites operados pela Yahoo!, visualizaram anúncios da loja. Os outros 300 mil, por outro lado, ficaram no grupo de "controle", o que significa que eles não viram esses anúncios, mesmo que tenham visitado exatamente as mesmas páginas que os membros do outro grupo. Como a escolha dos indivíduos do grupo de tratamento e do de controle era aleatória, as diferenças de comportamento entre os dois grupos só podia ter sido causada pelo próprio anúncio. E como todos os participantes da experiência estavam também na base de dados da loja, o efeito do anúncio poderia ser avaliado em termos de seu comportamento real de consumo — por várias semanas após o fim da campanha.[20]

Usando esse método, os pesquisadores estimaram que a renda adicional gerada pela campanha foi cerca de quatro vezes maior que o custo da campanha a curto prazo, e provavelmente muito maior a longo prazo. Portanto, acima de tudo, eles concluíram que a campanha de fato havia sido eficaz — um resultado que foi claramente uma boa notícia tanto para a Yahoo! quanto para o lojista. Mas eles também descobriram que praticamente todo o efeito recaiu sobre consumidores mais velhos — os anúncios foram bastante ineficazes com pessoas com menos de quarenta anos. A princípio, esse resultado pode parecer uma má notícia. Mas a maneira correta de pensarmos sobre isso é que descobrir que algo não funciona é também o primeiro passo para descobrir o que funciona. Por exemplo, o anunciante poderia experimentar uma variedade de diferentes formas de atingir as pessoas mais jovens, incluindo formatos diferentes, estilos diferentes ou mesmo diferentes tipos de incentivos e ofertas. É inteiramente possível que algo vá funcionar, e seria valioso descobrir o que é de maneira sistemática.

Mas digamos que nenhuma dessas tentativas seja eficaz. Talvez a marca em questão simplesmente não esteja atraindo uma parcela específica do público, ou talvez essas pessoas não se influenciem por publicidade on-line. Mesmo nessa situação, contudo, o anunciante pode ao menos parar de gastar dinheiro com anúncios voltados para essas pessoas, liberando, assim, mais recursos para se concentrar no grupo que poderia realmente ser influenciado. Seja como for, a única maneira de melhorar a eficiência de mercado de alguém ao longo do tempo é saber antes o que está funcionando e o que não está. Experiências de publicidade, portanto, não devem ser vistas como exercícios a serem feitos apenas porque revelam a resposta correta ou não; devem ser parte de um processo ininterrupto de aprendizado que é aplicado em toda a publicidade.[21]

Uma pequena, porém crescente, comunidade de pesquisadores agora afirma que o mesmo posicionamento deve ser adotado não apenas na publicidade, como também em todos os assuntos de planejamento de negócios ou de políticas públicas, seja no mundo virtual ou no real. Em um artigo recente da *MIT Sloan Management Review*, por exemplo, os professores do MIT Erik Brynjolfsson e Michael Schrage ponderam que novas tecnologias de controle de inventário, vendas e outros parâmetros — seja o layout dos links em páginas de buscas, a distribuição de produtos na vitrine de uma loja ou os detalhes sobre uma oferta especial e exclusiva por e-mail — estão gerando uma nova era de experiências controladas no mundo dos negócios. Brynjolfsson e Schrage citam até mesmo Gary Loveman, o chefe executivo do cassino Harrah's, dizendo: "Há duas maneiras de ser demitido do Harrah's: roubando da empresa ou não conseguindo incluir um grupo de controle adequado em sua experiência de negócios." Você pode achar perturbador que cassinos estejam um passo adiante em termos de práticas de negócios com fundamentações científicas, mas a mentalidade de sempre incluir controles experimentais é algo de que outros tipos de negócios podem certamente se aproveitar.[22]

Experiências de campo estão até mesmo começando a ganhar corpo no mundo mais tradicional da economia e da política. Pesquisadores ligados ao MIT Poverty Action Lab, por exemplo, já conduziram mais de cem experiências de campo para testar a eficácia de diferentes políticas de auxílio, sobretudo nas áreas de saúde pública, educação, poupança e crédito. Cientistas políticos testaram o efeito da publicidade e de pedidos de votos via telefonemas sobre reviravoltas nas decisões de voto, assim como o efeito de jornais sobre opiniões políticas. E economistas realizaram dezenas de experiências de campo para testar a eficiência de diferentes esquemas de compensação, ou como o *feedback* afeta o desempenho. As questões que esses pesquisadores levantam costumam ser bastante específicas. As agências de apoio devem doar redes de proteção contra mosquitos ou vendê-las? Como os funcionários reagem a remunerações fixas *versus* pagamentos proporcionais ao desempenho? Será que oferecer um plano de poupança às pessoas as ajuda a economizar mais? Ainda assim, as respostas até mesmo para essas questões simples podem ser úteis para administradores e planejadores. E experiências de campo podem ser conduzidas também em escalas maiores. Por exemplo, o analista de políticas públicas Randal O'Toole defende a realização de experiências de campo para o National Park Service que poderiam testar diferentes maneiras de gerenciar e administrar os parques nacionais, aplicando-as aleatoriamente a diferentes parques (Yellowstone, Yosemite, Glacier etc.) e avaliando quais funcionaram melhor.[23]

A importância do conhecimento local

O potencial das experiências de campo é animador, e não há dúvida de que elas são feitas com muito menos frequência do que deveriam. Contudo, nem sempre é possível realizar experimentos. Os Estados Unidos não podem iniciar uma guerra com metade do Iraque e continuar em paz com a outra metade apenas para descobrir qual das duas estratégias funcionará melhor a longo prazo, assim como uma empresa não pode facilmente reinventar apenas uma parte de si, ou mesmo a empresa inteira, tendo em vista apenas alguns consumidores e não outros.[24] Para decisões como essas, é improvável que experimentos sejam de grande ajuda; porém, as decisões ainda precisam ser tomadas. É ótimo que acadêmicos e pesquisadores debatam até os pontos mais específicos de causa e efeito, mas nossos políticos e líderes empresariais muitas vezes são obrigados a agir sem nenhuma certeza. Num mundo como esse, a primeira regra é não deixar o perfeito ser o inimigo do bom, ou, como meus superiores na Marinha constantemente lembravam, às vezes até mesmo um plano ruim é melhor que plano nenhum.

Muito bem. Sob diversas circunstâncias, pode ser verdadeiro que, de maneira realista, só seja possível escolher fazer aquilo que parece ter mais chances de sucesso. Mas a combinação de poder e necessidade pode também levar planejadores a depositar mais confiança em seus instintos do que deveriam, por vezes com consequências desastrosas. Como mencionei no capítulo 1, o fim do século XIX e o início do XX foram caracterizados por um otimismo generalizado entre engenheiros, arquitetos e tecnocratas do governo, ao acreditarem que os problemas da sociedade poderiam ser resolvidos da mesma maneira que os da ciência e da engenharia. Porém, como escreveu o cientista político James Scott, esse otimismo se baseava numa crença errônea de que a intuição dos planejadores era tão precisa e tão confiável quanto o conhecimento científico acumulado por toda a humanidade.

De acordo com Scott, a falha central dessa filosofia do "alto modernismo" era a atenção insuficiente ao conhecimento local, aquele dependente do contexto, em favor de modelos de pensamentos de causa e efeito rígidos. Nas palavras de Scott, aplicar regras genéricas a um mundo complexo era "um convite ao fracasso, à desilusão social ou, ainda mais provável, a ambos". A solução, ele argumentava, era pensar os planos de forma a explorar "uma vasta variedade de habilidades práticas e inteligência adquirida na resposta aos ambientes natural e humano, que estão sempre em transformação". Esse tipo de conhecimento, além do mais, dificilmente se reduz a princípios aplicáveis em âmbito universal precisamente porque "os ambientes em que é exercitado são tão complexos e únicos que procedimentos formais de tomadas de decisões racionais são impossíveis de se aplicar". Em outras palavras, o conhecimento em que os planos deveriam se basear são necessariamente *locais* à situação concreta em que serão aplicados.[25]

O argumento de Scott em favor do conhecimento local foi, na verdade, previsto muitos anos antes em um famoso artigo intitulado "The Use of Knowledge in Society" [em tradução livre, "O uso do conhecimento na sociedade"], escrito pelo economista Friedrich Hayek, que argumentava que o planejamento era fundamentalmente uma questão de agregar conhecimento. Saber quais recursos alocar, e onde, exigia saber quem precisa de quanto do que em relação a todos os demais. Hayek também argumentou, entretanto, que agregar todo esse conhecimento numa economia aberta, constituída por centenas de milhões de pessoas, é impossível para qualquer planejador central, por mais inteligente ou bem-intencionado que ele seja. Ainda assim, é precisamente a agregação de todas essas informações o que os mercados obtêm a cada dia, sem qualquer supervisão ou direcionamento. Se, por exemplo, alguém em algum lugar inventa um novo uso para o ferro que lhe permite usá-lo de maneira muito mais lucrativa do que jamais vimos, essa pessoa também estará disposta a pagar mais pelo ferro do que qualquer outra pessoa. E como a demanda agregada agora cresceu, e todo o resto se manteve estático, o preço também aumentará. As pessoas que utilizam o ferro de maneira menos lucrativa vão comprar menos ferro, enquanto as pessoas que o utilizam de maneira mais produtiva vão comprar mais. Ninguém precisa saber por que o preço subiu, ou quem subitamente precisa de mais ferro — na verdade, ninguém precisa saber nada sobre o processo. É a "mão invisível" do mercado que automaticamente distribuiu uma quantidade limitada de ferro no mundo para seja lá quem for que fizer melhor proveito dele.

O artigo de Hayek é, por vezes, visto pelos apoiadores do livre mercado como defensor da ideia de que soluções propostas pelo governo são sempre piores que aquelas criadas pelo mercado, e sem dúvida há situações em que essa conclusão está correta. Por exemplo, políticas de *cap and trade*, "limite e negociação", para reduzir emissões de carbono invocam explicitamente o raciocínio de Hayek. Em vez de o governo instruir empresas sobre como reduzir suas emissões de carbono — como seria o caso com a regulamentação governamental típica —, deveria simplesmente fixar um preço no carbono "limitando" a quantidade que pode ser emitida pela economia como um todo, e então deixar que cada empresa descubra como reagir a isso. Algumas empresas encontrariam maneiras de reduzir seu consumo de energia, enquanto outras recorreriam a fontes de energia alternativas, e outras, ainda, procurariam maneiras de compensar suas emissões. Finalmente, algumas empresas optariam por pagar pelo privilégio de continuar a emitir carbono comprando créditos daquelas que prefeririam diminuir suas emissões, e o custo dos créditos dependeria da oferta e da demanda — exatamente como acontece em outros mercados.[26]

Mecanismos baseados no mercado, como a limitação e a negociação, de fato parecem ter mais chance de funcionar do que soluções centralizadas e burocráticas. Mas esses mecanismos não são a única maneira de explorar o conhecimento local, nem são necessariamente a melhor maneira. Críticos das políticas do limitar e negociar, por exemplo, destacam que mercados de crédito de carbono costumam dar origem a todo tipo de desdobramentos complexos — como os que deixaram o sistema financeiro de joelhos em 2008 —, com consequências que podem inutilizar o intento da política. Uma abordagem com menor margem de discussão, eles argumentam, seria aumentar o custo do carbono simplesmente por meio de impostos, oferecendo ainda incentivos para empresas reduzirem suas emissões e dando a elas a flexibilidade de decidir como melhor fazê-lo, porém sem toda a disputa e a complexidade do mercado.

Outra estratégia não mercadológica de reunir o conhecimento local que se torna cada vez mais popular entre governos e organizações são competições valendo prêmios. Em vez de distribuir recursos antecipadamente para pré-selecionados, competições com prêmios revertem o mecanismo de fundos, permitindo que qualquer um trabalhe no problema, mas premiando apenas as soluções que satisfazem aos objetivos especificados. Competições atraíram muita atenção nos anos recentes devido à imensa criatividade que conseguiram alavancar com prêmios relativamente pequenos. A agência de financiamento Darpa, por exemplo, conseguiu reunir a criatividade coletiva de dezenas de laboratórios de pesquisas de universidades para construir veículos com piloto automático oferecendo apenas alguns poucos milhões de dólares em dinheiro — bem menos do que teria custado financiar o mesmo trabalho com empréstimos convencionais. Da mesma forma, o prêmio de 10 milhões de dólares da Ansari X Prize desencadeou pesquisas e desenvolvimentos que valiam mais de 100 milhões de dólares para a construção de um veículo espacial reutilizável. E a rede de locadoras de vídeos Netflix reuniu alguns dos mais talentosos cientistas computacionais de todo o mundo para ajudá-la a melhorar seus algoritmos de sugestão de filmes por um prêmio de apenas 1 milhão de dólares.

Inspirados por esses exemplos — assim como os de empresas de "inovações abertas" como a Innocentive, que realiza centenas de concursos no âmbito da engenharia, da ciência da computação, da matemática, da química, das ciências biológicas, das ciências físicas e dos negócios —, os governos começaram a perguntar-se se a mesma estratégia poderia ser usada para solucionar problemas de administração até então intratáveis. Em 2010, por exemplo, o governo Obama gerou ondas de choque em estabelecimentos de ensino ao anunciar sua "Corrida ao Topo": na verdade, uma competição entre os estados americanos cujos prêmios eram verbas para a educação pública, que seriam distribuídas de acordo com os planos a serem apresentados pelos estados. Os planos recebiam notas em diversos quesitos, incluindo a avaliação de desempenho dos estudantes, a quantidade de professores e reformas nos contratos de trabalho. Muito da controvérsia em torno da Corrida ao Topo se deveu à sua ênfase na qualidade dos professores como principal determinante do desempenho dos alunos e no uso de testes padronizados como maneira de medir esse desempenho. Apesar dessas legítimas críticas, porém, a Corrida ao Topo continua sendo uma experiência interessante pela simples razão de que especifica, assim como a limitação e a negociação, a "solução" apenas de forma geral, deixando as especificidades para os próprios estados.[27]

Não "solucione": distribua o problema

Soluções mercadológicas e competições valendo prêmios são boas ideias, mas burocracias centralizadas podem tirar vantagem do conhecimento local também de outras formas. Uma estratégia completamente diferente parte da observação de que em qualquer sistema problemático por vezes há instâncias de indivíduos ou grupos — chamados de *bright spots*, pontos de luz, pelos cientistas de marketing Chip e Dan Heath no livro *A guinada* — que descobriram soluções funcionais para problemas específicos. A estratégia dos pontos de luz foi desenvolvida originalmente por Marian Zeitlin, professora de nutrição da Tufts University, que notou que uma variedade de pesquisas sobre nutrição infantil em comunidades pobres revelou que em qualquer comunidade algumas crianças pareciam mais bem-nutridas que outras. Depois de entender essas espontâneas histórias de sucesso — como as mães dessas crianças agiam de forma diferente, o que elas lhes davam de comer e quando —, Zeitlin percebeu que poderia ajudar outras mães a cuidar melhor de seus filhos simplesmente ensinando-lhes soluções caseiras que já existiam em suas comunidades. Subsequentemente, a estratégia dos pontos de luz foi aplicada com sucesso em países em desenvolvimento e mesmo nos Estados Unidos, onde certas práticas de higienização das mãos em um pequeno grupo de hospitais estão sendo replicadas para ajudar a reduzir os casos de infeccção hospitalar — a principal causa de mortes em hospitais que podem ser prevenidas — em todo o sistema de saúde do país.[28]

A estratégia dos pontos de luz é similar também ao que o cientista político Charles Sabel chama de *bootstrapping*, distribuição, uma filosofia que começou a ganhar popularidade no mundo do desenvolvimento econômico. A *bootstrapping* nasceu do famoso sistema de produção da Toyota, que foi adotado não apenas na indústria automotiva japonesa, mas também em indústrias e culturas estrangeiras. A ideia básica é de que sistemas de produção devem ser planejados segundo princípios do *just in time*, o que garante que se uma parte do sistema falha, todo o sistema deve parar até que o problema seja solucionado. A princípio parece uma má ideia (e isso quase levou a Toyota ao desastre mais de uma vez), mas sua vantagem é que força organizações a reparar problemas com rapidez e agressividade. Isso também as força a perseguir problemas até suas "raízes", um processo que frequentemente exige que olhemos para além da causa imediata do fracasso para descobrir como falhas em uma parte do sistema podem resultar em problemas em outro ponto. E, finalmente, esse princípio obriga corporações a procurar tanto soluções existentes quanto adaptar soluções encontradas em atividades relacionadas: um processo conhecido como *benchmarking*. Juntas, essas três práticas —

identificar pontos de falha, encontrar as raízes dos problemas e buscar soluções além dos limites de práticas existentes — podem transformar a própria organização, fazendo com que ela deixe de oferecer soluções para problemas complexos de maneira gerencial centralizada e passe a buscar soluções em uma grande rede de colaboradores.[29]

Assim como os pontos de luz, a *bootstrapping* concentra-se em soluções concretas para problemas locais, e busca extrair soluções que estão funcionando a partir do que já está acontecendo. Entretanto, dá ainda um passo além, farejando não apenas o que está funcionando, mas também o que *poderia* funcionar se certos impedimentos fossem removidos, restrições dissolvidas ou problemas resolvidos em outros pontos do sistema. Um possível ponto negativo é que ela requer uma força de trabalho motivada, com fortes incentivos para solucionar problemas à medida que se apresentam. Então alguém poderia perguntar se o modelo pode ser traduzido do âmbito altamente competitivo da indústria para o mundo do desenvolvimento econômico ou das políticas públicas. Porém, como aponta Sabel, há tantos exemplos de sucessos locais — produtores de calçados da região do vale do Sinos, no Brasil, vinícolas em Mendoza, na Argentina, ou fabricantes de bolas de futebol em Sialkot, no Paquistão — que floresceram com a força da estratégia distributiva que é difícil pensar nesses casos como simples aberrações.[30]

Planejamento e senso comum

Ainda mais importante é que tanto os pontos de luz quanto a distribuição têm em comum o fato de ambos exigirem uma mudança na forma de pensar dos planejadores. Primeiro, eles devem reconhecer que seja qual for o problema — elaborar uma dieta mais nutritiva para vilarejos pobres, reduzir os índices de infecção hospitalar ou melhorar a competitividade de indústrias locais —, muito provavelmente alguém lá fora já tem parte da solução e está disposto a compartilhá-la com outros. E em segundo lugar, tendo percebido que não é preciso descobrir sozinhos a solução para cada um dos problemas, os planejadores podem direcionar os recursos para a busca de soluções já existentes, onde quer que elas estejam, e para a divulgação de tais práticas.[31]

Essa também é a lição de pensadores como Scott e Hayek. As soluções por eles propostas defendem também que legisladores devem traçar planos que girem em torno do conhecimento e da motivação de agentes locais em vez de confiar em si mesmos. Ou seja: planejadores precisam aprender a se comportar mais como o que o economista William Easterly chama de "agentes de busca". Nas palavras de Easterly,

> o Planejador acha que já sabe a resposta; pensa que a pobreza é um problema de engenharia técnica que ele pode solucionar. O Agente de Busca admite que não sabe a resposta com antecedência; ele acredita que a pobreza é um complicado emaranhado de fatores políticos, sociais, históricos, institucionais e tecnológicos... e espera encontrar respostas para problemas individuais por meio de tentativa e erro... O Planejador acredita que pessoas não envolvidas com o problema sabem o suficiente para poder impor soluções. O agente acredita que apenas pessoas que fazem parte do problema têm o conhecimento necessário para encontrar soluções, e que a maioria das respostas deve nascer dentro do contexto.[32]

Por mais diferentes que possam parecer à primeira vista, na verdade todas essas abordagens de planejamento — junto com a estratégia emergente de Mintzberg, a estratégia do mullet de Peretti, o *crowdsourcing* e as experiências de campo — são apenas variações sobre o tema geral de "avaliação e reação". Às vezes o que está sendo avaliado é o conhecimento detalhado de atores locais, e às vezes são cliques de mouse ou termos de busca. Às vezes é o suficiente apenas coletar dados, e às vezes é preciso conduzir uma experiência aleatória. Às vezes a reação apropriada é deslocar recursos de um programa ou de uma campanha publicitária para outro, enquanto outras vezes é investir na solução que uma outra pessoa, envolvida no problema, já elaborou. De fato, há tantas maneiras de avaliar e reagir a diferentes problemas quanto há problemas a se resolver, e não existe nenhuma abordagem "tamanho único" para todos os problemas. O que todas têm em comum, entretanto, é o fato de exigirem que planejadores — sejam estrategistas do governo tentando reduzir a pobreza no mundo ou publicitários tentando lançar uma nova campanha para um cliente — abandonem a presunção de que podem desenvolver planos com base apenas na intuição e na experiência. Planos não dão errado porque planejadores ignoram o senso comum, mas porque confiam em seu senso comum para pensar sobre o comportamento de pessoas que são diferentes deles.

Essa parece uma armadilha fácil de ser evitada, mas não é. Sempre que contemplamos a questão de por que as coisas ocorreram de determinada maneira, ou por que as pessoas fazem o que fazem, somos sempre capazes de elaborar respostas plausíveis. Podemos até mesmo nos convencer tanto de nossas respostas que qualquer previsão ou explicação a que cheguemos pode parecer óbvia. Sempre seremos tentados a pensar que sabemos como outras pessoas vão reagir a um novo produto, ao discurso de um candidato ou a um novo imposto. "Isso nunca vai funcionar", tendemos a dizer, "porque as pessoas simplesmente não fazem esse tipo de coisa", ou "Ninguém vai se deixar enganar por essa mentira evidente", ou "Um imposto como esse vai reduzir os estímulos para se trabalhar duro e investir na economia". Nada disso pode ser remediado — não podemos suprimir nossa intuição do senso comum, assim como não podemos fazer nosso coração parar de bater. O que podemos, entretanto, é lembrar que sempre que falamos em questões de estratégias de negócios ou políticas governamentais, ou até mesmo de campanhas de marketing e design de websites, devemos confiar menos no senso comum e mais naquilo que podemos avaliar.

Mas a avaliação por si só não é suficiente para nos impedir de nos enganarmos. O raciocínio do senso comum pode também nos enganar no que diz respeito a questões mais filosóficas sobre a sociedade — por exemplo, como atribuímos culpa ou como atribuímos sucesso — em situações em que avaliações são impossíveis. Nessas circunstâncias, também não conseguiremos impedir que nossa intuição derivada do senso comum desperte respostas aparentemente autoevidentes. Mas, vale repetir, podemos suspeitar delas, e então procurar maneiras de pensar o mundo que se beneficiam da compreensão dos limites do senso comum.

9

Equidade e justiça

Quatro de agosto de 2001 foi um sábado, e Joseph Gray estava tendo um dia divertido. Veterano do Departamento de Polícia de Nova York havia quinze anos, Gray tinha terminado seu expediente noturno logo cedo, na 72ª região, no Brooklyn, e vários colegas haviam decidido ficar por perto da delegacia para tomar umas cervejas. Pouco antes do meio--dia, quando "algumas cervejas" já haviam se transformado em "várias cervejas", muitos deles decidiram almoçar num restaurante próximo, o Wild, Wild West, onde as garçonetes trabalhavam de *topless*. O policial Gray, aparentemente, ficou bem satisfeito com a decisão, pois passou a tarde toda lá, até o anoitecer — depois de todos os seus amigos já terem ido embora. Foi um comportamento intrigante, considerando que ele deveria se apresentar na delegacia novamente naquela mesma noite, mas talvez ele estivesse pensando em chegar ao trabalho algumas horas antes do início de seu expediente e dormir por lá mesmo. Seja como for, no momento em que entrou em seu Ford Windstar bordô, ele havia bebido algo entre doze e dezoito cervejas — o suficiente para elevar o nível de álcool em seu sangue a bem mais que o limite legal.

O que aconteceu em seguida não foi completamente esclarecido, mas os registros indicam que o policial Gray dirigiu sentido norte pela Third Avenue e, no cruzamento com a Gowanus Expressway, ultrapassou o sinal vermelho. Com certeza, fez mal, mas também não tão grave. Em qualquer outra noite de sábado ele poderia ter ignorado aquele sinal e chegado tranquilamente à Staten Island, onde iria buscar um de seus companheiros de bebedeira daquele mesmo dia e então retornar à delegacia. Mas naquela noite ele não teve sorte. Assim como Maria Herrera, de 24 anos; sua irmã de dezesseis anos, Dilcia Peña; e o filho de quatro anos de Herrera, Andy. Os três estavam cruzando a avenida na altura da 46th Street naquele momento. O policial Gray atropelou os três a uma velocidade altíssima, matando todos e carregando o corpo do pobre menino por quase um quarteirão, preso em seu para-choque frontal, até finalmente parar. Quando saiu do veículo, testemunhas alegaram, seus olhos estavam vidrados, sua voz arrastada, e ele perguntava repetidas vezes: "Por que eles atravessaram a rua?" Mas o pesadelo não terminou ali. Maria Herrera estava grávida de oito meses e meio. Seu filho, Ricardo, nasceu graças a uma cesariana realizada no Lutheran Medical Center, e os médicos lutaram para salvar sua vida. Porém, não conseguiram. Doze horas após a morte de sua mãe, também o bebê Ricardo morreu, deixando o pai, Victor Herrera, sozinho no mundo.

Cerca de dois anos depois, Joseph Gray foi condenado pelo Supremo Tribunal à pena máxima de cinco a quinze anos de prisão pelo crime de homicídio doloso. Gray pediu clemência ao júri, alegando que nunca havia feito "nada intencional em toda a minha vida para ferir outro ser humano", e mais de cem pessoas escreveram cartas para os jurados em apoio a ele, atestando sua decência. Mas a juíza Anne Feldman não se comoveu, apontando que dirigir embriagado um carro de meia tonelada pelas ruas da cidade é "equivalente a brandir uma arma carregada em uma sala cheia". Os 4 mil moradores da comunidade em que os Herreras viviam, que fizeram um abaixo-assinado exigindo a pena máxima para Gray, claramente concordaram com a juíza. Muitos pensavam que Gray havia se safado do pior. Certamente Victor Herrera pensava assim. "Joseph Gray, quinze anos não é o suficiente para você", disse ele durante o julgamento. "Você vai sair da prisão algum dia. E quando isso acontecer, ainda poderá ver sua família. Eu não terei nada. Você matou tudo o que eu tinha."[1]

Lendo sobre esses eventos mesmo anos depois, é impossível não sentir a dor e a raiva da família das vítimas. Como Victor Herrera declarou a um repórter, Deus o havia abençoado com a família com que ele sempre sonhara; mas então um homem bêbado e irresponsável lhe tirara tudo em um só instante. É um pensamento horrível, e Herrera tem todo o direito de odiar o homem que destruiu sua vida. Contudo, enquanto eu lia sobre as repercussões — os protestos diante da delegacia, a condenação por parte de vizinhos e políticos, o choque na comunidade e, claro, a sentença final —, não pude deixar de me perguntar o que teria acontecido se Joseph Gray tivesse chegado ao cruzamento alguns segundos depois. Naturalmente, não teria havido um acidente, e Maria Herrera, sua irmã e seu filho teriam continuado o caminho. Ela teria dado à luz Ricardo algumas semanas depois, provavelmente vivido uma vida longa e feliz, e jamais teria pensado duas vezes sobre o carro que passara correndo tortuosamente pela Third Avenue naquela noite de verão. Joseph Gray teria buscado seu colega na Staten Island, que, presume-se, teria insistido em assumir o volante até o Brooklyn. Gray poderia ter levado uma bronca de seu supervisor, ou poderia não sofrer reprimenda alguma. Seja como for, ele teria voltado para casa e encontrado a esposa e os três filhos no dia seguinte e seguido adiante com sua existência pacífica e comum.

Nem tudo está bem quando acaba bem

Ok, sei o que você está pensando. Mesmo a embriaguez de Gray não sendo garantia de acidente, ao menos os riscos de que algo ruim acontecesse eram maiores, e sua punição é justificada diante de seu comportamento. Mas se isso é verdade, então diferentes versões de seu crime acontecem o tempo inteiro. Todos os dias policiais — isso sem mencionar autoridades públicas, pais etc. — ficam bêbados e dirigem seus carros. Alguns deles ficam tão bêbados quanto Joseph estava naquela noite, e alguns dirigem tão irresponsavelmente quanto ele. Com a maior parte deles nada de ruim acontece, e mesmo aqueles que são pegos raramente são mandados para a cadeia. Poucos sofrem a punição e o vilipêndio que acometeram Joseph Gray, tachado de monstro e assassino. Então o que há nas ações de Joseph Gray que o tornam tão pior que todos os outros? Por mais repreensíveis, até mesmo criminosas, que você pense que foram suas ações, teriam sido exatamente tão ruins quanto se ele tivesse saído do bar um minuto depois, ou se o sinal estivesse verde, ou se os Herrera tivessem demorado um pouco mais para atravessar a rua, ou se eles tivessem visto o carro se aproximando e apressado ou diminuído o passo. Seja como for, mesmo se você concordar com a lógica da juíza Feldman de que todos que dirigem bêbados pelas ruas da cidade são potenciais assassinos de mães e filhos, é difícil imaginar a punição de todos os motoristas que beberam além da conta — ou, atualmente, qualquer um que digite mensagens ou fale ao celular enquanto dirige — sendo de quinze anos de prisão simplesmente porque eles *poderiam* ter matado alguém.

Que a natureza do resultado das nossas ações deve importar é uma observação extremamente comum. Se um grande mal é causado, há uma grande culpa — e, da mesma forma, se nenhum mal é causado, estamos da mesma forma inclinados a deixar passar o erro. Tudo está bem quando acaba bem, não é? Ora, talvez sim, talvez não. Que fique bastante claro que não estou questionando se Joseph Gray teve um julgamento justo ou não, ou se ele merecia passar os quinze anos seguintes de sua vida na prisão; nem estou insistindo em que todos os motoristas bêbados devam ser tratados como assassinos. O que estou dizendo, na verdade, é que, por sermos tão influenciados pelo resultado, nossa noção do senso comum de justiça inevitavelmente nos levará a um enigma *lógico*. Por um lado, parece um escândalo não punir com toda a força da lei um homem que matou quatro pessoas inocentes. Mas, por outro lado, parece inteiramente desproporcional tratar como criminosos e assassinos todas as outras pessoas honestas e decentes que algum dia já beberam demais e dirigiram até suas casas. Porém, deixando de lado a trêmula mão do destino, não há diferença entre essas duas instâncias.

É bem provável que essa seja uma inconsistência com a qual simplesmente tenhamos que conviver. Como os sociólogos que estudam instituições há muito argumentam, as regras formais que oficialmente governam o comportamento em organizações, e até mesmo em sociedades, são poucas vezes colocadas em prática e até, provavelmente, impossíveis de serem aplicadas de maneira consistente e compreensível. O mundo real de interações humanas é apenas um lugar bagunçado demais para ser governado por qualquer conjunto predefinido de regras e regulamentos; assim, o trabalho de seguir adiante com nossa vida é algo que deveria ser deixado a cargo de indivíduos exercendo seu senso comum acerca daquilo que é razoável e aceitável em uma situação específica. Na maior parte do tempo isso funciona muito bem. Problemas são solucionados e as pessoas aprendem com seus erros, sem que legisladores e a Justiça se envolvam. Porém, há ocasiões em que uma infração é tão chocante ou séria que precisamos invocar as regras, e o ofensor deve ser tratado pela lógica oficial. Pensando no caso a caso, a invocação das regras pode parecer arbitrária e até mesmo injusta, exatamente pelas razões que acabo de mencionar, e a pessoa que sofre as consequências pode, com razão, se perguntar: "Por que eu?" Porém, as regras servem ao propósito mais amplo e social de oferecer uma restrição mais ou menos global aos comportamentos aceitáveis. Para que a sociedade funcione não é necessário que cada caso seja trabalhado com consistência, por mais justo que isso seja. É suficiente apenas desencorajar certos tipos de comportamentos antissociais com a ameaça da punição.[2]

Pensando por essa perspectiva sociológica, faz todo o sentido que, mesmo que algumas pessoas irresponsáveis tenham a sorte de que suas ações passem em branco, a sociedade ainda precisa criar exemplos de vez em quando — mesmo que seja apenas para manter o resto de nós alerta —, e o limiar para a ação escolhida é que o estrago já está feito. Mas só porque o senso sociológico e o senso comum convergem para a mesma solução nesse caso em particular não significa que eles estão dizendo a mesma coisa, nem que vão sempre concordar. O argumento sociológico não está afirmando que a ênfase dada pelo senso comum nos resultados, e não nos processos, está correta — apenas que é um erro tolerável diante do objetivo de atingir certos fins sociais. É o mesmo tipo de raciocínio que o de Oliver Wendell Holmes ao defender a liberdade de expressão: não porque ele estava lutando pelos direitos individuais *per se*, mas porque acreditava que a possibilidade de todos expressarem suas opiniões servia ao interesse mais amplo de criar uma sociedade vibrante, inovadora e autorreguladora.[3] Então mesmo que acabemos descartando o enigma lógico suscitado por casos como o de Joseph Gray como um preço aceitável a se pagar por uma sociedade governável, não significa que devemos ignorar o papel do acaso na determinação de resultados. Mas ainda assim tendemos a deixá-lo de lado. Seja julgando um crime, ponderando sobre a carreira de uma pessoa, observando uma obra de arte, analisando uma estratégia de negócios ou avaliando uma política pública, nossa avaliação do processo é sempre — e por vezes excessivamente — dependente de saber qual foi o resultado, mesmo quando o resultado deveu-se em grande parte ao acaso.

O Efeito Halo

Esse problema está relacionado àquilo que o professor de estratégia e gestão Phil Rosenzweig chama de Efeito Halo. No âmbito da psicologia social, o Efeito Halo refere-se à tendência que temos de expandir nossa avaliação de uma característica particular de uma pessoa — digamos que ela é alta ou atraente — para outras características, como sua inteligência ou personalidade, que não estão necessariamente relacionadas à primeira característica. Só porque alguém é atraente não significa, por exemplo, que seja inteligente; porém, voluntários em experiências em laboratório costumam avaliar pessoas bonitas como sendo mais inteligentes que pessoas feias, mesmo quando não têm nenhuma razão para pensar dessa maneira sobre o intelecto de ambas. Não me parece despropositada, portanto, a afirmação de John Adams de que George Washington era considerado um líder natural devido à virtude de ser sempre o homem mais alto em qualquer ambiente.[4]

Rosenzweig argumenta que a mesma tendência aparece nas avaliações supostamente neutras e racionais de estratégias, liderança e execução corporativas. Empresas bem-sucedidas geralmente são apontadas como possuidoras de estratégias visionárias, liderança firme e execuções impecáveis, enquanto empresas que não estão se saindo muito bem são descritas como sofrendo de alguma combinação de estratégia ruim, liderança fraca e execuções imperfeitas. Mas, segundo Rosenzweig, empresas que exibem inconstâncias em seu desempenho ao longo do tempo recebem avaliações igualmente divergentes, mesmo que tenham seguido o tempo todo a mesma estratégia, que a tenham executado da mesma maneira e estado sob a mesma liderança. Lembrem-se de que a Cisco Systems passou de criança prodígio da era da internet a exemplo de fracasso em poucos anos. E a Enron foi, durante seis anos antes de sua espetacular implosão em 2001, descrita pela revista *Fortune* como "A empresa mais inovadora da América", enquanto a Steve & Barry's — agora uma finada loja de roupas a preços baixos — era laureada pelo *New York Times* como transformadora apenas alguns meses antes de declarar falência. A conclusão de Rosenzweig é que, em todos esses casos, as maneiras como as empresas foram avaliadas têm mais a ver com a percepção que se tem delas como bem-sucedidas do que com seu desempenho real.[5]

Para ser justo, a aparência de sucesso da Enron se deveu, em parte, a verdadeiros logros. Se soubéssemos mais sobre o que realmente estava acontecendo, é possível que tivéssemos sido mais cautelosos. Mais informações poderiam também ter alertado as pessoas sobre os problemas da Steve & Barry's, e talvez até da Cisco. Mas como Rosenzweig demonstra, mais informações por si só não impedem que se crie o Efeito Halo. Em um experimento realizado há algum tempo, por exemplo, grupos de participantes foram instruídos a realizar uma análise financeira de uma empresa fictícia, depois foram ranqueados segundo o desempenho e então convidados a avaliar como sua equipe funcionara em uma variedade de quesitos como coesão, comunicação e motivação. É claro que grupos que haviam recebido uma avaliação mais favorável julgaram-se mais unidos e mais motivados, e o inverso aconteceu com os grupos que receberam notas baixas. O único problema é que as notas foram distribuídas aleatoriamente pelo condutor do experimento — não havia *nenhuma* diferença de desempenho entre os grupos. Em outras palavras: em vez de equipes altamente funcionais atingirem resultados melhores, a aparência de resultados melhores criou a ilusão de serem altamente funcionais. E lembrem-se: essas avaliações não eram feitas por observadores externos, que poderiam desconhecer informações internas — eles eram os membros das próprias equipes. Ou seja: o Efeito Halo vira do avesso a sabedoria convencional acerca de desempenho. Em vez de a avaliação do resultado ser determinada pela qualidade do processo que levou até lá, é a natureza observável do resultado que determina como avaliamos o processo.[6]

Negar o Efeito Halo é difícil, porque se não podemos confiar no resultado para avaliar um processo, então o que podemos usar? O problema, na verdade, não é que há algo errado em avaliar os processos em termos de seus resultados; mas não é garantido avaliá-los em termos de um *único* resultado. Se tivéssemos a sorte de experimentar diferentes planos diversas vezes, por exemplo, então ao manter o registro do que deu certo e do que deu errado poderíamos, sem dúvida, esperar determinar diretamente sua qualidade. Mas em casos em que podemos testar um plano apenas uma vez, a melhor maneira de evitar o Efeito Halo é concentrar nossas energias em avaliar e melhorar o que estamos fazendo enquanto o fazemos. Técnicas de planejamento como a análise de cenário e a flexibilidade estratégica, discutidas anteriormente, podem ajudar organizações a expor pressupostos questionáveis e evitar enganos óbvios, enquanto mercados preditivos e enquetes podem explorar a inteligência coletiva dos funcionários para avaliar a qualidade dos planos antes que seu resultado seja conhecido. Outras alternativas são o *crowdsourcing*, experimentos de campo e a *bootstrapping* — discutidas no capítulo anterior —, que podem ajudar organizações a aprender o que está funcionando e então fazer ajustes no meio do caminho. Ao melhorar a maneira como fazemos e implementamos planos, todos esses métodos podem aumentar nossas chances de sucesso. Mas eles não podem, e não devem, garantir o sucesso. Em qualquer instância, portanto, precisamos ter em mente que um bom plano pode fracassar e que um plano ruim pode funcionar — por obra do acaso —, e, dessa forma, tentar avaliar o plano tanto por seus próprios méritos quanto pelo resultado conhecido.[7]

Talento *versus* sorte

Mesmo no que diz respeito à avaliação do desempenho individual, é fácil cair no erro do Efeito Halo — como pode atestar o escândalo atual de compensação na indústria financeira. O motivo para o escândalo, lembrem-se, não é que os banqueiros ganham muito dinheiro — pois sempre soubemos disso —, mas que eles recebem muito dinheiro pelo que agora parece um trabalho desastroso. Sem dúvida, há algo particularmente irritante em se pagar pelo fracasso. Mas, na verdade, isso é apenas sintoma de um problema maior na noção de pagamento pelo desempenho — um problema que gira em torno do Efeito Halo. Considere, por exemplo, todos os trabalhadores do setor financeiro que se qualificaram para receber bônus generosos em 2009 — o ano pós-explosão da crise — porque geraram dinheiro para seus empregadores. Eles mereciam ganhar esses bônus? Afinal, se não foram *eles* que fizeram besteira, então por que deveriam ser penalizados pelas ações levianas de outras pessoas? Como declarou um funcionário da AIG que recebeu o bônus: "Eu mereci esse dinheiro, e não tenho nada a ver com o que aconteceu de ruim na AIG."[8] Além disso, por uma perspectiva pragmática, é inteiramente possível pensar que se funcionários que geram lucro não forem compensados de acordo, eles vão trocar de empresa, assim como seus chefes vivem lhes dizendo. Como o mesmo funcionário da AIG apontou: "Eles precisam que continuemos na empresa porque ainda estamos lhes trazendo muito dinheiro, e nós fazemos o tipo de serviço que poderíamos prestar ao concorrente, ou, se eles quisessem, poderíamos começar a perder dinheiro." Tudo isso parece razoável, mas pode ser apenas o Efeito Halo novamente. Mesmo que a mídia e o público transformem um grupo de banqueiros em vilões — aqueles que fizeram as coisas darem "errado" no passado —, ainda parece razoável que banqueiros que geram bons negócios mereçam ser recompensados com bônus. Mas pelo que sabemos, é possível que esses dois grupos de banqueiros estejam jogando exatamente o mesmo jogo.

Imagine por um segundo o seguinte experimento. Todo ano você lança uma moeda: se dá cara, você tem um ano "bom"; se dá coroa, você tem um ano "ruim". Vamos imaginar que seus anos ruins são realmente ruins, significando que você perdeu muito dinheiro para sua empresa, mas que em anos bons você conseguiu ganhar o equivalente do que perdeu nos anos ruins. Vamos adotar também um modelo estrito de pagamento proporcional ao desempenho: você não ganha nada nos anos ruins — não vale roubar com a ideia do bônus mínimo garantido ou novas opções de ações permitidas —, mas nos anos bons recebe um bônus generoso de, digamos, 10 milhões de dólares. À primeira vista, esse acordo parece justo, porque você só será pago quando se sair bem. Mas, com um olhar mais atento, vemos que a longo prazo os lucros que você gerou a seu empregador são anulados pelo que você o fez perder; porém, sua compensação chega a cerca de bons 5 milhões de dólares por ano. Pelo que imagino, nosso amigo na AIG não acha que está lançando moedas e considera minha analogia fundamentalmente despropositada. Ele sente que seu sucesso está baseado em sua habilidade, sua experiência e seu esforço, não na sorte, e que seus colegas cometeram erros de julgamento que ele conseguiu evitar. Mas, é claro, foi precisamente isso que seus colegas disseram um ou dois anos atrás, quando estavam somando esses lucros altíssimos que se revelaram ilusórios. Então por que deveríamos acreditar nele agora mais do que acreditamos nos seus colegas no passado? Indo diretamente ao ponto: existe alguma maneira de esquemas de pagamento proporcional ao desempenho recompensarem apenas desempenhos reais?

Uma estratégia cada vez mais popular é reter os bônus durante alguns anos e só então repassá-los ao funcionário. A ideia é que se os resultados são realmente tão aleatórios quanto o simples lançamento de uma moeda, então basear a compensação no que se obteve ao longo de alguns anos deve equilibrar um pouco essa aleatoriedade. Por exemplo, se eu assumo riscos ao entrar num negócio cujo valor cresce muito no mesmo ano mas naufraga no ano seguinte, como meu bônus é baseado em meu desempenho num período de três anos não vou receber bônus algum. É uma ideia coerente, mas como a recente bolha do mercado imobiliário demonstrou, pressupostos errôneos podem parecer válidos por certo período. Então, apesar de o período de observação maior diminuir a influência da sorte nos resultados, certamente não a elimina. Portanto, além do período mais extenso para a avaliação do desempenho, outra maneira de tentar diferenciar o que foi fruto do talento individual e o que foi fruto da sorte é indexar o desempenho relativo a um grupo de trabalho, o que significa que um funcionário trabalhando em um tipo específico de investimento — digamos, taxas de juros — deveria receber um bônus apenas por sair-se acima da média em comparação com todos os negociantes daquela categoria. Dito de outra forma: se todos os participantes de um mercado ou de uma indústria específica fizer dinheiro ao mesmo tempo — assim como aconteceu com os maiores bancos de investimentos no primeiro trimestre de 2010 —, devemos suspeitar que o desempenho está sendo dirigido por uma tendência secular, não pelo talento individual.

Retenção de bônus e performances indexadas aos outros funcionários são ideias valiosas, mas podem ainda não solucionar o problema maior que é diferenciar sorte de talento. Considere, por exemplo, o caso de Bill Miller, o lendário gerente de fundo mútuo cujo Value Trust bateu o S&P 500 por quinze anos consecutivos — algo que nenhum outro gerente de fundo mútuo jamais fez. Ao longo desse período, o sucesso de Miller parece um exemplo perfeito de talento se sobrepondo à sorte. Ele realmente desbancou os outros gerentes, ano após ano — um sucesso que, como o estrategista de investimentos Michael Mauboussin demonstrou, seria extremamente difícil de acontecer em meio a tantos gerentes de fundos se todos estivessem lançando as moedas proverbiais.[9] Ao fim desses quinze anos, teria sido difícil negar que Miller estava fazendo algo especial. Mas então, no período de três anos, de 2006 a 2008, logo após bater o recorde, o desempenho de Miller foi tão ruim que anulou uma boa parcela de seus lucros anteriores, arrastando sua média de dez anos para baixo daquela batida pela S&P. Então seria ele um investidor brilhante que simplesmente teve azar, ou seria ele exatamente o oposto: um investidor relativamente comum cuja estratégia até então fracassada acabou funcionando por um longo tempo? O problema é que julgando a partir de seu registro apenas como investidor, provavelmente não é possível dizer. Assim como Michael Raynor explicou ao tratar de estratégias de negócios, como a Sony *versus* Matsushita na guerra dos vídeos descrita no capítulo 7, estratégias de investimentos podem ser bem-sucedidas ou malsucedidas por vários anos seguidos por razões que nada têm a ver com habilidade e têm tudo a ver com sorte. Naturalmente não parecerá sorte, mas não há como saber se qualquer história criada para explicar aquele sucesso não é apenas mais uma manifestação do Efeito Halo.

Para ter certeza de que não estamos apenas caindo no Efeito Halo, de fato precisamos de uma avaliação de desempenho totalmente diferente — que avalie habilidades individuais de modo direto, em vez de inferi-la a partir dos resultados que podem ser determinados por forças que estão além do controle do indivíduo. No fim do período de sucesso, Miller foi muito comparado a Joe DiMaggio, que leva consigo o recorde de 56 rebatimentos impecáveis durante a temporada de beisebol de 1941. Superficialmente, as conquistas são análogas, mas no caso de DiMaggio também sabemos que seu índice de rebatimento era de 0,3246, o 44º mais alto da história do beisebol, e que durante aquele período esse índice subiu para impressionantes 0,409.[10] Então, apesar de ainda haver o elemento sorte no recorde de DiMaggio, sua habilidade garantiu que ele tivesse maior inclinação à "sorte" em comparação com outros jogadores.[11]

Então, o ideal seria ter o equivalente a um índice de rebatimentos para avaliar o desempenho em diferentes profissões. Mas fora do âmbito dos esportes, infelizmente, tais estatísticas não são tão fáceis de concatenar.[12] Isso porque resultados em esportes são geralmente repetidos muitas vezes em situações praticamente idênticas. Um jogador de beisebol pode rebater seiscentas vezes em uma única temporada, e muitas outras centenas ao longo de sua carreira, cada qual sendo, falando grosseiramente, um teste independente de habilidade individual. Até mesmo para habilidades mais efêmeras, como uma jogada fenomenal em uma posição específica no basquete profissional, que é difícil de avaliar diretamente, mas que ainda ajuda a levar o time à vitória, temos quase cem partidas pela NBA a cada temporada a que podemos assistir para observar o efeito de um jogador sobre seu time e o resultado disso.[13] A princípio, parece que um feito como bater o S&P 500 naquele ano é quase equivalente ao índice de rebatimento para gerentes de fundos — e de fato gerentes de fundo com experiência tendem a bater o S&P 500 mais vezes que a média, assim como jogadores de beisebol com altos índices de rebatimento. Com essa medida, entretanto, em uma carreira de quarenta anos um gerente de fundos terá apenas quarenta "rebatimentos" no total — um número simplesmente insuficiente para estimar o valor verdadeiro com alguma precisão.[14]

O Efeito Mateus

As finanças são, em muitos aspectos, um caso fácil, pois a existência de índices como o S&P 500 ao menos garante números oficiais contra os quais o desempenho de um investidor individual pode ser comparado. Nos negócios, na política ou no entretenimento, entretanto, há bem menos concordância acerca de como medir habilidades individuais, e ainda menos testes individuais para se avaliar tais habilidades. Acima de tudo, conquistas gerais costumam não ser demonstrações *independentes* de habilidades da mesma maneira que, digamos, cada uma das vitórias de Roger Federer no tênis são independentes. Seria possível argumentar que a reputação de Federer pode intimidar os oponentes, dando a ele uma vantagem psicológica, ou que os torneios são organizados de maneira que os maiores jogadores não se enfrentem até as etapas finais — e tudo isso poderia ser visto como uma vantagem derivada de seus sucessos anteriores. Contudo, toda vez que Federer entra na quadra, ele deve vencer mais ou menos nas mesmas circunstâncias que da primeira vez que jogou tênis como profissional. Ninguém pensaria em dar a ele, digamos, um saque a mais, ou uma autoridade maior que a do árbitro, ou qualquer outra vantagem sobre seu oponente só porque ele ganhou muitas vezes no passado. Da mesma forma, seria um escândalo permitir que o time que venceu o primeiro dos sete jogos da temporada da NBA começasse o segundo jogo já com dez pontos extras. Isto é, nos esportes tomamos muito cuidado para tornar a disputa o mais equilibrada possível e todo teste de habilidade independente um do outro.

A vida, entretanto, é caracterizada por aquilo que o sociólogo Robert Merton chamou de Efeito Mateus, batizado segundo uma frase do Livro de Mateus, da Bíblia, que lamenta: "A todos aqueles que têm mais lhes será dado, e eles terão em abundância; mas para aqueles que nada têm, até mesmo isso lhes será tomado." Mateus, nessa passagem, referia-se especificamente à riqueza (daí a frase "o rico fica mais rico, e o pobre fica mais pobre"), mas Merton argumenta que a mesma regra se aplica ao sucesso de forma geral. Isto é, o sucesso logo no início da carreira de alguém lhe confere certas vantagens estruturais que tornam os próximos sucessos mais possíveis, independentemente de suas aptidões intrínsecas. Na ciência, por exemplo, jovens cientistas que conseguem empregos em universidades de ponta na área da pesquisa tendem a carregar menos responsabilidades como professores, atraem alunos de graduação melhores e conseguem com mais facilidade bolsas de pesquisa e publicações de artigos que seus colegas que estudaram em universidades inferiores. Como resultado, dois professores na mesma área, que podem ter tido inícios de carreira comparáveis, podem vivenciar níveis extremamente diferentes de sucesso nos cinco ou dez anos seguintes apenas porque foram contratados por universidades diferentes. E a partir disso, fica cada vez mais desigual. Cientistas de sucesso tendem também a receber uma parcela desproporcional de crédito por tudo aquilo a que estão associados, como, por exemplo, artigos escritos com estudantes de graduação desconhecidos, os quais podem ter feito a maior parte do trabalho ou tido as ideias-chave. Uma vez que alguém é visto como um astro, ele pode não apenas atrair mais recursos e melhores colaboradores — produzindo, dessa forma, muito mais do que teria se as condições fossem diferentes —, como também tende a receber muito mais que sua parcela devida de crédito pelo trabalho feito.[15]

Merton escrevia sobre carreiras científicas, mas como o sociólogo Daniel Rigney argumenta em seu recente livro *The Matthew Effect*, as mesmas forças se aplicam também à maioria das outras carreiras. O sucesso leva à proeminência e ao reconhecimento, que por sua vez levam a mais oportunidades de ser bem-sucedido, mais recursos para se atingir o sucesso e maior tendência a ter seus sucessos subsequentes reconhecidos e atribuídos a você. Diferenciar as influências dessa vantagem acumulada das diferenças de talento inato ou da dedicação ao trabalho é difícil, mas uma variedade de estudos demonstrou que, por mais cuidadosamente que se tente selecionar um grupo de pessoas com potencial similar, seus destinos vão divergir muito ao longo do tempo, ratificando a teoria de Merton. Por exemplo, é sabido que universitários que se formam numa época de economia fraca vão ganhar menos, em média, do que aqueles que se formaram numa época de economia forte. Isoladamente, isso não parece tão surpreendente, mas a surpresa é que essa diferença se aplica não apenas aos próprios anos de recessão, mas continua a se acumular ao longo das décadas. Como o momento em que alguém se formou, obviamente, não tem nada a ver com seu talento inato, a persistência desses efeitos é uma evidência forte de que o Efeito Mateus está presente em todos os campos.[16]

Não gostamos de pensar que o mundo funciona dessa maneira. Em uma sociedade meritocrática, queremos acreditar que pessoas bem-sucedidas devem ser mais talentosas ou devem ter trabalhado mais que outras menos bem-sucedidas — no mínimo dos mínimos, devem ter conseguido aproveitar melhor as oportunidades que tiveram. Quando tentamos entender por que algum livro se tornou best-seller, e quando tentamos explicar por que um indivíduo é rico ou bem-sucedido, o senso comum insiste em que ambos se devem a uma qualidade intrínseca do objeto ou da pessoa em questão. Um best-seller deve ter *algo* de bom, do contrário as pessoas não o teriam comprado. Um homem rico deve ser inteligente *de alguma maneira*, ou então não seria rico. Mas o que o Efeito Halo e o Efeito Mateus nos ensinam é que essas explicações do senso comum são extremamente enganadoras. Pode ser verdade que pessoas totalmente incompetentes pouquíssimas vezes são bem-sucedidas, ou que indivíduos de raro talento quase nunca são fracassos totais, mas poucos de nós se encaixam em um desses extremos. Para a maioria de nós, a combinação de aleatoriedade e vantagem acumulada significa que indivíduos relativamente ordinários podem se sair muito bem ou muito mal, ou algum ponto intermediário entre esses extremos. Mas sendo a história individual de cada um de nós única, podemos sempre nos convencer de que o que testemunhamos foi de alguma forma o produto dos atributos incomparáveis dos indivíduos.

Nada disso significa, é claro, que pessoas, produtos, ideias e empresas não tenham qualidades e habilidades diferentes. Nem tais teorias sugerem que devemos parar de acreditar que a qualidade *deve* levar ao sucesso. O que isso sugere, porém, é que o talento deve ser avaliado em seus próprios termos. Não se deveria precisar conhecer a posição de Roger Federer no ranking dos tenistas para admitir que ele é excelente — podemos perceber isso simplesmente vendo-o jogar. Da mesma forma, se todos que conhecem Bill Miller concordam que ele é um investidor excepcionalmente inteligente e perspicaz, então ele provavelmente é mesmo. Como o próprio Miller enfatizou, estatísticas como aquela dos quinze anos de lucros são muito mais artifícios do calendário do que indicadores de seu talento.[17] Também não é que seu talento deva ser julgado pelo sucesso cumulativo de sua carreira — porque suas supostas qualidades também poderiam ser encobertas por um único golpe do acaso. Por mais insatisfatório que pareça, portanto, nossa melhor chance na tentativa de avaliar seu talento pode ser apenas observar o próprio processo de investimento.[18] O que concluirmos pode ou não condizer com seu recorde, e é quase com certeza uma avaliação mais difícil de ser feita. Mas sempre que nos vemos descrevendo a habilidade de alguém em termos de medidas sociais de sucesso — prêmios, dinheiro, títulos honoráveis — em vez de fazê-lo em termos do que esse alguém é capaz de fazer, devemos atentar para a possibilidade de estarmos nos enganando. Dito de outra maneira: a pergunta do cínico — "Se você é tão inteligente, por que não é rico?" — é indevida não apenas pelo motivo óbvio de que ao menos algumas pessoas inteligentes preocupam-se mais com recompensas não financeiras, mas também porque talento é talento, sucesso é sucesso, e este nem sempre reflete aquele.[19]

Se diferenciar sucesso e talento parece difícil, a dificuldade é ainda maior quando o desempenho das pessoas é medido não em termos de ações individuais, como o portfólio de um investidor, mas pelas ações de toda uma organização. Para ilustrar esse problema, vamos deixar os banqueiros de lado por alguns instantes e fazer uma pergunta menos elegante: até que ponto Steve Jobs, o fundador e presidente da Apple Inc., merece o crédito pelo recente sucesso da Apple? Pela sabedoria convencional, ele foi em grande parte responsável por esse sucesso; e isso não é despropositado. Desde que Jobs retornou, no fim dos anos 1990, para a liderança da empresa que fundou em 1976 com Steve Wozniak em uma garagem do Vale do Silício, a Apple passou por transformações dramáticas, lançando uma série de produtos famosos como o iMac, o iPod e o iPhone. No fim de 2009, o lucro da Apple foi 150% maior que nos últimos seis anos, e em maio de 2010 desbancou a Microsoft do posto de mais valiosa empresa de tecnologia do mundo. Durante todo esse tempo, pelo que Jobs alegou, ele não recebeu nem salário nem bônus em dinheiro — todo o seu pagamento foi em produtos da empresa.[20]

É uma história interessante, e a lista dos sucessos da Apple é tão longa que é difícil acreditar que tudo se deveu à sorte. Contudo, como é o tipo de história que acontece apenas uma vez, não podemos ter certeza de que não estamos simplesmente sucumbindo ao Efeito Halo. Por exemplo, como discuti no capítulo 7, na estratégia do iPod havia diversos elementos que poderiam tranquilamente levá-lo ao fracasso, e o mesmo se dava com o iPhone. O CEO da Microsoft, Steve Ballmer, parece bobo agora por ter zombado da ideia de que consumidores pagariam quinhentos dólares por um celular que os prendia a um contrato de dois anos com a AT&T e que não tinha um teclado, mas essa era, na verdade, uma objeção bastante razoável. Ambos os produtos parecem, hoje, obras de verdadeiros gênios, mas só porque eles vingaram. Se tivessem encalhado nas prateleiras, não estaríamos falando sobre a brilhante estratégia e a liderança de Jobs que apenas deram errado. Nada disso: estaríamos falando de sua arrogância e de sua incapacidade de perceber o que o mercado quer. Como acontece com todas as explicações que dependem do resultado conhecido para desvendar a razão de uma determinada estratégia ser boa ou ruim, a sabedoria popular acerca do sucesso recente da Apple é vulnerável ao Efeito Halo.

Deixando um pouco de lado o Efeito Halo, porém, há outro problema em potencial com a visão da sabedoria convencional acerca da Apple. E esse problema é nossa tendência a atribuir a um único indivíduo o sucesso de toda uma empresa que emprega dezenas de centenas de engenheiros, designers e marqueteiros talentosos. Como em todas as explicações baseadas no senso comum, o argumento de que Steve Jobs era o arquiteto insubstituível do sucesso da Apple é inteiramente plausível. Não apenas a reviravolta da Apple começou com o retorno de Jobs após uma década de exílio, entre 1986 e 1996, como também sua reputação como administrador exigente e rígido com foco inabalável em excelência de inovação, design e engenharia parecia estabelecer uma relação irremediável entre sua liderança e o sucesso da Apple. Finalmente, empresas grandes precisam de uma maneira de coordenar as atividades de muitos indivíduos buscando o mesmo objetivo, e uma liderança forte parece ser pré-requisito para se conseguir essa coordenação. Como esse *papel* de liderança é por definição único, o líder parece único também, e, portanto, justifica-se o fato de ele receber a maior parcela do crédito pelo sucesso da empresa.

Steve Jobs pode ter sido de fato um indivíduo brilhante — o *sine qua non* da Apple. Mas se foi, ele é a exceção e não a regra na vida corporativa. Como o professor da Harvard Business School e sociólogo Rakjesh Khurana argumenta em *Searching for a Corporate Savior*, o desempenho corporativo é geralmente determinado menos por ações do CEO do que por fatores externos, como o desempenho da indústria de forma geral ou o da economia como um todo, sobre os quais os líderes não têm controle.[21] Assim como acontece com os influenciadores que discuti no capítulo 4, Khurana conclui que explicações convencionais de sucesso invocam o poder de líderes inspiradores não porque as evidências sustentam essa conclusão, mas porque sem uma figura como essa não temos nenhuma compreensão intuitiva sobre como uma organização grande e complexa pode funcionar. Nossa necessidade de ver o sucesso de uma empresa pelas lentes de um único indivíduo poderoso, explica Khurana, é o resultado de uma combinação de pressupostos psicológicos e crenças culturais — particularmente em culturas como a dos Estados Unidos, onde conquistas individuais são muito celebradas. A mídia também prefere histórias simples e centradas em seres humanos a explicações abstratas baseadas em forças sociais, econômicas e políticas. Assim, tanto gravitamos quanto somos expostos de maneira desproporcional a explicações que enfatizam a influência de indivíduos especiais no direcionamento da trajetória de organizações e eventos incrivelmente complexos.[22]

Reforçar essa mentalidade é a maneira peculiar como líderes corporativos são selecionados. Diferentemente de mercados regulares, que são caracterizados por altos números de compradores e vendedores, preços visíveis ao público e um grande índice de elementos substituíveis, o mercado de trabalho para CEOs é caracterizado por um pequeno número de participantes, muitos dos quais estão social ou profissionalmente conectados, e opera quase que inteiramente longe do escrutínio público. O resultado é algo como uma profecia que se cumpre de forma automática. Grupos de empresários, analistas e a mídia, todos acreditam que apenas certas pessoas-chave podem tomar as decisões "certas"; assim, apenas algumas poucas pessoas são consideradas para o cargo. Essa escassez artificial de candidatos, por sua vez, dá aos vencedores o poder de extrair compensações tremendamente generosas, que são então apresentadas como provas de que "o mercado" legitimou o candidato, não um pequeno grupo de indivíduos que pensam da mesma maneira. Finalmente, a empresa então tem sucesso, o que, no caso, significa, é claro, que o líder "certo" foi escolhido, ou então não tem sucesso, e nesse caso os diretores cometeram um erro e um novo líder passa a ser procurado. Às vezes, CEOs "fracassados" vão embora com grandes indenizações, e esse tipo de acontecimento tende a atrair toda a atenção. Na visão de Khurana, entretanto, a indignação que é por vezes expressa diante dessas circunstâncias perpetua a crença errônea de que o desempenho de uma empresa pode ser atribuído a um indivíduo — até mesmo ao CEO — em primeiro lugar. Se os diretores estivessem mais dispostos a questionar a própria noção de um CEO insubstituível, e se as buscas por CEOs estivessem abertas a uma quantidade maior de candidatos, seria mais difícil para os candidatos conseguir indenizações tão extravagantes ao deixar a empresa.[23]

Independentemente de podermos respondê-las ou não, questões sobre como diferenciar sorte de talento e contribuições individuais de desempenho coletivo podem também nos dizer muito sobre a maneira como a sociedade como um todo pensa a respeito de equidade e justiça. Essa questão foi levantada em uma língua um tanto diferente em uma famosa discussão entre os filósofos políticos Robert Nozick e John Rawls acerca daquilo que constitui uma sociedade justa. Nozick era um libertário que acreditava que as pessoas, em essência, recebiam por aquilo que trabalhavam, e que portanto ninguém poderia tirar isso delas, mesmo se isso significasse sustentar grandes desigualdades na sociedade. Já Rawls perguntou em que tipo de sociedade cada um de nós escolheria viver se não soubéssemos com antecedência em que ponto da hierarquia socioeconômica seríamos inseridos. Rawls argumentava que qualquer pessoa racional preferiria uma sociedade igualitária — uma em que todos estivessem no mesmo patamar — a uma em que poucas pessoas fossem muito ricas e muitas pessoas fossem muito pobres, porque as chances de ser um dos muitos ricos são pequenas.[24]

Nozick achou o argumento de Rawls profundamente perturbador, porque ele considerava, ao menos em parte, o que um indivíduo conquista para a sociedade em vez de para seus próprios esforços. Se um indivíduo não aproveitar os frutos de seu talento e seu esforço, continuava o argumento de Nozick, ele efetivamente está trabalhando para alguém contra sua vontade e, portanto, não é "dono" de si. Impostos, ele continua, junto com todas as outras tentativas de redistribuir a renda, são o equivalente moral da escravidão e, portanto, são inaceitáveis, não importa que benefícios possam trazer a outros indivíduos. O argumento de Nozick tocou muitas pessoas, e não só porque ele apresentava uma defesa filosófica a favor de impostos menores. Ao raciocinar sobre o que poderia ser considerado justo em um "estado natural" hipotético, também combinava bem com as noções comuns de sucesso e fracasso individual. Em um estado natural, isto é, se um homem investe tempo e esforço para construir, digamos, uma canoa para pescar, ninguém pode tirá-la dele, mesmo que isso signifique que alguém que precisava daquela canoa vai sofrer e morrer. Ou seja: realizações individuais são unicamente produto de esforços e habilidades individuais.

E em um estado natural Nozick poderia mesmo estar certo. Mas o ponto central do argumento de Rawls é que não vivemos num mundo assim. Vivemos em uma sociedade altamente evoluída, em que recompensas desproporcionalmente grandes podem ser dadas aos que contam com certos atributos e que tiveram as oportunidades certas. Por exemplo, nos Estados Unidos dois atletas igualmente talentosos e disciplinados — um deles sendo um ginasta de nível olímpico e o outro, um jogador de basquete também de nível olímpico — vão provavelmente atingir níveis de fama e de riqueza radicalmente diferentes, não devido a mérito ou imperfeições de qualquer um deles. Da mesma forma, duas crianças com traços genéticos indistinguíveis — uma delas nascida em uma família rica, educada e socialmente prestigiada, e a outra nascida em uma família pobre e socialmente isolada, sem nenhum histórico de conquistas educacionais — terão prospectos totalmente diferentes de sucesso.[25] Finalmente, até mesmo diferenças aleatórias em oportunidades que aparecem cedo na carreira de alguém podem ser acumuladas, pelo Efeito Mateus, e podem gerar grandes diferenças em toda uma vida. O argumento de Rawls é que como os mecanismos de desigualdade são essencialmente acasos — seja de nascimento, de talento ou de oportunidade —, uma sociedade justa é aquela em que os efeitos adversos desses acasos são minimizados.

O argumento de Rawls é por vezes erroneamente entendido como uma sugestão de que desigualdade de qualquer tipo é indesejável, porém não é nada disso. Permitir que por meio de muito trabalho e de aplicação de talentos individuais alguém possa se sair melhor que seus companheiros é, sem dúvida, benéfico para a sociedade como um todo — exatamente como os libertários acreditam. No mundo de Rawls, portanto, as pessoas estão livres para fazer o que quiser, e estão perfeitamente dentro de seus direitos quando conquistam tudo o que podem segundo as regras do jogo. E se uma das regras do jogo dita que jogadores de basquete ganham mais dinheiro que ginastas, ou que investidores ganham mais que professores, então que assim seja. O argumento de Rawls é justamente que as próprias regras do jogo devem ser escolhidas para satisfazer fins sociais, não individuais. Banqueiros, em outras palavras, têm direito ao que quer que eles consigam negociar com quem lhes garante o emprego, porém não é certo que haja um sistema econômico no qual a indústria financeira seja tão mais rentável do que qualquer outra.

A consequência inesperada desse argumento é que discussões acerca de compensações individuais não devem ser conduzidas em níveis individuais. Se é verdade que banqueiros ganham demais, a solução não é se envolver no confuso negócio da regulamentação dos salários de cada um, como a indústria financeira defende, mas fazer com que as atividades bancárias sejam menos rentáveis de forma geral — digamos, limitando o valor com que bancos e fundos podem alavancar seus portfólios financeiros com dinheiro emprestado, ou forçando os chamados derivativos de balcão a serem trocados em negociações públicas. A indústria financeira pode argumentar, é claro, que customizações e incrementações oferecem benefícios a seus clientes e para a economia, assim como para si mesmos. E esses argumentos, apesar de serem sustentados em benefício próprio, podem ter seu mérito. Mas se as vantagens são anuladas pelos custos econômicos de um risco maior para o sistema econômico como um todo, então não há nada inerentemente injusto com a sociedade mudar as regras. Podemos discutir se tornar os bancos uma indústria menos rentável poderia, no geral, ser uma coisa boa ou ruim para a sociedade, mas é isso que devemos discutir — não se indivíduos merecem seus bônus de 10 milhões de dólares. Argumentos libertários sobre o que seria num estado natural são simplesmente irrelevantes, porque em um estado natural ninguém receberia um bônus de 10 milhões de dólares.

Basicamente pelas mesmas razões, discussões sobre a chamada redistribuição de riqueza erram ao supor que a distribuição existente é de alguma forma o estado natural das coisas, a partir do qual qualquer desvio foge ao natural, e portanto é moralmente indesejável. Na verdade, *qualquer* distribuição de riqueza reflete um determinado conjunto de escolhas que a sociedade fez: valorizar algumas habilidades e não outras; taxar ou proibir algumas atividades enquanto subsidia ou encoraja outras; e reforçar algumas regras enquanto permite que outras sejam ignoradas ou violadas em essência. Todas essas escolhas podem ter ramificações consideráveis para quem fica rico e quem não fica — como exemplificam recentes revelações sobre subsídios do governo norte-americano implícitos e explícitos para financiadores de empréstimos para estudantes e companhias multinacionais de exploração de petróleo.[26] Mas não há nada "natural" em nenhuma dessas escolhas, que são tanto um produto de acidentes históricos, conveniência política e lobby corporativo quanto de racionalidade econômica ou desejos sociais. Se algum agente político — digamos, o presidente ou o Congresso — tentar alterar algumas dessas escolhas, transferindo, por exemplo, as cargas de impostos da classe trabalhadora para os multimilionários, taxando o consumo em vez dos rendimentos ou eliminando os subsídios de várias indústrias, então certamente é válido discutir se as mudanças propostas fazem sentido a partir dos próprios méritos. Mas não é válido opor-se a elas apenas porque alterar a distribuição de riqueza em si é errado.

Privatize os lucros, socialize as perdas

Discussões sobre o que a sociedade pode cobrar de cada um são também relevantes para questões de contabilidade. Por exemplo, recentemente muito se escreveu sobre se os bancos e outras empresas financeiras que representam um grande risco sistêmico deveriam existir.[27] Grande parte dessa discussão girou em torno de se tentar saber se é o tamanho, a interconectividade ou algum outro atributo de uma instituição financeira o que determina os riscos que sua falência pode criar para o restante da economia. Tratar dessas questões é importante, ao menos para compreender melhor como medir o risco sistêmico e, espera-se, delineá-lo por meio de limitações bem-pensadas. Mas também é possível que não haja maneira de eliminar o risco contínuo em sistemas financeiros, ou de garantir a robustez e a estabilidade de qualquer sistema complexo interconectado. Redes de transmissão são geralmente capazes de suportar as falhas de linhas de transmissão e geradores, mas às vezes uma falha aparentemente inócua pode criar um efeito cascata sobre todo o sistema, derrubando centenas de estações de energia e afetando milhões de consumidores — como aconteceu diversas vezes em anos recentes nos Estados Unidos, no Brasil e na Europa.[28] Da mesma forma, nossas criações mais elaboradas de engenharia, como reatores nucleares, aviões comerciais e satélites, projetados para maximizar a segurança, vez ou outra sofrem falhas catastróficas. Até mesmo a internet, que é extremamente resistente a falhas de todos os tipos, acaba sendo bastante vulnerável a uma variedade enorme de ameaças impalpáveis, como *spam* crônico, vírus, ataques a sites etc. Na verdade, é possível que quando um sistema atinge certo nível de complexidade não seja mais possível evitar a possibilidade de que algo dê errado.[29] Nesse caso, precisamos não apenas de melhores ferramentas para pensarmos sobre riscos sistêmicos, como também de uma maneira melhor de pensarmos sobre como responderemos às falhas sistêmicas quando elas inevitavelmente acontecerem.

Para ilustrar, considere a reação dos banqueiros à proposta da administração Obama de cobrar impostos sobre certos lucros comerciais como uma maneira de recuperar o dinheiro investido do contribuinte. Para os banqueiros, eles já haviam devolvido esse dinheiro — corrigido —, e dessa forma nada mais poderia ser legitimamente cobrado deles. Mas imagine por um segundo quais *teriam sido* os lucros do sistema bancário em 2009 sem as centenas de bilhões de dólares dos fundos do governo, das quais eles se beneficiaram direta e indiretamente. Jamais saberemos com certeza, é claro, porque não realizamos nenhuma experiência, mas podemos fazer alguns palpites embasados. A AIG, por exemplo, provavelmente não existiria, e seus vários ramos, incluindo a Goldman Sachs, ficariam sem algumas dezenas de bilhões de dólares vindos da AIG. O Citigroup poderia ter até mesmo entrado em colapso, e a Merrill Lynch, a Bear Stearns e o Lehman Brothers poderiam ter se dissolvido, ao invés de fundirem-se com outros bancos.

Considerando isso tudo, o sistema bancário poderia ter perdido dezenas de bilhões de dólares em 2009 — o exato oposto das dezenas de bilhões de dólares que lucrou — e milhares de banqueiros que receberam bônus estariam fora do jogo. Agora, imagine que no segundo semestre de 2008 os líderes da Goldman Sachs, da J.P. Morgan, do Citigroup e todo o resto tivessem tido que escolher entre o mundo do "suporte sistêmico", no qual o apoio dos governos é garantido, e o mundo "libertário", em que eles deveriam se virar sozinhos. Esqueça por um momento a devastação que teria sido propagada para o resto da economia e pergunte-se quanto dos seus lucros futuros os bancos estariam dispostos a abrir mão para impedir a bancarrota. Mais uma vez, é uma pergunta hipotética, mas, com a própria sobrevivência correndo risco, parece seguro presumir que eles teriam concordado em comprometer mais do que o valor de seus empréstimos diretos.

Que os bancos e seus parceiros conseguiram se colocar como vítimas da intervenção do governo e do populismo político é desnecessário dizer, e não apenas pela razão óbvia de que os bancos se beneficiaram da considerável liberalidade governamental e não de empréstimos diretos.[30] A verdadeira razão é a consistência filosófica. Em épocas de bonança, os bancos querem ser vistos como entidades independentes que assumem riscos sozinhas, merecedoras de todos os frutos de seu exaustivo trabalho. Mas durante uma crise eles querem ser tratados como elementos cruciais em um sistema amplo para o qual sua queda representaria uma ameaça existencial. Se essa última afirmação é verdadeira porque eles são grandes demais ou interconectados demais, ou por qualquer outra razão, na verdade não é muito importante. A questão é: ou eles são libertários, devendo, portanto, sustentar todo o peso de seus fracassos, assim como o de seus sucessos, ou são rawlsianianos, devendo pagar suas dívidas para com o sistema que toma conta deles. Não deveriam poder trocar de filosofia segundo sua conveniência.

Sustentando o peso uns dos outros

Em seu livro mais recente, *Justiça*, o filósofo Michael Sandel levanta uma questão semelhante, argumentando que todas as questões de equidade e justiça devem ser adjudicadas à luz da dependência que temos uns dos outros — mais claramente, de nossas redes de amigos, família e colegas, mas também de nossas comunidades, de nossas identidades nacionais e étnicas, e até mesmo de nossos ancestrais mais distantes. Temos orgulho do que "nosso" povo conquistou, protegemos contra forasteiros e estendemos a mão para ajudar quando necessário. Sentimos que devemos a ele nossa lealdade por nenhuma outra razão além de estarmos conectados, e esperamos que eles retribuam. Não deve surpreender, portanto, que redes sociais desempenhem um papel crítico em nossa vida, conectando-nos com recursos, fornecendo informações e suporte e facilitando transações baseadas em confiança mútua e respeito presumido. Estamos tão incorporados em redes de relacionamentos sociais que seria difícil imaginarmo-nos fora delas.[31]

Até aqui, essa visão não parece controversa. Até mesmo Margaret Thatcher, que afirmou que "não há nada como a sociedade", admitia que as famílias são tão importantes quanto os indivíduos. Porém, Sandel defende que a importância das redes sociais tem uma consequência inesperada para a noção de liberdade individual. Seja lá o que preferimos pensar, nunca somos inteiramente livres, nem gostaríamos de ser. Os mesmos laços que dão sentido à nossa vida também nos cerceiam, e é precisamente nos *cerceando* que nos dão sentido. A partir da perspectiva de Sandel, raciocinar sobre equidade ou justiça exclusivamente a partir da perspectiva da liberdade individual não faz mais sentido do que raciocinar sobre o que é justo exclusivamente por meio de uma analogia com um estado natural imaginado, nem com uma representação precisa do mundo em que vivemos. Gostemos ou não, nossas concepções de justiça devem dar conta dessa tensão entre indivíduo e sociedade como um todo. Porém, é mais fácil falar do que fazer. Por exemplo, Sandel defende que não devemos ter orgulho de nossa ascendência americana sem termos também vergonha da história de escravidão no país. Os libertários podem argumentar que foram seus ancestrais, não eles próprios, que cometeram esses atos tão repreensíveis, portanto não há do que se desculpar. Mas certamente essas mesmas pessoas também sentem orgulho de sua ancestralidade e preferem viver neste país a viver em qualquer outro. Na visão de Sandel, não podemos simplesmente decidir conforme nos convém quando vamos nos identificar com nossos ancestrais e quando vamos nos colocar como distantes deles. Ou você é parte daquela comunidade, e nesse caso deve dividir tanto os ônus quanto os benefícios, ou você não é, e nesse caso fica sem nada.

O argumento de Sandel de que nossas ações individuais estão inextricavelmente incorporadas a redes de relações sociais tem consequências não apenas para discussões sobre equidade e justiça, mas também sobre moralidade e justiça. De fato, Sandel diz que não podemos determinar o que é justo sem também avaliar o status moral de alegações opostas. E isso requer que resolvamos o propósito moral de instituições sociais. Não podemos decidir se o casamento gay é certo ou justo, por exemplo, sem decidirmos, primeiramente, qual é o propósito do casamento. Não podemos determinar se o processo seletivo de uma universidade é justo até que decidamos qual é o objetivo de uma universidade. E não podemos decidir se a maneira como banqueiros são recompensados é apropriada sem primeiramente estabelecer o que um banqueiro deve fazer pela sociedade. Nesse sentido, a visão de Sandel remonta à filosofia de Aristóteles, que também acreditava que questões de justiça exigem reflexões sobre o propósito das coisas. Diferentemente de Aristóteles, porém, Sandel não defende uma visão de propósito determinada fora do próprio sistema social — digamos, por decreto divino. Em vez disso, o propósito é algo que os membros de uma sociedade devem decidir no coletivo. Assim, Sandel conclui que uma sociedade justa não é aquela que procura adjudicar disputas entre indivíduos de uma perspectiva moralmente neutra, mas aquela que facilita o debate sobre o que deve ser a perspectiva moral apropriada. Como reconhece Sandel, isso é algo provavelmente complicado de se fazer e um trabalho sempre em andamento, mas ele não vê nenhuma maneira de nos abstermos de tal tarefa.

O mais interessante nos argumentos de Sandel — ao menos para um sociólogo — é que eles são altamente sociológicos. Sociólogos, por exemplo, há muito acreditam que o significado da ação individual só pode ser devidamente compreendido no contexto de redes de relacionamento interligadas, conceito que vem sendo chamado de *embeddedness*, enraizamento social.[32] Além disso, a afirmação de Sandel de que os valores a partir dos quais julgamos equidade são necessariamente o produto da sociedade reflete a ideia, originalmente explorada por sociólogos nos anos 1960, de que a realidade social é uma construção da própria sociedade, não algo que nos é dado por um mundo exterior.[33] Uma importante implicação do argumento de Sandel, portanto, é que as questões fundamentais da filosofia política são também questões sociológicas.

Então, como poderíamos responder a elas? Certamente, pensar a respeito da maneira como Sandel o faz é uma possibilidade, e essa geralmente tem sido a resposta dada também pelos sociólogos. Mas confiar somente na intuição para refletir acerca desse tipo de questão pode também ser limitador. Não há problemas em afirmar, como muitas pessoas afirmaram recentemente, que bancos cujas ações resultaram em riscos sistêmicos devem ser responsabilizados, providenciando, por exemplo, um seguro contra "riscos sistêmicos" ou obrigando-os a aumentar suas reservas de capital. Mas sem uma compreensão clara do risco sistêmico é impossível avaliar quanto dele é gerado por uma determinada ação e, portanto, quantas penalidades devem ser impostas a quem os assumir. Da mesma forma, uma coisa é apontar que damos muita ênfase aos resultados quando avaliamos processos ou muita importância a "pessoas especiais" ao determinar esses resultados. Mas outra coisa completamente diferente é elaborar melhores avaliações de desempenhos e um melhor senso de como sistemas sociais complexos como empresas, mercados e sociedades realmente funcionam. Em suma: por mais importante que seja pensar sobre essas questões, também é importante fazer mais do que apenas discutir a respeito delas. E nesse ponto é válido perguntar o que a ciência social pode oferecer, se é que ela pode oferecer algo.

10

O verdadeiro estudo da humanidade

"Conhece-te, pois; não pretendas esquadrinhar Deus. O verdadeiro estudo da humanidade é o homem."

Alexander Pope, "Ensaio sobre o homem"

Quando Alexander Pope publicou seu "Ensaio sobre o homem", em 1732, a compreensão que se tinha do mundo era muito diferente da que temos hoje. Escrito apenas algumas décadas depois que a obra--prima de Isaac Newton, *Principia*, explorou os princípios matemáticos de cinética planetária, o ensaio de Pope surgiu quando intelectuais ainda estavam batendo cabeça diante de um conceito que deve ter sido chocante naquela época: as leis que governam a movimentação dos objetos do dia a dia aqui na Terra são exatamente as mesmas que governam as esferas celestiais. Na verdade, eles ainda estavam lutando para aceitar a ideia de que "leis" físicas de qualquer tipo podiam ser descritas em termos de equações matemáticas e que essas equações poderiam então ser usadas para prever com precisão impressionante o comportamento futuro de tudo que existe, desde a maré alta de amanhã ao retorno de cometas distantes. Deve ter sido uma época mágica para se viver, pois o Universo, há tanto tempo um enigma, parecia subitamente ter sido conquistado pela mente de um único homem. Como o próprio Pope disse:

A natureza e as leis da natureza jaziam ocultas na noite;
Deus disse, "Faça-se Newton", e a luz se fez.[1]

Pelos trezentos anos seguintes, o conhecimento da humanidade iria crescer inexoravelmente, desvendando os mistérios do mundo. Os resultados foram impressionantes. Temos teorias sobre o Universo que remontam ao Big Bang e telescópios que observam através de galáxias. Enviamos naves espaciais para fora do Sistema Solar e mandamos homens à Lua. Construímos bombas que podem destruir uma cidade inteira e mísseis que podem atravessar uma janela. Medimos a Terra com grande precisão e compreendemos suas engrenagens internas. Construímos edifícios e pontes imensas, e mudamos o caminho de rios, o formato de montanhas, até o contorno do litoral. Temos relógios que medem o tempo em bilionésimos de segundo e computadores que procuram todas as palavras já escritas desde o início das eras em menos tempo do que levaria para escrever a mesma palavra. Na ciência, parece, podemos muito bem fazer os anjos dançarem na cabeça de um alfinete.

É bastante óbvio que a ciência social não seguiu o mesmo ritmo, mas é fácil inferir a lição errada a partir dessa observação. Fui lembrado desse problema recentemente por um colega cientista que reclamou comigo que estava lendo muito sobre sociologia e que, em sua opinião, o problema da disciplina era que não se descobrira nenhuma lei de comportamento humano que estivesse minimamente próxima, em termos de ser geral ou precisa, daquelas com que ele estava acostumado no mundo da física. Em vez disso, pareceu-lhe, a sociologia era apenas uma conglomeração sem fim de casos especiais, quando alguém fez algo por uma razão num dado momento, e outra pessoa fez outra coisa por outra razão em outro momento. Como físico, ele achava essa falta de uniformidade particularmente frustrante. Afinal, é difícil imaginar como qualquer progresso memorável na física poderia ter acontecido na ausência de leis como as de Newton, que se aplicam a tudo em qualquer espaço e a qualquer momento. Essas leis foram tão essenciais para o sucesso da ciência que, de fato, acabaram sendo associadas com a própria ideia de ciência em si. Ele certamente sentiu que a inabilidade de sociólogos de elaborar algo no mínimo comparável significava que a ciência social não merecia realmente ser vista como ciência.

Na verdade, essa tendência de julgar a sociologia a partir dos critérios da física é antigo, remontando a Auguste Comte, o filósofo do século XIX que é por vezes creditado como o pai da disciplina. Comte imaginou que a sociologia, que ele chegou a chamar de física social, teria seu lugar ao lado da matemática, da astronomia, da física, da química e da biologia como uma das seis ciências fundamentais que descrevem toda a realidade. A sociologia, na visão de Comte, seria uma "teoria total" de toda a experiência humana, englobando todas as outras ciências e expandindo-as para abranger também culturas, instituições, economias, políticas, tudo — exatamente o tipo de teoria geral que meu amigo cientista estava procurando. Comte nunca articulou essa teoria em detalhe, mas sua filosofia positivista — a ideia de que entidades e forças sociais podem ser descritas e analisadas da mesma maneira que entidades e forças físicas — montou o cenário para as grandes teorias que se seguiram.

Uma das primeiras teorias desse tipo foi proposta pouco depois de Comte pelo filósofo Herbert Spencer, um contemporâneo de Darwin. Spencer desenvolveu a tese de que sociedades poderiam ser entendidas como organismos, no qual seres humanos poderiam ser vistos como células, instituições desempenhavam o papel de órgãos e o desenvolvimento era conduzido por um processo análogo ao da seleção natural. De fato, foi Spencer, não Darwin, que cunhou a expressão "sobrevivência do mais apto". As ideias específicas de Spencer foram rapidamente tachadas de ingênuas, mas seu principal argumento filosófico, de que as sociedades são organizadas da maneira que são para cumprir alguma função holística, persistiu lado a lado com o positivismo de Comte e fundamentou o pensamento de sociólogos como Émile Durkheim, que ainda hoje é considerado uma das maiores figuras da disciplina.

A apoteose da grande teorização, entretanto, só chegou na metade do século XX, com o trabalho do sociólogo de Harvard Talcott Parsons, que desenvolveu um eixo da teoria que se tornou conhecido como funcionalismo estrutural. De acordo com Parsons, instituições sociais são feitas de redes de papéis interpenetrantes, que por sua vez são desempenhados por indivíduos motivados por fins racionais. Ao mesmo tempo, entretanto, a ação individual é restringida por normas sociais, leis e outros mecanismos de controle que foram incorporados às instituições das quais os indivíduos são uma parte.[2] Ao exaustivamente classificar todas as várias funções que diferentes tipos de comportamento poderiam satisfazer, junto com as diferentes estruturas sociais e culturais em que tiveram espaço, Parsons tentou nada menos que descrever toda a sociedade. Foi uma grande construção, sem dúvida, e o nome de Parsons geralmente está entre os dos grandes teóricos de todos os tempos. Mas assim como Spencer e Comte antes dele, a tinta mal havia secado na "teoria geral" de Parsons quando seus críticos a destruíram: ela dizia, segundo eles, pouco mais que "as pessoas fazem as coisas porque querem", não sendo, portanto, realmente uma teoria, mas "um conjunto de conceitos e definições", e era tão complicada que ninguém conseguia compreendê-la.[3]

Revisitando as críticas ferrenhas à teoria de Parsons alguns anos depois, Robert Merton — o sociólogo de cujo trabalho sobre o Efeito Mateus tratei no capítulo anterior — concluiu que teóricos sociais haviam sido rápidos demais em tentar emular o sucesso teórico de seus colegas das ciências naturais. Não que Merton não compreendesse a inveja que os cientistas tradicionais poderiam inspirar nos demais. Em suas palavras, "muitos sociólogos assumem as conquistas das ciências naturais como o padrão para autoavaliação. Querem fazer uma queda de braço com seus irmãos mais velhos. Eles também querem *contar*. E quando se torna evidente que eles não têm o físico robusto nem o soco violento de seus irmãos maiores, alguns sociólogos se desesperam. Eles começam a perguntar: será que uma ciência da sociedade só é realmente possível se estabelecermos um sistema total da sociologia?" Apesar de complacente, Merton, porém, alertou que "essa perspectiva ignora o fato de que entre a física do século XX e a sociologia do século XX há bilhões de horas de pesquisa consistente, disciplinada e acumulada". Nas ciências naturais, foi apenas depois que Copérnico e Brahe, e uma multidão de outros teóricos, passaram centenas de anos fazendo observações trabalhosas que astrônomos como Kepler desvendaram as regularidades matemáticas que poderiam explicar os dados acumulados. Foi *só então* que um gênio singular como Newton esteve em posição de reduzir essas regularidades a leis genuínas. Já os teóricos sociais a que Merton se referia fizeram o caminho contrário, propondo sistemas inteiros de pensamento logo de saída, e só então preocupando-se com o que eles deveriam avaliar.[4] "Talvez", lamentou Merton, "a sociologia ainda não esteja pronta para seu Einstein porque ainda não encontrou seu Kepler — isso sem mencionar seu Newton, seu Laplace, seu Gibbs, seu Maxwell ou seu Planck".[5]

Em vez de buscar grandes teorias ou leis universais de comportamento humano, portanto, Merton defendia que os sociólogos deveriam se concentrar no desenvolvimento de "teorias de médio alcance", ou seja, teorias de abrangência suficiente para dar conta de mais do que apenas fenômenos isolados, porém com especificidade que permita dizer algo concreto e útil. Por exemplo, a "teoria de privação relativa" alega que as pessoas se sentem angustiadas com circunstâncias apenas à medida que suas dificuldades ultrapassam as de pessoas à sua volta. Assim, se sua casa pega fogo em um incêndio incontrolável, você fica arrasado, porém se toda a cidade é devastada por um terremoto e centenas de seus vizinhos morrem, você sente que tem sorte por estar vivo. Não é uma teoria geral de todo, propondo-se apenas a prever como as pessoas reagem a adversidades, mas também objetiva aplicar-se a percepções de adversidades de forma bastante abrangente. Da mesma forma, a "teoria do conjunto de papéis" diz que cada indivíduo desempenha não apenas uma multiplicidade de papéis — um professor na escola, um pai em casa, um goleiro no time de futebol do fim de semana —, mas também que cada um desses papéis é em si uma coleção de relacionamentos: entre professor e alunos, entre ele e seus colegas de trabalho, e entre ele e seu diretor. Novamente, a teoria é um tanto específica — não diz nada sobre mercados, governos ou outras características importantes do mundo social —, mas é também algo geral, aplicando-se a pessoas de todos os tipos.[6]

O apelo de Merton por teorias de médio alcance é geralmente visto como sensato, mas incapaz de dar conta do ardor por teorias de natureza mais ampla. Pouco menos de um ano após Merton publicar sua crítica, aliás, o economista John Harsanyi, Nobel de Economia em 1994 por seu trabalho sobre teoria dos jogos, propôs que a teoria da escolha racional — discuti no capítulo 2 sobre a tomada de decisões — estava pronta para oferecer precisamente o tipo de teoria geral que, pelo que Merton havia acabado de concluir, era radicalmente prematura. E então outro ciclo começou, com teóricos da escolha racional traçando paralelos entre seus esforços e a mecânica newtoniana, enquanto críticos levantavam cada vez mais questões contra isso, iguais às que os próprios teóricos da escolha racional haviam feito à geração anterior de teóricos como Parsons.[7] Nem a percepção crescente de que a teoria da escolha racional não poderia oferecer uma teoria universal de comportamento humano que fosse além da de seus antecessores salvou a ciência social do monstro de olhos verdes de inveja da ciência natural.[8] Muito pelo contrário: se a reclamação do meu colega físico é algum indicativo, mesmo que sociólogos finalmente se cansem de grandes teorias sobre tudo, há uma nova geração de cientistas naturais esperando para recomeçar a busca.[9]

Quando pensamos sobre a pura complexidade do comportamento humano, essa forma de fazer ciências sociais não parece muito plausível. Como expus no capítulo 2, o comportamento individual é complicado por dezenas de pressupostos psicológicos, muitos dos quais funcionando além da nossa percepção consciente e interagindo de maneiras ainda desconhecidas. E como demonstrei no capítulo 3, quando indivíduos interagem uns com os outros, seu comportamento coletivo pode simplesmente não derivar de características e incentivos individuais, não importa quanto saibamos sobre eles. Dado que a verdadeira complexidade do mundo social — envolvendo não apenas pessoas e grupos, mas também um conjunto impressionante de mercados, governos, empresas e outras instituições que criamos para nós mesmos — é tão maior do que aquilo que eu mal comecei a descrever aqui, por que diabos alguém iria sequer *pensar* que poderia descrever uma série de regras capazes de explicar tudo?

Minha resposta é que teóricos sociais são pessoas também, e por isso cometem os mesmos erros de planejadores, políticos, marqueteiros e estrategistas de negócios, o que significa subestimar muito a dificuldade do que eles estão tentando fazer. E assim como planejadores, políticos etc., não importa quantas vezes essas teorias tão grandiosas fracassem, sempre haverá alguém novo que pensa que não pode ser tão difícil assim — porque, afinal de contas, "não é astronáutica". Em suma: se muito do que a sociologia tem a oferecer parece senso comum, não é simplesmente porque tudo a respeito do comportamento humano parece óbvio depois que sabemos a resposta. Outra parte do problema é que cientistas sociais, assim como todo mundo, participam da vida social, e por isso sentem que podem compreender a razão de as pessoas fazerem o que fazem simplesmente pensando a respeito disso. Assim, não é surpreendente que muitas explicações sociais científicas sofram da mesma fraqueza — asserções *ex post facto* da racionalidade, indivíduos representativos, pessoas especiais e correlações substituindo causas — que nossas explicações baseadas no senso comum.

Medindo o incomensurável

Uma resposta a esse problema, como um colega de Lazarsfeld, Samuel Stouffer, apontou há mais de sessenta anos, é que os sociólogos devem depender *menos*, não mais, de seu senso comum e, ao invés disso, tentar cultivar o senso incomum.[10] Mas livrar-se da lógica do senso comum na sociologia é mais difícil do que parece. Em grande parte a dificuldade é que, na história da ciência social, na maioria das vezes simplesmente não foi possível *medir* os elementos dos fenômenos sociais da maneira como medimos os elementos dos fenômenos físicos e biológicos. Os fenômenos sociais, como eu já havia notado, consistem de largas populações de pessoas interagindo e influenciando umas às outras, e interagindo com as organizações e os governos criados por elas — nenhum dos quais é fácil de ser observado diretamente, ainda menos de se colocar em um laboratório.[11]

Entretanto, recentemente o mundo começou a mudar de maneira que podem ser dissolvidas algumas dessas limitações históricas no âmbito da ciência social. Tecnologias de comunicação como e-mail, celulares e mensagens instantâneas vêm implicitamente registrando redes sociais entre bilhões de indivíduos, juntamente com o fluxo de informações que se transmite por elas. Comunidades on-line como o Facebook, o Twitter, a Wikipedia e o World of Warcraft facilitam as interações entre as pessoas de maneira que tanto promovem novos tipos de atividades sociais quanto as registram. Sites de *crowdsourcing* como o Mechanical Turk, da Amazon, são cada vez mais usados como "laboratórios virtuais" no qual pesquisadores podem conduzir experiências psicológicas e comportamentais.[12] E buscas on-line, mídia on-line e comércio eletrônico estão gerando cada vez mais conclusões sobre as intenções e ações de pessoas em todo o mundo. A capacidade de observar ações e interações de potencialmente bilhões de pessoas apresenta alguns problemas sérios sobre os direitos e a privacidade dos indivíduos, por isso devemos agir com cautela.[13] Contudo, essas tecnologias também exibem enorme potencial científico, permitindo-nos pela primeira vez na história observar, com grande fidelidade, o comportamento em tempo real de grupos grandes e até mesmo de sociedades como um todo.

Por exemplo, a experiência do Music Lab que apresentei no capítulo 3 mostrou a importância da influência social na determinação do sucesso a partir de cerca de 30 mil participantes. Poderíamos apenas sonhar com essa experiência há cinquenta anos — quando psicólogos sociais estavam apenas começando a desenvolver estudos experimentais de influência e tomada de decisão em grupo —, mas teria sido impossível realizá-la até pouco tempo atrás, pela simples razão de que não podemos colocar tantas pessoas dentro de um laboratório. Da mesma forma, o estudo sobre os "influenciadores" no Twitter, do qual tratei no capítulo 4, foi pensado para responder a uma questão — se indivíduos especiais fazem ou não as informações se propagarem — que é pertinente há décadas. Porém, respondê-la exigiu que seguíssemos a difusão de mais de 70 milhões de URLs em toda a rede do Twitter em um período de dois meses. Antes de serviços de redes sociais on-line como o Twitter e o Facebook, os quais, lembrem-se, existem há apenas alguns anos, esse nível de escala e resolução teria sido impossível.[14]

Outras experiências que descrevi, como a do mundo pequeno, do capítulo 4, eram certamente possíveis na era pré-internet, mas não na escala em que podem ser agora conduzidas. A experiência original de Milgram, por exemplo, utilizou cartas físicas e confiou em apenas trezentos indivíduos tentando encontrar uma única pessoa em Boston. A experiência com e-mails que eu e meus parceiros desenvolvemos em 2002 envolvia mais de 60 mil pessoas direcionando mensagens a um dos dezoito alvos, que, por sua vez, estavam localizados em treze países diferentes. Em sua rota até a entrega, as correntes de mensagens passaram por mais de 160 países; portanto, com todas as suas limitações, a experiência foi, no mínimo, um teste bruto para a hipótese do mundo pequeno em uma escala realmente global. Da mesma forma, a experiência de campo conduzida por David Reiley e Randall Lewis sobre a eficácia de propagandas, descrita no capítulo 8, teve uma arquitetura similar à de experiências que haviam sido realizadas no passado, porém, contando com 1,6 milhão de participantes, foi muitas vezes maior. A própria proporção do exercício já é impressionante só porque ele pôde ser realizado, mas também é importante no âmbito científico — porque é possível que os efeitos, embora reais, sejam pequenos, e nesse caso precisamos de números muito grandes para chegar a conclusões definitivas.[15]

Farinha do mesmo saco

Outro tipo de estudo que teria sido impossível até pouco tempo atrás diz respeito a um dos padrões mais observados da vida social, conhecido na sociologia como o princípio da homofilia — a ideia que vai contra o princípio de que "os opostos se atraem". Por várias décadas, onde quer que os sociólogos investigassem, sempre descobriam que amigos, casais, colegas de trabalho e conhecidos são mais semelhantes do que diferentes no que diz respeito a uma variedade de características — como etnia, idade, gênero, renda, educação — e também atitudes. Mas de onde vem toda essa similaridade? A princípio, a resposta parece óbvia: as pessoas tendem a formar laços com pessoas semelhantes a elas mesmas porque, seja bom ou ruim, é com elas que preferem passar o tempo. Mas o que essa explicação do senso comum ignora é que as pessoas podem escolher seus amigos apenas entre as pessoas que de fato conhecem, o que é largamente determinado pelas pessoas com quem trabalham, que pertencem às mesmas organizações ou a quem foram apresentadas por conhecidos em comum. E como os sociólogos demonstraram também, muitos desses ambientes sociais tendem a ser extremamente homogêneos em termos de etnia, sexo, idade e educação. Como resultado, é inteiramente possível que a semelhança que vemos a nosso redor tenha menos a ver com nossas preferências psicológicas do que com as restritas oportunidades que o mundo nos apresenta.[16]

Solucionar problemas como esse é importante, pois tem implicações sobre como vamos lidar com questões controversas como segregação racial e ações afirmativas. Resolver a questão com dados, entretanto, é extremamente difícil, porque desembaralhar as várias relações de causa e efeito requer que mantenhamos registros de indivíduos, redes e grupos ao longo de grandes períodos de tempo.[17] E esse tipo de dado simplesmente nunca esteve disponível. Tecnologias de comunicação como e-mail, entretanto, têm o potencial para mudar isso. Como e-mails trocados representam, de forma geral, relacionamentos reais, é possível utilizá-los como uma maneira de observar redes sociais implícitas. E como os servidores de e-mails podem facilmente registrar as interações entre milhares, ou até mesmo milhões, de indivíduos durante longos períodos de tempo, é possível reconstruir a evolução, mesmo de grandes redes, com detalhes precisos. Combinando esse tipo de informação com outros dados que são rotineiramente coletados por empresas, universidades e outras organizações a respeito de seus membros, uma aproximação mais ou menos precisa do cenário completo começa a surgir.

Recentemente, eu e meu ex-aluno de graduação Gueorgi Kossinets usamos exatamente esse tipo de abordagem para estudar as origens da homofilia entre estudantes, professores e funcionários de uma universidade. Assim como em estudos anteriores, descobrimos que conhecidos — ou seja, pessoas com quem trocamos e-mails com frequência — eram consideravelmente mais semelhantes do que diferentes em uma variedade de características como idade, sexo, carreira escolhida etc. Também descobrimos que pessoas semelhantes que não se conhecem tendem a se conectar mais umas às outras ao longo do tempo do que com pessoas diferentes — exatamente como o senso comum nos diria. Finalmente, entretanto, descobrimos que indivíduos que já eram "próximos" uns dos outros, seja por terem amigos em comum ou pertencerem ao mesmo grupo, eram mais semelhantes do que diferentes, e muitos dos pressupostos a respeito da conexão entre indivíduos semelhantes desaparecem uma vez que concluímos serem fruto da proximidade. Nossa conclusão foi de que, apesar de os indivíduos de nossa comunidade de fato exibirem alguma preferência por outros semelhantes a si mesmos, era uma preferência relativamente fraca que crescia ao longo do tempo, por sucessivas "rodadas" de escolhas, até gerar a aparência de uma preferência muito mais forte na rede observada.[18]

Outro problema relacionado à homofilia que a internet pode ajudar a responder é uma questão com que cientistas políticos e sociólogos há muito se preocupam — a saber, que os americanos, seja por escolha ou por circunstâncias, estão cada vez mais se associando a vizinhos e conhecidos que pensam como eles. Se isso for verdadeiro, a tendência pode ser problemática, pois círculos sociais homogêneos podem levar também a uma sociedade mais balcanizada, em que diferenças de opinião levam a conflitos políticos, e não apenas a trocas de ideias entre semelhantes. Mas será que essa tendência realmente existe? Cientistas políticos em geral concordam que o Congresso, de fato, está mais polarizado hoje do que já esteve em qualquer outro momento da história, e que a mídia não é muito melhor. Entretanto, estudos de polarização entre cidadãos comuns costumavam chegar a conclusões conflitantes: alguns acham que a tendência aumentou dramaticamente, enquanto outros apontam níveis de concordância que mudaram pouco ao longo de décadas.[19] Uma possível explicação para esses resultados contraditórios é que as pessoas pensam que concordam com seus amigos muito mais do que de fato concordam; assim, muito da polarização pode ser apenas uma impressão, não a realidade. Mas testar essa hipótese, embora pareça fácil em teoria, é difícil na prática. A razão é que para medir se amigos concordam tanto quanto pensam que concordam, seria preciso perguntar, para cada tópico de interesse e para cada par de amigos A e B, o que A pensa sobre o assunto, o que B pensa sobre o assunto e o que A pensa que B pensa sobre o assunto. Faça isso para diversos tópicos e com muitos pares de indivíduos, e você terá um exercício de pesquisa tremendamente trabalhoso, ainda mais se você precisa também que cada participante indique amigos para em seguida procurá-los.[20]

No Facebook, entretanto, isso é relativamente mais direto. Todos já declararam quem são seus amigos, e é até mesmo possível detectar diferentes graus de amizade, contando quantos amigos em comum cada par de amigos compartilha.[21] Tão importante quanto isso é que em 2007 o Facebook lançou uma "plataforma" de terceirização, que permite que programadores de fora escrevam seus próprios aplicativos para "rodar" na rede do Facebook. O resultado foi o Friend Sense, um aplicativo que meus colegas da Yahoo! Sharad Goel e Winter Mason programaram em algumas semanas no início de 2008. Consistia em perguntas sobre o que as pessoas pensavam sobre uma variedade de questões sociais e econômicas, e também o que pensavam que seus amigos pensavam sobre as mesmas questões. Dentro do padrão Facebook, o Friend Sense fez um sucesso modesto — cerca de 1.500 pessoas começaram a usá-lo, gerando cerca de 100 mil respostas. Porém, para os padrões de pesquisa da rede, foi um resultado grandioso. Utilizando métodos tradicionais de pesquisa, um estudo dessa grandeza teria levado alguns anos para ser planejado, financiado e realizado,,e teria custado algumas centenas de milhares de dólares (a maior parte para pagar aos entrevistados). No Facebook, gastamos alguns milhares de dólares com propagandas e tivemos nossos dados em questão de semanas.

O que descobrimos foi que amigos são de fato mais parecidos do que diferentes, e que amigos próximos e amigos que dizem que conversam sobre políticas são mais similares do que conhecidos casuais — exatamente como o princípio da homofilia poderia prever. Mas amigos, próximos ou não, também acreditam que são mais semelhantes entre si do que realmente são. Nossos colaboradores foram péssimos em tentar adivinhar quando um de seus amigos — mesmo alguém próximo com quem discutiam política — discordaria deles. Aqui, os números foram confirmados por uma série de relatórios fictícios que recebemos de pessoas que participaram do Friend Sense e que diversas vezes ficaram perplexas com a maneira como seus amigos e entes queridos as percebiam: "Como eles podem pensar que eu pensaria isso?", era o que mais se ouvia. Muitos dos nossos participantes também relataram a experiência de ter recebido uma pergunta sobre alguém que pensavam conhecer bem, mas perceberam que não sabiam a resposta — mesmo parecendo um tópico que amigos cultos e politicamente engajados deveriam estar discutindo.[22]

Então, se conversar sobre política aumenta tão pouco nossa habilidade de detectar quando nossos amigos discordam de nós, exatamente sobre o que estamos conversando? Ou, mais precisamente, na falta de informações específicas sobre o que nossos amigos de fato pensam sobre essas questões, que informações estamos usando para adivinhar o que eles pensam? Após conduzirmos uma série de análises adicionais, concluímos que, na dúvida — o que acontece com mais frequência do que gostaríamos de admitir —, adivinhamos as opiniões de nossos amigos em parte usando estereótipos simples — por exemplo, "A maioria dos meus amigos é do tipo esquerda liberal, então provavelmente concordam com as visões da esquerda liberal" — e em parte "projetando" nossas opiniões sobre eles.[23] Essa última descoberta é potencialmente importante pois, voltando a Lazarsfeld, cientistas sociais e de marketing há muito pensam que mudanças nas opiniões políticas são determinadas mais por influência do boca a boca do que pelo que as pessoas escutam ou veem na mídia massificada. Mas e se quando pensam sobre as crenças de seus amigos as pessoas estão, na verdade, apenas vendo suas próprias crenças refletidas, é preciso se perguntar quanto elas podem ser realmente influenciadas. O Friend Sense, infelizmente, não foi projetado para responder a perguntas sobre influência social, mas outros pesquisadores já começaram a desenvolver estudos experimentais sobre influência no Facebook, então esperamos ter melhores respostas em breve.[24]

É claro, há todo tipo de problema associado ao uso de registros eletrônicos, sejam eles derivados de trocas de e-mail ou amigos no Facebook, como substitutos de conexões sociais "reais". Como podemos saber, por exemplo, que tipo de relacionamento está implícito em se adicionar alguém no Facebook, ou quanto da comunicação entre duas pessoas é capturado por suas trocas de e-mails? Posso enviar um e-mail a meus colegas várias vezes em um único dia e um a minha mãe apenas uma ou duas vezes na semana, mas essa observação, por si só, diz muito pouco sobre a natureza e a importância relativa desses relacionamentos. Posso usar meu e-mail para conduzir algumas interações, mesmo preferindo mensagens de texto, Facebook ou encontros pessoais para outros tipos de interações. E mesmo quando uso o mesmo meio para me comunicar com pessoas diferentes, alguns atos de comunicação podem simplesmente ser mais significativos que outros. A partir exclusivamente da frequência de comunicação, portanto, muito pouco pode ser inferido de uma determinada relação. Também não é claro, exatamente, com que relacionamentos devemos nos preocupar em primeiro lugar. Para alguns objetivos, como compreender a eficiência de equipes de trabalho, laços entre funcionários podem ser os únicos que interessam, enquanto para outros objetivos, como compreender crenças religiosas ou políticas, relacionamentos no trabalho podem ser bem menos relevantes. Para descobrir como se espalha um boato, pode importar apenas com quem você se comunicou nos últimos dias, enquanto, para informações que podem se propagar apenas em redes de confiança, os laços que importam são aqueles que existem há anos.[25]

Há muitas questões por resolver como essas, que limitam nossa habilidade de levantar importantes inferências sociológicas a partir de dados eletrônicos, por mais dados que possamos reunir. Grandes quantidades certamente não são uma panaceia. Contudo, a disponibilidade cada vez maior de dados observacionais, juntamente com a habilidade de se conduzir experiências em uma escala outrora inimaginável, vem permitindo que cientistas sociais imaginem um mundo onde pelo menos algumas formas de comportamento humano coletivo possam ser medidas e compreendidas, e talvez até mesmo previstas, da mesma maneira a que cientistas de outras áreas já estão acostumados há muito tempo.

Questões complicadas

Não está claro para onde essas novas capacidades vão levar as ciências sociais, mas provavelmente não será o tipo de simples leis universais com que teóricos sociais como Comte e Parsons sonhavam. E nem deveria ser, pela simples razão de que é possível que o mundo social não seja governado por essas leis. Diferentemente da gravidade, que funciona da mesma maneira em todos os lugares e em todos os momentos, a homofilia origina-se em parte das preferências psicológicas e em parte de restrições estruturais. Diferentemente da massa e da aceleração, que são definidas sem ambiguidade, a influência por vezes é concentrada e por vezes distribuída, enquanto o sucesso deriva de um conjunto complicado de escolhas individuais, restrições sociais e acaso. Diferentemente de forças físicas, que podem ser sumarizadas com clareza para determinar sua ação sobre determinada massa, o desempenho é influenciado por alguma interação complicada entre incentivos extrínsecos e motivação intrínseca. E diferentemente da realidade física, que opera com ou sem nós, não há como dissociar a "realidade" social de nossa percepção dela, pois percepções são dirigidas tanto por nossos pressupostos psicológicos quanto por características externamente observáveis.

O mundo social, em outras palavras, é muito mais complicado que o mundo físico, e quanto mais aprendemos sobre ele, mais complicado ele vai parecer. O resultado é que, provavelmente, nunca teremos uma ciência da sociologia que se pareça com as ciências naturais. Mas tudo bem.

Só porque as ciências naturais tiveram tanto sucesso devido a um grupo bem restrito de regras gerais não significa que essa é a única maneira de uma disciplina evoluir. A biologia também não tem leis universais, e ainda assim os biólogos conseguem fazer progressos. Certamente a verdadeira natureza da ciência não é exibir qualquer forma em particular, mas seguir procedimentos científicos — de teoria, observação e experimentos — que, de maneira incremental e interativa, desvendam os mistérios do mundo. E, sem dúvida, o objetivo principal desses procedimentos não é descobrir leis de qualquer espécie em particular, mas descobrir coisas, solucionar problemas. Então, quanto menos nos preocuparmos com a busca por leis gerais na ciência social e quanto mais nos preocuparmos com a solução de problemas reais, mais progressos poderemos fazer.

Mas que tipos de problemas podemos esperar solucionar? Indo diretamente ao ponto — para retornar à questão que levantei no Prefácio: o que os cientistas sociais podem esperar descobrir que uma pessoa inteligente comum não pode descobrir por conta própria? Certamente qualquer pessoa perspicaz poderia, apenas pensando sobre o assunto, concluir que somos todos influenciados pelas opiniões de nossas famílias e de amigos, que contextos importam, e que todas as coisas são relativas. É claro que essa pessoa poderia saber, sem a ajuda da ciência social, que as percepções fazem diferença, ou que as pessoas se importam com outras coisas além de dinheiro. Da mesma forma, um breve momento de introspecção pode sugerir que o sucesso é, ao menos em parte, uma questão de sorte, que previsões podem se autorrealizar e que até mesmo os planos mais bem-traçados podem sofrer com a lei das consequências imprevistas. Qualquer pessoa pensante sabe, é claro, que o futuro é imprevisível, e que o que aconteceu no passado não é garantia de retorno no futuro. Essa pessoa saberia também que humanos têm pressupostos e às vezes são irracionais, que sistemas políticos são cheios de contradições e ineficiências, que às vezes falta consistência em mudanças radicais e que histórias simples podem obscurecer verdades complicadas. A pessoa pode até mesmo saber — ou ao menos ter escutado isso o suficiente para passar a acreditar — que todos estamos conectados a qualquer outra pessoa do mundo por apenas "seis graus de separação". Quando o assunto é comportamento humano, em outras palavras, é difícil imaginar alguma coisa que os cientistas sociais possam descobrir que não soe óbvio para uma pessoa perspicaz, por mais que tenha sido difícil descobri-la.

O que não é óbvio, porém, é como todas essas coisas "óbvias" se combinam. Sabemos, por exemplo, que as pessoas se influenciam mutuamente, e sabemos que filmes, livros e músicas de sucesso são muitas vezes mais bem-sucedidos que a média. Mas o que não sabemos é como — ou mesmo se — as forças da influência social operando no nível individual levam a desigualdade e a imprevisibilidade ao nível de mercados inteiros. Da mesma forma, sabemos que pessoas em redes sociais tendem a se concentrar em grupos relativamente homogêneos. Mas o que não podemos inferir de nossas observações do mundo é se esses padrões são motivados por preferências psicológicas ou restrições estruturais. Também não é óbvio que é devido a esse isolamento local, e não apesar dele, que indivíduos podem navegar por entre redes muito abrangentes para alcançar pessoas muito distantes e desconhecidas por meio de apenas alguns passos. Até certo nível, aceitamos que o futuro é imprevisível, mas não sabemos quanto dessa imprevisibilidade pode ser eliminada apenas avaliando as possibilidades com mais cuidado, e quanto é tão inerentemente aleatório quanto jogar dados. Ainda menos claro é como esse equilíbrio entre previsibilidade e imprevisibilidade deve mudar os tipos de estratégia que empregamos para nos prepararmos para contingências futuras, ou os tipos de explicações que elaboramos para os resultados que observamos.

É na resolução desse tipo de quebra-cabeça que a ciência social pode esperar avançar para bem além do ponto a que poderíamos chegar utilizando apenas o senso comum e a intuição. Ainda melhor: quanto mais quebra-cabeças forem resolvidos, mais chances de tipos semelhantes de mecanismos se revelarem em muitos deles, levando-nos, talvez, ao tipo de teorias de "médio alcance" que Robert Merton tinha em mente nos anos 1960. O que aprendemos estudando a influência social em mercados culturais pode nos dizer também algo útil sobre a relação entre incentivos financeiros e desempenho individual? Como, por exemplo, podemos conectar nossas descobertas sobre a diferença entre a similaridade real e a percebida em atitudes políticas com as nossas descobertas sobre as origens da similaridade em redes sociais? O que, por sua vez, essas descobertas nos dizem acerca da influência social e do comportamento coletivo? E como podemos conectar buscas na rede e influência social, tomada de decisões, incentivos e desempenho, percepções e polarizações às "grandes" questões da ciência social — como desigualdade, justiça social e política econômica?

Não sabemos se podemos. É quase certo que muitos dos problemas que sociólogos e outros cientistas sociais acham interessantes vão continuar para sempre longe do alcance de avaliações precisas. Não importa, assim, quanto a internet e outras novas tecnologias afetam o contexto social, as ferramentas tradicionais de cientistas sociais — pesquisa em arquivos, trabalho de campo, modelos teóricos e introspecção profunda — continuarão a desempenhar papéis importantes. Também não é necessariamente o caso de que os problemas mais complicados e urgentes do mundo real — por exemplo, o consenso sobre questões de justiça social ou o planejamento de instituições que superam incertezas — possam ser "solucionados" de maneira matemática, por maior que seja o nosso conhecimento de ciência básica. Para problemas como esse, podemos ainda descobrir que as mesmas soluções funcionam melhor do que outras — usando, por exemplo, a *bootstrapping* e abordagens experimentais descritas no capítulo 8, ou a abordagem deliberativa à democracia que filósofos políticos como John Rawls e Michael Sandel há muito tempo defendem. Mas o mecanismo exato de causa e efeito pode permanecer para sempre indefinido.

Por fim, provavelmente vamos precisar perseguir todas essas abordagens de maneira simultânea, tentando convergir para uma compreensão sobre como as pessoas se comportam e como o mundo funciona, tanto por cima quanto por baixo, experimentando todos os métodos e recursos que temos a nossa disposição. Parece muito trabalhoso, e será. Mas como Merton apontou há quatro décadas, já fizemos esse tipo de coisa antes, primeiro na física e então na biologia, e mais uma vez na ciência médica. Mais recentemente, a revolução do genoma que começou há mais de cinquenta anos, com a descoberta do DNA, fez muito mais promessas na área dos tratamentos médicos do que pôde cumprir; porém, isso não nos impediu de destinar muitos recursos para a ciência.[26] Por que a ciência requerida para entender problemas sociais como a pobreza urbana ou o desenvolvimento econômico ou a educação pública merece menos atenção? Não deveria ser assim. Também não podemos mais alegar que os instrumentos necessários não existem. Em vez disso, assim como a invenção do telescópio revolucionou o estudo do céu, transformando o incomensurável em algo passível de medições, a revolução tecnológica nas comunicações via celular e internet tem o potencial de transformar nossa compreensão de nós mesmos e da maneira como interagimos. Merton estava certo: a ciência social ainda não encontrou seu Kepler. Mas há trezentos anos, depois de Alexander Pope ter afirmado que o verdadeiro estudo da humanidade não dependia dos céus e sim de nós mesmos, finalmente descobrimos nosso telescópio.[27] Que comece a revolução...

Agradecimentos

Este livro foi escrito ao longo de mais de três anos, e esteve em minha mente pelo dobro desse tempo. Enquanto isso, tive a sorte de trabalhar em instituições maravilhosas ao lado de pessoas igualmente impressionantes. Agradeço a todas elas, mas algumas merecem uma menção especial.

Em primeiro lugar, sou profundamente grato à Yahoo! por fornecer um ambiente de pesquisa tão estimulante e compreensivo ao longo dos últimos três anos. Para muitas pessoas, é surpreendente que uma das maiores empresas dos Estados Unidos tenha escolhido investir, hoje em dia, em um núcleo de pesquisas que se dedica a produzir e divulgar ciência básica, e é exatamente essa a missão da Yahoo! Research. Não que nossos mais de cem cientistas não deem uma contribuição significativa para o objetivo principal da corporação — nota para os investidores: nós contribuímos. Contudo, a liberdade e a flexibilidade que temos — inclusive para escrever um livro como este — é notável, e um tributo à liderança de Prabhakar Raghavan, o diretor e fundador. Agradeço também a Preston McAfee e Ron Brachman pelo apoio e incentivo, e a meus colegas Sharad Goel, Dan Goldstein, Jake Hofman, Sebastien Lahaei, Winter Mason, Dave Pennock, David Reiley, Dan Reeves e Sid Suri, com quem aprendi muito. Estou para ver um grupo de pessoas capaz de discutir tanto e ainda ser tão agradável de se trabalhar junto.

Antes de entrar para a Yahoo!, passei alguns anos ricos no departamento de sociologia da Universidade de Columbia, e ainda me sinto em dívida com eles por terem, para início de conversa, me contratado (sem um diploma de sociologia), assim como por terem pacientemente tolerado minha ignorância na disciplina e me ensinado o que deveria saber. Não posso dizer que me tornei um sociólogo "de verdade", mas com certeza estou bem mais próximo disso do que estaria se não tivesse trabalhado lá. Agradeço em especial a Peter Bearman, Jonathan Cole,

Michael Crow, Jeffrey Sachs, David Stark e Harrison White pelo apoio e conselhos ao longo dos anos; e a meus alunos e colaboradores Peter Dodds, Gueorgi Kossinets, Roby Muhamad e Matt Salganik. Agradeço também ao falecido Robert K. Merton — uma figura proeminente na história da sociologia na Columbia —, cujo encorajamento em um estágio inicial de minha carreira foi tão inspirador quanto o trabalho por ele deixado.

Durante meus anos na Columbia, minha pesquisa foi financiada pela National Science Foundation (SES-0094162 e SES-0339023), pela James S. McDonnell Foundation e pela Legg Mason Funds, enquanto o Institute for Social and Economic Research and Policy, dirigido por Peter Bearman, forneceu valioso apoio administrativo e local de trabalho. Sem essas organizações, muitas das pesquisas descritas neste livro teriam sido impossíveis. Em seguida, também fui beneficiado com visitas ao Nuffield College, em Oxford, que generosamente me hospedou por dois meses sabáticos em 2007, e pelo Santa Fe Institute — minha casa intelectual longe de casa —, onde passei algumas semanas dos verões de 2008 e 2009. Sem essas pausas fundamentais em minha rotina seria pouco provável que eu tivesse sido capaz de terminar um projeto de texto tão longo, e agradeço a Peter Hedstrom, do Nuffield, e a Geoffrey West e Chris Wood, do Santa Fé, pela ajuda para conseguir essas visitas.

Para concluir, agradeço a diversas pessoas que me ajudaram diretamente a escrever este livro. Roger Scholl, meu editor na Crown, provou ser um tão bom torcedor quanto treinador, sempre renovando meu entusiasmo durante os longos períodos de edição, ao mesmo tempo que me livrava das numerosas armadilhas que eu mesmo armava. Suzanne Gluck e Eric Lupfer, meus agentes na William Morris Endeavor, ajudaram muito ao organizar a proposta inicial e fizeram grandes sugestões ao longo do processo de escrita. Sharad Goel, Dan Goldstein, Victoria Johnson, Michael Mauboussin, Tom McCarthy, Scott Page e Chuck Sabel foram todos bastante generosos ao ler os rascunhos do livro, corrigindo numerosos erros e distrações no processo. E a meus amigos e minha família, que toleraram anos de reclamações sobre "o livro", obrigado pela paciência. Sei que não consegui explicar exatamente o que era toda essa agitação, mas espero que esteja claro agora. Ou até mesmo óbvio...

Notas

Prefácio: O pedido de desculpas de um sociólogo

1. Para saber mais sobre a resenha escrita por John Gribbin sobre Becker (1998), ver Gribbin (1998).

2. Ver Watts (1999) para uma descrição da teoria do mundo pequeno.

3. Ver, por exemplo, uma matéria recente sobre a complexidade das finanças, da guerra e da política modernas (Segal, 2010).

4. Para uma matéria sobre a proposta de Bailey-Hutchinson, ver Mervis (2006). Para uma crítica às observações feitas pelo senador Coburn, ver Glenn (2009).

5. Ver Lazarsfeld (1949).

6. Para um exemplo da mentalidade "isto não é astronáutica", ver Frist et al. (2010).

7. Ver Svenson (1981) para o resultado sobre motoristas. Ver Hoorens (1993), Klar e Giladi (1999), Dunning et al. (1989) e Zuckerman e Jost (2001) para outros exemplos de dados sobre a ilusão de superioridade. Ver Alicke e Govorun (2005) para o resultado sobre potencial de liderança.

Capítulo 1: O mito do senso comum

1. Ver *Obedience to Authority* (Milgram, 1969) para maiores detalhes. Um relato cativante da vida e da pesquisa de Milgram pode ser encontrado em Blass (2009).

2. A reação de Milgram foi descrita em uma entrevista concedida em 1974 à *Psychology Today* e reproduzida em Blass (2009). O relato original

da experiência do metrô é de Milgram e Sabini (1983) e foi reproduzido em Milgram (1992). Três décadas depois, dois repórteres do *New York Times* decidiram repetir a experiência de Milgram. Eles relataram praticamente o mesmo: perplexidade, até mesmo raiva, por parte dos passageiros, e um desconforto extremo por parte dos repórteres (Luo, 2004; Ramirez e Medina, 2004).

3. Apesar de a natureza e as limitações do senso comum serem discutidas em livros de introdução à sociologia (de acordo com Mathisen [1989], cerca de metade dos livros de sociologia que ele consultou continha referências ao senso comum), o tópico raramente é discutido em revistas acadêmicas da área. Entretanto, ver Taylor (1947), Stouffer (1947), Lazarsfeld (1949), Black (1979), Boudon (1988a), Mathisen (1989), Bengston e Hazzard (1990), Dobbin (1994) e Klein (2006) para uma variedade de perspectivas de sociólogos. Os economistas têm se mostrado ainda menos preocupados com o senso comum que os sociológos, mas veja Andreozzi (2004) para algumas observações interessantes sobre intuição social *versus* intuição física.

4. Ver Geertz (1975, p. 6).

5. Taylor (1947, p. 1).

6. Os filósofos, em particular, perguntaram-se sobre o lugar do senso comum no entendimento que temos do mundo, com a opinião filosófica avançando e retrocedendo na questão de quanto respeito é devido ao senso comum. Em resumo, a discussão parece girar em torno da confiabilidade fundamental da experiência em si; isto é, sobre quando é aceitável encarar algo — um objeto, uma experiência ou uma observação — como certo e quando é preciso questionar a evidência dos nossos sentidos. Em um extremo estão os céticos radicais, que postularam essa ideia porque como toda experiência é, em efeito, filtrada pela mente, absolutamente nada poderia ser dado como certo quando representando algum tipo de realidade objetiva. No outro extremo estão filósofos como Thomas Reid, da Escola Realista Escocesa, os quais sustentavam a opinião de que toda filosofia da natureza deve investigar o mundo "como ele é". Postura semelhante foi delineada nos Estados Unidos no início do século XIX, pela Escola Pragmática de Filosofia, mais proeminentemente por William James e Charles Saunders Peirce, que enfatizaram a necessidade de conciliar o conhecimento abstrato do tipo científico com

aquele da experiência ordinária, mas também alegaram que muito do que se passa por senso comum deve ser analisado com cuidado (James, 1909, p. 193). Ver Rescher (2005) e Mathisen (1989) para discussões sobre a história do senso comum na filosofia.

7. Deve-se ressaltar que a lógica do senso comum parece ter também sistemas de *backup* que atuam como princípios gerais. Assim, quando alguma regra do senso comum para lidar com uma situação específica falha, devido a alguma contingência imprevista, não estamos completamente perdidos, pois basta ativarmos essa regra geral mais abrangente como guia. Deve-se ressaltar, porém, que as tentativas de formalizar esse sistema de *backup*, mais notadamente nas pesquisas sobre inteligência artificial, até agora têm fracassado (Dennett, 1984). Dessa forma, seja lá como ela funcione, não lembra a estrutura lógica da ciência e da matemática.

8. Ver Minsky (2006) para uma discussão sobre o senso comum e a inteligência artificial.

9. Para uma descrição do estudo intercultural do jogo do ultimato, ver Henrich et al. (2001). Para uma análise dos resultados do jogo em países industrializados, ver Camerer, Loewenstein e Rabin (2003).

10. Ver Collins (2007). Outra consequência da natureza incorporada culturalmente da sabedoria do senso comum é que o que ela trata como "fatos" — descrições autoevidentes e sem floreios de uma realidade objetiva — por vezes revelam-se julgamentos de valores que dependem de outras características aparentemente não relacionadas do cenário sociocultural. Considere, por exemplo, o argumento de que "a polícia tende a dar mais atenção a crimes sérios do que a crimes não sérios". Uma pesquisa empírica sobre isso mostrou que a afirmação procede — exatamente como o senso comum sugere —, porém, como o sociólogo Donald Black argumentou, também é verdade que as vítimas dos crimes geralmente só classificam-nos como "sérios" quando a polícia se envolve. Por esse prisma, a gravidade de um crime é determinada não apenas por sua natureza intrínseca — roubo, assalto, agressão física etc. —, mas também pelas circunstâncias das pessoas que são mais propensas a serem atendidas pela polícia. E como Black ressaltou, essas pessoas tendem a ser profissionais com grau elevado de educação que moram em bairros ricos. Então, o que parece ser uma descrição simples da realidade — crimes sérios atraem

a atenção da polícia — é, na verdade, um julgamento de valores sobre o que conta como sério; e isso, por sua vez, depende de outras características do mundo, como a desigualdade social e econômica, que pode parecer não ter nada a ver com o "fato" em questão. Ver Black (1979) para uma discussão sobre a fusão de fatos e valores. Becker (1998, p. 133-4) faz uma observação semelhante, em uma linguagem ligeiramente diferente, notando que afirmações "factuais" sobre atributos individuais — altura, inteligência etc. — são invariavelmente julgamentos relacionais que, por sua vez, dependem da estrutura social (por exemplo, alguém que é "alto" em um contexto pode ser baixo em outro; alguém que desenha mal não é considerado "retardado mental", enquanto alguém que é muito ruim em matemática ou em leitura pode ser). Finalmente, Berger e Luckman (1966) levam adiante uma teoria mais geral sobre como hábitos, práticas e crenças subjetivas, possivelmente arbitrárias, são "reificadas" por meio de um processo de construção social.

11. Ver Geertz (1975).

12. Ver Wadler (2010) para a história sobre "as pessoas que não trancam a porta".

13. Para a citação de Geertz, ver Geertz (1975, p. 22). Para uma discussão sobre como as pessoas reagem a diferenças de opinião e uma intrigante explicação teórica sobre a incapacidade de se chegar a uma visão consensual, ver Sethi e Yildiz (2009).

14. Vide Gelman, Lax e Phillips (2010) para resultados de pesquisas documentando a evolução da opinião dos americanos em relação a casamento entre pessoas do mesmo sexo.

15. Deve-se notar que profissionais da política, como políticos, especialistas e membros de partidos, tendem a sustentar firmemente posições liberais ou conservadoras. Assim, o Congresso, por exemplo, é muito mais polarizado do que a população em geral (Layman et al., 2006). Ver Baldassari e Gelman (2008) para uma discussão detalhada sobre como as crenças políticas de indivíduos relacionam-se ou não umas com as outras. Ver também Gelman et al. (2008) para uma discussão mais geral sobre a confusão comum entre crenças políticas e o comportamento nas urnas.

16. Le Corbusier (1923, p. 61).

17. Ver Scott (1998).

18. Para um argumento detalhado sobre as falhas do planejamento no desenvolvimento econômico, em especial no que diz respeito à África, ver Easterly (2006). Para um ponto de vista ainda mais negativo sobre os efeitos da ajuda estrangeira na África, ver Moyo (2009), que concorda que, na verdade, isso prejudicou o continente ao invés de ajudá-lo. Para um ponto de vista alternativo, ver Sachs (2006).

19. Ver Jacobs (1961, p. 4).

20. Ver Venkatesh (2002).

21. Ver Ravitch (2010) para uma discussão sobre como políticas populares, baseadas no senso comum — como um número maior de avaliações e escolha de escolas —, na verdade prejudicaram a educação pública. Ver Cohn (2007) e Reid (2009) para análises do custo da saúde pública e modelos alternativos possíveis. Ver O'Toole (2007) para uma discussão detalhada sobre gestão ambiental, planejamento urbano e outras falhas do planejamento e da regulamentação governamental. Ver Howard (1997) para uma discussão e inúmeras anedotas sobre as consequências inesperadas das regulamentações do governo. Ver Easterly (2006) novamente para algumas observações interessantes sobre a construção de nações e a interferência política, e Tuchman (1985) para uma descrição detalhada do envolvimento dos Estados Unidos no Vietnã. Ver Gelb (2009) para uma visão alternativa sobre a política externa norte-americana.

22. Ver Barbera (2009) e Cassidy (2009) para uma discussão sobre o custo de crises financeiras. Ver Mintzberg (2000) e Raynor (2007) para visões gerais sobre métodos e fracassos do planejamento estratégico. Ver Knee, Greenwald e Seave (2009) para uma discussão sobre a falibilidade dos gurus da mídia; e McDonald e Robinson (2009) e Sorkin (2009) para relatos de líderes de bancos cujas ações precipitaram a recente crise financeira. Ver também notícias recentes reavaliando a infeliz fusão entre a AOL e a Time Warner (Arango, 2010) e o crescimento desenfreado e fadado ao fracasso do Citigroup (Brooker, 2010).

23. É claro que nem todas as tentativas de planejamento das empresas, ou mesmo do governo, acabam mal. Olhando em retrospectiva para os últimos séculos, as condições gerais de vida, na verdade, melhoraram muito para uma larga porção da população mundial — evidência de que mesmo as maiores e mais pesadas instituições políticas às vezes fazem

algumas coisas funcionar. Como podemos saber, então, que o senso comum não é tão bom para solucionar complexos problemas sociais, usando com a mesma frequência qualquer outro método que utilizemos? Em última instância, não podemos saber a resposta a essa questão, uma vez que nunca foi feita nenhuma tentativa sistemática de reunir informações sobre o sucesso e o fracasso de planejamentos — ao menos não que eu saiba. E mesmo que uma tentativa dessas tenha, sim, ocorrido, ainda não se teria resolvido a questão, porque sem outros métodos de "senso incomum" com que compará-la, os índices de sucesso do planejamento baseado no senso comum nada significariam. Um modo mais preciso de colocar minha crítica à lógica do senso comum, portanto, é que, embora não sendo algo universalmente "bom" ou "ruim", o número de casos em que tal lógica levou a falhas de planejamento é insuficiente para que valha a pena pensarmos sobre como se pode fazer melhor.

24. Para detalhes sobre crises financeiras ao longo dos tempos, ver Mackay (1932), Kindleberger (1978) e Reinhart e Rogoff (2009).

25. É claro que existem dezenas de tradições filosóficas, umas se sobrepondo a outras, que já assumiram como ponto de partida uma postura desconfiada em relação àquilo que chamo de senso comum. Uma maneira de entender todo o projeto daquilo que Rawls chamou de liberalismo político (Rawls, 1993), junto com a ideia a ela intimamente relacionada, a de democracia deliberativa (Bohman, 1998; Bohman e Rehg, 1997), é como uma tentativa de prescrever um sistema político que possa oferecer uma justiça processual a todos os indivíduos nele inseridos, sem pressupor que um tipo de postura em particular — seja ela política, moral etc. — esteja correto. Todo o princípio da deliberação, em outras palavras, pressupõe que não se deve confiar no senso comum, dessa forma transferindo o objetivo de determinar o que é "certo" para a elaboração de instituições políticas que não privilegiam uma postura em detrimento de outra. Apesar de essa tradição ser inteiramente consistente com as críticas ao senso comum que levanto neste livro, minha ênfase é um tanto diferente. Enquanto a deliberação simplesmente assume a incompatibilidade entre as crenças do senso comum e procura estabelecer instituições políticas que funcionem de qualquer maneira, estou mais preocupado com os tipos de erros que surgem a partir da lógica do senso comum. Contudo, toco em aspectos desse trabalho no capítulo

9, quando discuto questões de equidade e justiça. Uma segunda vertente da filosofia que começa com a desconfiança do senso comum é o pragmatismo de James e Dewey (ver, por exemplo, James, 1909, p. 193). Pragmatistas veem erros incorporados ao senso comum como uma importante obstrução à ação efetiva no mundo, e dessa forma encaram a disposição para questionar e melhorar o senso comum como condição para a resolução real de problemas. Esse tipo de pragmatismo, por sua vez, influenciou os esforços para estabelecer instituições — algumas das quais descrevo no capítulo 8 — que questionem e melhorem de forma sistemática os próprios hábitos e, assim, possam se adaptar rapidamente a mudanças imprevisíveis. Portanto, essa tradição é consistente também com as críticas ao senso comum aqui desenvolvidas, mas, assim como a tradição da deliberação, pode ser desenvolvida sem que eu articule explicitamente os vieses cognitivos que identifico. No entanto, gostaria de afirmar que uma discussão sobre os preconceitos inerentes à lógica do senso comum são um complemento útil tanto para a agenda deliberativa quanto para a pragmática, oferecendo um verdadeiro argumento alternativo para a necessidade de instituições e procedimentos que não dependem da lógica do senso comum para funcionar.

Capítulo 2: Pensando sobre o pensar

1. Para o estudo original sobre os índices de doação de órgãos, ver Johnson e Goldstein (2003). Deve-se ressaltar que os índices de consentimento indicados não são os mesmos índices da eventual doação de órgãos, o que muitas vezes depende de fatores como a aprovação dos membros da família. A diferença final nos índices de doação é, na verdade, muito menor — cerca de 16% —, mas ainda assim acentuada.

2. Ver Duesenberry (1960) para a citação original, que é repetida, com aprovação, pelo próprio Becker (Becker e Murphy, 2000, p. 22).

3. Para mais detalhes sobre o jogo entre cooperação e punição, ver Fehr e Fischbacher (2003), Fehr e Gachter (2000 e 2002), Bowles et al. (2003) e Gurerk et al. (2006).

4. No âmbito da sociologia, o debate sobre a teoria da escolha racional vem se desenrolando nos últimos vinte anos, começando com um

texto inicial (Coleman e Fararo, 1992) em que as perspectivas de ambos os lados do debate são representadas e continuadas em periódicos como o *American Journal of Sociology* (Kiser e Hechter, 1998; Somers, 1998; Boudon, 1998) e o *Sociological Methods and Research* (Quadagno e Knapp, 1992). Ao longo do mesmo período, um debate similar também se desenvolveu no âmbito da ciência política, desencadeado pela publicação do polêmico texto de Green e Shapiro (1994) "Pathologies of Rational Choice Theory". Ver Friedman (1996) para as reações de um grande número de defensores da escolha racional às críticas de ambos, junto com as respostas de ambos a essas reações. Outros comentários interessantes podem ser encontrados em Elster (1993, 2009), Goldthorpe (1998), McFadden (1999) e Whitford (2002).

5. Para descrições sobre o poder da teoria da escolha racional para explicar comportamentos, ver Harsanyi (1969), Becker (1976), Buchanan (1989), Farmer (1992), Coleman (1993), Kiser e Hechter (1998) e Cox (1999).

6. Ver *Freakonomics* para detalhes (Levitt e Dubner, 2005). Para exemplos similares ver Landsburg (1993 e 2007), Harford (2006) e Frank (2007).

7. Max Weber, um dos fundadores da sociologia, efetivamente *definiu* o comportamento racional como o comportamento que é compreensível, enquanto James Coleman, um dos pais da teoria da escolha racional, escreveu que "o próprio conceito de ação racional é uma concepção de ação que é ação 'compreensível', sobre a qual não precisamos fazer mais perguntas" (Coleman 1986, p. 1). Finalmente, Goldthorpe (1998, p. 184-5) fez a interessante observação de que não está claro nem mesmo como devemos falar sobre comportamento irracional ou não racional, a não ser que, primeiramente, tenhamos um conceito sobre o que significa comportar-se racionalmente; assim, mesmo que isso não explique todo o comportamento, à ação racional deve ser concedido o que ele chama de "privilégio" sobre outras teorias de ação.

8. Ver Berman (2009) para uma análise econômica do terrorismo. Ver Leonhardt (2009) para uma discussão sobre incentivos em carreiras médicas.

9. Ver Goldstein et al. (2008) e Thaler e Sunstein (2008) para mais discussões e exemplos de respostas automáticas.

10. Para detalhes sobre os principais resultados dos estudos de psicologia, ver Gilovich, Griffin e Kahneman (2002) e Gigerenzer et al. (1999). Para informações sobre a área recentemente estabelecida da economia

comportamental, ver Camerer, Loewenstein e Rabin (2003). Além dessas contribuições acadêmicas, uma série de livros populares vem sendo publicada recentemente, cobrindo grande parte do mesmo terreno. Ver, por exemplo, Gilbert (2006), Ariely (2008), Marcus (2008) e Gigerenzer (2007).

11. Ver North et al. (1997) para detalhes sobre o estudo do vinho, Berger e Fitzsimons (2008) para o estudo sobre o Gatorade, e Mandel e Johnson (2002) para o estudo sobre compras on-line. Ver Bargh et al. (1996) para outros exemplos de condicionamento.

12. Para mais detalhes e exemplos sobre ancoragem e ajuste, ver Chapman e Johnson (1994), Ariely et al. (2003) e Tversky e Kahneman (1974).

13. Ver Griffin et al. (2005) e Bettman et al. (1998) para exemplos dos efeitos do enquadramento sobre o comportamento do consumidor. Ver Payne, Bettman e Johnson (1992) para uma discussão sobre o que eles chamam de preferências construtivas, incluindo a inversão de preferência.

14. Ver Tversky e Kahneman (1974) para uma discussão sobre "viés de disponibilidade". Ver Gilbert (2006) para uma discussão sobre o que ele chama de "presentismo". Ver Bargh e Chartrand (1999) e Schwarz (2004) para mais detalhes sobre a importância da "fluência".

15. Ver Nickerson (1998) para uma revisão do viés cognitivo. Ver Bond et al. (2007) para um exemplo de viés cognitivo ao avaliar produtos dos consumidores. Ver Marcus (2008, p. 53-7) para uma discussão sobre raciocínio motivado *versus* viés cognitivo. Ambos os vieses estão também intimamente relacionados ao fenômeno da dissonância cognitiva (Festinger, 1957; Harmon-Jones e Mills, 1999), segundo a qual os indivíduos tentam reconciliar crenças conflituosas ("O carro que acabei de comprar custa mais do que eu posso pagar" *versus* "O carro que acabei de comprar é ótimo") expondo-se seletivamente a informações que apoiam uma crença ou desacreditam outra.

16. Ver Dennett (1984).

17. De acordo com o filósofo Jerry Fodor (2006), o cerne do problema de enquadramento deriva da natureza "local" da computação, a qual — ao menos como a entendemos hoje — assume um conjunto de parâmetros e condições estabelecidas e então aplica algum tipo de operação sobre essas entradas, gerando uma saída. No caso da teoria da escolha racional, por exemplo, os "parâmetros e condições" podem ser capturados pela função de utilidade, e a operação seria algum procedimento

de otimização; mas pode-se também imaginar outras condições e operações, incluindo heurística, hábitos e outras abordagens não racionais para a resolução de problemas. O fato é que não importa que tipo de computação alguém tente descrever, é preciso partir de um conjunto de hipóteses sobre o que é relevante, e essa decisão não pode ser resolvida da mesma maneira (ou seja, localmente). Se alguém tentar resolvê-la, por exemplo, partindo de um conjunto independente de hipóteses sobre o que é relevante para a própria computação, esse alguém teria no fim apenas uma versão diferente do mesmo problema (o que é relevante para essa computação específica?), com apenas um passo a menos. É claro que esse alguém poderia continuar a iteração desse processo e torcer para que ele chegasse a algum ponto bem definido. Aliás, é possível fazer isso de forma trivial, incluindo de maneira exaustiva todo item e conceito que conhecemos na cesta de fatores potencialmente relevantes, tornando, dessa forma, o que a princípio parece um problema global um problema local por definição. Infelizmente, isso só funcionaria à custa de tornar o procedimento computacional intratável.

18. Para uma introdução sobre aprendizagem de máquina, ver Bishop (2006). Ver Thompson (2010) para uma história sobre o computador que joga Jeopardy!.

19. Para uma envolvente discussão sobre as diversas maneiras pelas quais nosso corpo representa erroneamente tanto nossas lembranças de eventos passados quanto nossa experiência antecipada de eventos futuros, ver Gilbert (2006). Como Becker (1998, p. 14) observou, mesmo cientistas sociais estão sujeitos a esse erro, preenchendo as motivações, perspectivas e intenções de seus objetos de estudo sempre que não têm nenhuma evidência direta sobre eles. Para um trabalho sobre memória relacionado, ver Schacter (2001) e Marcus (2008). Ver Bernard et al. (1984) para muitos exemplos de erros cometidos por pessoas respondendo a pesquisas no que diz respeito às lembranças do próprio comportamento e da própria experiência. Ver Ariely (2008) para mais exemplos de indivíduos superestimando previamente sua felicidade ou subestimando previamente sua infelicidade no tocante a acontecimentos futuros. Para resultados sobre a paquera on-line, ver Norton, Frost e Ariely (2007).

20. Para discussões sobre remuneração proporcional ao desempenho, ver Hall e Liebman (1997) e Murphy (1998).

21. O nome "Mechanical Turk" é inspirado em um autômato que jogava xadrez do século XIX, "O Turco", que ficou famosa por ter derrotado Napoleão. O Turco original era, é claro, uma farsa — na verdade, havia uma pessoa dentro da máquina fazendo todos os movimentos —, e é exatamente essa a questão. As tarefas que costumam ser encontradas no Mechanical Turk são relativamente simples de serem resolvidas por seres humanos, mas difíceis para computadores — um fenômeno que o fundador da Amazon, Jeff Bezos, chama de "inteligência artificial artificial". Ver Howe (2006) para uma análise do Mechanical Turk logo no início do site, e Pontin (2007) para a definição de Bezo da "inteligência artificial artificial". Ver http://behind-the--enemy-lines.blogspot.com para mais informações sobre o site.

22. Ver Mason e Watts (2009) para detalhes sobre o experimento de estímulos financeiros.

23. Em geral, as mulheres ganham, na verdade, apenas 75% do que ganham os homens, mas essa diferença pode ser esclarecida em termos das diferentes escolhas que as mulheres fazem — por exemplo, escolher profissões com salários menores, ou se afastar do trabalho para cuidar da família, entre outros. Levando todos esses fatores em conta e comparando apenas homens e mulheres que têm empregos semelhantes sob condições comparáveis, permanece uma diferença de cerca de 9% entre os salários. Ver Bernard (2010) e http://www.iwpr.org/pdf/C350.pdf para mais detalhes.

24. Ver Prendergast (1999), Holmstrom e Milgrom (1991) e Baker (1992) para estudos sobre "multitarefas". Ver Gneezy et al. (2009) para um estudo sobre o efeito "engasgamento". Ver Herzberg (1987), Kohn (1993) e Pink (2009) para críticas gerais a recompensas financeiras.

25. Levitt e Dubner (2005, p. 20).

26. Para detalhes sobre as consequências imprevistas do No Children Left Behind, ver Saldovnik et al. (2007). Para uma discussão específica sobre práticas de "triagem educacional" que aumentam os índices de aprovação sem causar impacto sobre a qualidade geral da educação, ver Booher-Jennings (2005, 2006). Ver Meyer (2002) para uma discussão geral sobre a dificuldade de se avaliar e se recompensar o desempenho.

27. Ver Rampell (2010) para a história sobre políticos.

28. Esse argumento foi defendido com mais ênfase por Donald Green e Ian Shapiro, os quais alegam que quando "tudo, desde o cálculo consciente até a 'inércia cultural', pode ser enquadrado em alguma variante

da teoria da escolha racional (...), nossa discordância torna-se meramente semântica, e a teoria da escolha racional não é nada além de uma tenda sempre em expansão que abriga todas as proposições plausíveis desenvolvidas pela antropologia, pela sociologia ou pela psicologia social" (Green e Shapiro, 2005, p. 76).

Capítulo 3: A sabedoria (e a loucura) das multidões

1. Ver Riding (2005) para as estatísticas sobre visitantes. Ver http://en.wikipedia.org/wiki/Mona_Lisa para outros detalhes interessantes sobre a *Mona Lisa*.

2. Ver Clark (1973, p. 150).

3. Ver Sassoon (2001).

4. Ver Tucker (1999) para o artigo completo sobre *Harry Potter*. Ver Nielsen (2009) para detalhes sobre a análise do Facebook. Ver Barnes (2009) para a história sobre filmes.

5. Para a história sobre mudanças no comportamento dos consumidores após a recessão, ver Goodman (2009). Bruce Mayhew (1980) e Frank Dobbin (1994) fizeram, ambos, afirmações semelhantes sobre o raciocínio circular.

6. Esse argumento foi pensado há muito tempo pelo físico Philip Anderson, em um famoso artigo chamado "More Is Different" (Anderson, 1972).

7. Para a citação original de Thatcher, ver Keay (1987).

8. A definição de "individualismo metodológico" data — como geralmente se aponta — do século XX, dos escritos do economista austríaco Joseph Schumpeter (1909, p. 231); entretanto, a ideia remonta, na verdade, a tempos anteriores, pelo menos até Hobbes, e foi popular entre os pensadores do Iluminismo, para quem uma visão individualista da ação encaixava-se perfeitamente na emergente teoria de ação racional. Ver Lukes (1968) e Hodgson (2007) para uma discussão sobre as origens intelectuais do individualismo metodológico, bem como para uma crítica mordaz sobre seus fundamentos lógicos.

9. Estou fazendo uma simplificação aqui, mas não tão grande. Apesar de os modelos originais dos ciclos de negócios utilizarem apenas um agen-

te representativo, modelos mais recentes permitem agentes múltiplos, cada qual representando setores diferentes da economia (Plosser, 1989). Contudo, o mesmo problema essencial surge em todos esses modelos: os agentes não são pessoas de verdade, ou mesmo empresas, que prestam atenção no que outras pessoas e empresas estão fazendo, mas são agentes representativos que tomam decisões em nome de toda uma população.

10. Foram escritas várias críticas excelentes sobre a ideia do indivíduo representativo, mais notavelmente pelo economista Alan Kirman (1992). Essa crítica, porém, é muito conhecida, mas teve tão pouca influência sobre a prática real da ciência social que deve demonstrar como é difícil expurgar um problema.

11. Mesmo teóricos da escolha racional — que são tão herdeiros do individualismo metodológico quanto qualquer outra pessoa — sentem-se confortáveis aplicando o princípio da maximização da utilidade tanto a agentes sociais, como famílias, firmas, uniões, "elites" e departamentos governamentais, quanto a indivíduos. Ver Becker (1976), Coleman e Fararo (1992), Kiser e Hechter (1998) e Cox (1999) para diversos exemplos sobre agentes representativos empregados nos modelos de escolha racional.

12. Ver Granovetter (1978) para detalhes sobre o "modelo de motim".

13. Para mais detalhes sobre as origens da influência social, ver Cialdini (2001) e Cialdini e Goldstein (2004).

14. Para exemplos de modelos de vantagens cumulativas, ver Ijiri e Simon (1975), Adler (1985), Arthur (1989), De Vany e Walls (1996) e De Vany (2004).

15. Para a citação sobre "o exército num laboratório", ver Zelditch (1969). Experimentos, deve-se ressaltar, não são totalmente estranhos à sociologia. Por exemplo, a área de "trocas em rede" é uma área da sociologia na qual é comum a realização de experimentos em laboratórios, mas essas redes geralmente compreendem apenas quatro ou cinco indivíduos (Cook et al., 1983; Cook et al., 1993). Estudos de cooperação em economia comportamental, ciência política e sociologia também fazem uso de experimentos, porém, mais uma vez, os grupos envolvidos são pequenos (Fehr e Fischbacher, 2003).

16. Ver Salganik, Dodds e Watts (2006) para uma descrição detalhada do experimento original do Music Lab.

17. Ver Salganik e Watts (2009b; 2009a) para mais informações sobre o Music Lab e detalhes sobre os experimentos posteriores.

Capítulo 4: Pessoas especiais

1. O filme *A rede social*, sobre a criação do Facebook, foi lançado em 2010. O comercial da cerveja Fosters pode ser visto em http://www.youtube.com/watch?v=nPgSa9djYU8.

2. Para uma história da análise de redes sociais, ver Freeman (2004). Para resumos sobre as pesquisas mais recentes no âmbito das ciências de rede, ver Newman (2003), Watts (2004), Jackson (2008) e Kleinberg e Easley (2010). Para relatos mais famosos, ver Watts (2003) e Christakis e Fowler (2009).

3. Ver Leskovec e Horvitz (2008) para detalhes do estudo sobre o programa de mensagens instantâneas da Microsoft.

4. Ver Jacobs (1961, p. 134-5).

5. Milgram não inventou a expressão "seis graus de separação" referindo-se apenas ao "problema do mundo pequeno". Foi o dramaturgo John Guare quem escreveu uma peça com esse título, em 1990. Curiosamente, Guare atribuiu a origem da frase a Guglielmo Marconi, o italiano que inventou e desenvolveu a radiotelegrafia, que, dizem, afirmou que em um mundo conectado pelo telégrafo, todos estariam conectados a todos por apenas seis graus de separação. De acordo com inúmeras citações na internet (ver, por exemplo, http://www.megastarmedia.us/mediawiki/index.php/Six_degrees_of_separation), Marconi fez essa afirmação durante seu discurso ao receber o prêmio Nobel, em 1909. Infelizmente, o texto do discurso (http://nobelprize.org/nobel_prizes/physics/laureates/1909/marconi-lecture.html) não faz nenhuma menção a esse conceito; e não consegui localizar a fonte da citação de Marconi em nenhum outro lugar. Seja qual for a origem da expressão, Milgram merece o crédito por ter sido o primeiro a sustentá-la com evidências.

6. Conforme ressaltaram vários críticos, os resultados de Milgram foram menos conclusivos do que por vezes fomos levados a pensar (Kleinfeld, 2002). Das trezentas correntes que começaram seu caminho para alcançar o alvo, um terço começou em Boston e outro terço começou com investidores no mercado de ações em Omaha — o que na época fazia com que naturalmente tivessem contato com um investidor. Sendo o único alvo da experiência um investidor de Boston, não é mais tão surpreendente que essas correntes tenham conseguido alcançá-lo.

Portanto, a evidência mais contundente para a hipótese do mundo pequeno veio das 96 correntes que começaram com pessoas selecionadas aleatoriamente em Omaha, das quais apenas dezessete cumpriram o objetivo. Dadas essas incertezas, é preciso ser cuidadoso ao depender demais do papel de pessoas como o sr. Jacobs, que poderia facilmente ser uma casualidade estatística. O próprio Milgram não deixou de perceber isso, afirmando apenas que "a convergência de correntes de comunicação por meio de indivíduos comuns é uma característica importante das redes do mundo pequeno, e deve ser contabilizada teoricamente".

7. Ver Gladwell (1999).

8. Naturalmente, o número de amigos que se atribui a uma pessoa depende muito de como se define "amizade", um conceito que sempre foi ambíguo e é ainda mais agora, na era das redes sociais na internet, nas quais você pode se tornar "amigo" de alguém que nem conhece. O resultado é que aquilo que chamamos de amizade "verdadeira" tornou-se difícil de ser distinguido da relação entre "conhecidos", o que, por sua vez, é confundido com a noção ainda mais efêmera de "conhecidos de mão única" (por exemplo: "Já ouvi alguém falando em você, mas ainda não fomos apresentados"). Apesar de algumas pessoas no MySpace contarem com um milhão de "amigos", assim que aplicamos até mesmo a mais vaga definição de amizade, como uma pessoa que chama outra pelo primeiro nome, o número imediatamente baixa para cerca de algumas centenas. O curioso é que esses números mantiveram-se surpreendentemente constantes desde que os primeiros estudos foram realizados, no fim dos anos 1980 (McCormick et al., 2008; Bernard et al., 1989, 1991; Zheng et al., 2006).

9. Há uma variedade de sutilezas na questão da extensão das correntes em experiências do mundo pequeno que levaram a confusões acerca do que pode e não pode ser concluído a partir das evidências. Para detalhes sobre a experiência, ver Dodds, Muhamad e Watts (2003), e para uma discussão esclarecedora sobre as evidências, bem como uma análise detalhada da extensão das correntes, ver Goel, Muhamad e Watts (2009).

10. Ver Watts e Strogatz (1998); Kleinberg (2000a; 2000b); Watts, Dodds e Newman (2002); Watts (2003, capítulo 5); Dodds, Muhamad e Watts (2003); e Adamic e Adar (2005) para detalhes sobre a possibilidade de busca em redes sociais.

11. Influenciadores são chamados por vários termos; por vezes líderes de opinião, ou influentes, mas também de e-fluenciadores, gurus, centralizadores, conectores, alfas ou mesmo passionistas. Nem todos esses rótulos significam exatamente a mesma coisa, mas todos se referem à mesma ideia básica de que um pequeno grupo de indivíduos especiais tem um efeito importante sobre as opiniões, crenças e hábitos de consumo de um grande número de indivíduos "comuns" (ver Katz e Lazarsfeld, 1995; Merton, 1968b; Weimann, 1994; Keller e Berry, 2003; Rand, 2004; Burson--Marsteller, 2001; Rosen, 2000; e Gladwell, 2000 para várias formas de se referir a influenciadores). Ed Keller e Michael Berry afirmam que "Um em dez americanos dita aos outros nove em quem votar, onde comer e o que comprar". Eles concluem dizendo que "Poucas tendências importantes atingem o grande público sem passar pelos influentes em seus estágios iniciais, e os influentes podem fazer parar em seu trajeto algo que poderia ser uma tendência" (Keller e Berry, 2003, p. 21-2); e a empresa de pesquisas de marketing Burson-Marsteller concorda, dizendo que "a influência de longo alcance desse grupo de homens e mulheres pode promover ou destruir uma marca, fortalecer ou dissolver o apoio a um negócio e aos problemas dos consumidores, e fornecer *insights* em eventos que ainda estão se desenrolando". Parece que tudo o que é preciso fazer é encontrar esses indivíduos e influenciá-los. Como resultado, "influentes tornaram--se o 'Santo Graal' dos marqueteiros contemporâneos" (Rand, 2004).

12. Para a citação original, ver Gladwell (2000, p. 19-21).

13. Ver Keller e Berry (2003, p. 15).

14. Ver, por exemplo, Christakis e Fowler (2009), Salganik et al. (2006) e Stephen (2009).

15. Na verdade, ainda assim não se pode ter certeza. Se A e B são amigos, eles provavelmente têm gostos parecidos, ou assistem a séries semelhantes na TV, e assim estão expostos a informações similares; então, o que parece ser influência pode ser, na verdade, apenas homofilia. De forma que, se toda vez que um amigo de A adota algo que A adotou atribuímos isso à influência de A, provavelmente estamos superestimando a verdadeira influência de A. Ver Aral (2009), Anagostopoulos et al. (2008), Bakshy et al. (2009), Cohen-Cole e Fletcher (2008b, 2008a), Shuliti e Thomas (2010) e Lyons (2010) para mais detalhes sobre a questão da similaridade *versus* influência.

16. Ver Katz e Lazarsfeld (1955) para uma discussão sobre a dificuldade de se avaliar a influência, bem como uma introdução mais geral a influência pessoal e líderes de opinião. Ver Weimann (1994) para uma discussão sobre medidas de procuração de influência.

17. Ver Watts (2003) e Christakis e Fowler (2009) para discussões sobre epidemias em redes sociais.

18. A conexão entre influenciadores e epidemias é mais explícita na analogia de Gladwell das "epidemias sociais", mas há uma conexão similar que fica implícita em todas as pesquisas sobre influenciadores. Everett Rogers (1995, p. 281) afirma que "o comportamento de líderes de opinião é importante para se determinar o índice de adoção de uma inovação em um sistema. Tanto que o formato em S da curva de difusão acontece porque, uma vez que os líderes de opinião adotam uma inovação e a transmitem a outros, o número de pessoas que adotam essa mesma inovação por unidade de tempo decola". Keller e Berry defendem um ponto de vista similar quando afirmam que influenciadores são "como centrais processando unidades da nação. Como eles conhecem muitas pessoas e estão em contato com muitas pessoas ao longo de uma semana, têm um poderoso efeito multiplicador, disseminando a novidade rapidamente ao longo de uma grande rede quando encontram algo que querem dividir com os outros" (Keller e Berry, 2003, p. 29).

19. Para detalhes sobre os modelos, ver Watts e Dodds (2007).

20. O modelo original de Bass é descrito por Bass (1969).

21. Ver Gladwell (2000, p. 19).

22. Um grande número de pessoas interpretou esse resultado como uma prova de que "influenciadores não existem", mas não foi isso o que dissemos. Para começar, como já discuti anteriormente, há tantos tipos diferentes de influenciadores que seria impossível descrevê-los, mesmo se fosse essa nossa proposta. E não era. Na verdade, o objetivo central de nossos modelos era pressupor a existência de influenciadores e verificar sua importância em relação a pessoas comuns. Outro engano relacionado a nosso artigo é nossa suposta afirmação de que "influenciadores não importam", mas também não foi isso o que dissemos. Descobrimos apenas que influenciadores não tendem a desempenhar o papel descrito pela lei da minoria. Se eles, definidos de alguma maneira, podem ou não

ser identificados de maneira confiável e explorados de alguma forma, essa continua sendo uma questão em aberto.

23. Ver Adar e Adamic (2005); Sun, Rosenn, Marlow e Lento (2009); Bakshy, Karrer e Adamic (2009); e Aral et al. (2009) para detalhes.

24. Para detalhes sobre o estudo do Twitter, ver Bakshy et al. (2010).

25. Para a história sobre os 10 mil dólares que Kim Kardashian recebe para tuitar, ver Sorkin (2009b).

Capítulo 5: História, esse professor indeciso

1. Diversos sociólogos vêm argumentando que a história deve ser uma disciplina científica, com suas próprias leis e métodos para extraí-las (Kiser e Hechter, 1998). Historiadores, por outro lado, têm sido mais circunspectos no que diz respeito ao estatuto científico de sua disciplina, mas veem-se tentados a traçar analogias entre suas práticas e as dos cientistas naturais (Gaddis, 2002).

2. Ver Scott (1998) para uma discussão sobre o que ele chama de *metis* (a palavra grega para "habilidade"), que significa a coleção de procedimentos de decisões formais, regras de ouro informais e instintos treinados que caracterizam a atuação de profissionais experientes.

3. Para mais informações sobre determinismo gradual e viés retrospectivo, ver o clássico artigo de Baruch Fischhoff (1982). Filósofos e psicólogos discordam sobre o grau de intensidade de nossa tendência psicológica a pensar deterministicamente. Como Roese e Olson (1996) apontam, é comum as pessoas envolverem-se em raciocínios contrafactuais — imaginando, por exemplo, como as coisas teriam se desenrolado se "ao menos" algum evento antecedente não tivesse acontecido —, sugerindo que visões da causalidade baseadas no senso comum são mais condicionais do que absolutas. Uma maneira mais correta de descrever o problema, portanto, é que sistematicamente enfatizamos mais a probabilidade do que aconteceu do que os resultados contrafactuais. Para o objetivo do meu argumento, entretanto, é suficiente esta última definição.

4. Ver Dawes (2002, capítulo 7) para toda a história do voo 2605 e uma análise.

5. Ver Dawes (2002) e Harding et al. (2002) para mais detalhes sobre homicídios em massa em escolas.

6. Ver Gladwell (2000, p. 33).

7. Ver Tomlinson e Cockram (2003) para detalhes sobre o surto de SARS no hospital Príncipe de Gales e no conjunto de apartamentos Amoy Gardens. Vários modelos teóricos (Small et al., 2004; Bassetti et al., 2005; Masuda et al., 2004) subsequentemente se propuseram a explicar a epidemia de SARS em termos de superpropagadores.

8. Ver Berlin (1997, p. 449).

9. Na verdade, Gaddis (2002) faz mais ou menos a mesma afirmação.

10. Para a discussão completa, ver Danto (1965).

11. Para a história completa da Cisco, ver Rosenzweig (2007).

12. Ver Gaddis (2002).

13. Ver Lombrozo (2007) para detalhes sobre o estudo. Deve-se notar que, quando relatadas em termos simples as probabilidades relativas das diferentes explicações, os participantes na verdade escolheram a explicação mais complexa em escala muito maior. Uma informação tão explícita, entretanto, raramente está disponível em situações reais.

14. Ver Tversky e Kahneman (1983) para detalhes.

15. Para evidências sobre a confiança assegurada pelas histórias, ver Lombrozo (2006, 2007) e Dawes (2002, p. 114). Dawes (1999), aliás, faz a forte afirmação de que "a capacidade cognitiva humana não funciona na ausência de uma história".

16. Por exemplo, uma preferência pela simplicidade nas explicações está profundamente incorporada à filosofia da ciência. A famosa navalha de Ockham — batizada em homenagem ao lógico inglês do século XIV William de Ockham — diz que "a pluralidade nunca deve ser postulada sem necessidade", o que significa, essencialmente, que uma teoria complexa não deve nunca ser adotada se uma teoria mais simples for suficiente. A maior parte dos cientistas tem em relação à navalha de Ockham algo próximo à reverência — Albert Einstein, por exemplo, certa vez disse que uma teoria "deve ser o mais simples possível, e não apenas mais simples" —, a qual a história da ciência parece justificar, de tão repleta que está de exemplos de ideias complexas e pesadas sendo superadas por formulações mais simples, mais elegantes. O que talvez seja menos apreciado na história da ciência é que ela também está repleta de

exemplos de formulações inicialmente simples e elegantes tornando-se mais e mais complexas e deselegantes enquanto lutavam para suportar o peso das evidências empíricas. Na verdade, é discutivelmente na capacidade do método científico de perseguir o poder explanatório, mesmo à custa da elegância teórica e da parcimônia, que se encontra sua força.

17. Para a análise completa de Berlin sobre as diferenças entre ciência e história e a impossibilidade de fazer a história à imagem da ciência, ver Berlin (1960).

18. Ver Gaddis (2002) para um alerta sobre os perigos da generalização, e também alguns exemplos de quem fez exatamente isso.

19. George Santayana (1905).

Capítulo 6: O sonho da previsão

1. Ver Rosenbloom (2009).

2. Ver Tetlock (2005) para detalhes.

3. Ver Schnaars (1989, p. 9-33) para sua análise e diversos exemplos divertidos. Ver também Sherden (1998), para outras evidências dos péssimos índices de acerto das previsões de futurólogos. Ver também Kuran (1991) e Lohmann (1994), para discussões sobre a imprevisibilidade de revoluções políticas, especificamente o colapso da Alemanha Oriental, em 1989. E veja Gabel (2009) para um olhar em retrospectiva sobre o custo das previsões do Medicare para o Congressional Budget Office.

4. Ver Parish (2006) para uma ladainha sobre filmes produzidos para ser um sucesso que tiveram um desempenho pífio nos cinemas americanos (apesar de alguns, como *Waterworld*, terem mais tarde se tornado rentáveis devido às bilheterias estrangeiras e à venda de DVD e fitas). Ver Seabrook (2000) e Carter (2006) para histórias divertidas sobre alguns enganos desastrosos e quase catástrofes na indústria do entretenimento. Ver Lawless (2005) para a interessante história sobre a decisão da Bloomsbury de adquirir *Harry Potter* (por 2.500 libras). Informações gerais sobre produção em indústrias culturais podem ser encontradas em Caves (2000) e Bielby e Bielby (1994).

5. No início de 2010, a capitalização de mercado do Google girava em torno dos 160 bilhões de dólares, mas desde então chegou a atingir 220

bilhões. Ver Makridakis, Hogarth e Gaba (2009a) e Taleb (2007) para relatos mais detalhados dessas e de outras previsões erradas. Ver Lowenstein (2000) para a história completa da Long-Term Capital Management.

6. A citação de Newton foi tirada de Janiak (2004, p. 41).

7. A citação de Laplace foi tirada de http://en.wikipedia.org/wiki/Laplace's-demon.

8. Encaixar todos os processos em duas categorias gerais é uma simplificação extrema da realidade, pois a "complexidade" de um processo não é uma propriedade bem compreendida o suficiente para atribuirmos-lhe um número. É também algo um tanto arbitrário, já que não há uma definição clara de quando um processo merece ser chamado de complexo. Em um elegante artigo, Warren Weaver, então vice-presidente da Rockefeller Foundation, diferenciou o que ele chamava de complexidade organizada e complexidade desorganizada (Weaver, 1958), em que a última correspondia a sistemas de números muito grandes de entidades independentes, como moléculas de um gás. O argumento de Weaver é que se pode lidar com uma complexidade desorganizada com os mesmos tipos de ferramentas usadas com sistemas simples, porém de maneira estatística em vez de determinista. Já por complexidade organizada ele quer dizer sistemas que não são nem simples nem sujeitos às úteis propriedades mediadoras de sistemas desorganizados. Em suma: em meu esquema de classificação dicotômico juntei sistemas simples e sistemas desorganizados. Entretanto, por mais diferentes que sejam, eles são similares segundo a perspectiva das previsões; assim, reunir ambos não afeta meu argumento.

9. Ver Orrell (2007) para uma abordagem levemente diferente de previsão em sistemas simples *versus* previsões em sistemas complexos. Ver Gleick (1987), Watts (2003) e Mitchell (2009) para discussões mais gerais sobre sistemas complexos.

10. Quando digo que podemos prever apenas a probabilidade de algo acontecer, estou falando de forma um tanto aproximada. A maneira mais correta de se referir a previsões em sistemas complexos é que devemos ser capazes de saber antecipadamente propriedades da distribuição dos resultados, sendo que essa distribuição caracteriza a probabilidade de uma classe específica de eventos ocorrer. Então, por exemplo, podemos prever a probabilidade de que vai chover em um determinado dia,

ou que o time da casa vai ganhar, ou que um filme vai gerar mais que uma certa margem de lucro. Da mesma maneira, podemos fazer perguntas sobre o número de pontos que esperamos que o time vencedor fará, ou a renda esperada de um tipo específico de filme, ou mesmo a variedade que esperamos observar em média. Seja como for, todas essas previsões são sobre "propriedades gerais", no sentido de que elas podem ser expressas como uma expectativa de alguma estatística sobre muitas possíveis distribuições de resultados.

11. Para o lançamento de dados, é ainda pior: o melhor resultado possível é acertar uma vez em seis, ou menos de 17%. Na vida real, portanto, em que a variedade de possíveis resultados pode ser muito maior do que ao jogarmos dados — imagine, por exemplo, ter que tentar prever qual será o próximo best-seller —, um índice de acertos de 20% é muito bom. Só que "acertar" em 20% das vezes significa "errar" em 80%; e isso não parece nada bom.

12. Ver http://www.cimms.ou.edu/~doswell/probability/Probability.html. Orrell (2007) também apresenta uma discussão informativa sobre a previsão do tempo; entretanto, ele está mais preocupado com previsões de longo alcance, que são consideravelmente menos precisas.

13. Especificamente, "frequentistas" insistem que afirmações sobre probabilidades referem-se à fração relativa de resultados particulares se realizando, portanto aplicam-se apenas a eventos, como lançar uma moeda, que podem em princípio ser repetidos *ad infinitum*. Da mesma forma, a visão "evidencial" é de que uma probabilidade deve ser interpretada apenas como as chances que alguém deve aceitar em uma aposta específica, independentemente de ela ser repetida ou não.

14. Ver Mesquita (2009) para detalhes.

15. Como Taleb explica, o termo "cisne negro" deriva da chegada europeia à Austrália: até os colonizadores europeus avistarem cisnes negros no que hoje é a Austrália, a sabedoria convencional dizia que todos os cisnes eram brancos.

16. Para detalhes sobre a sequência inteira de eventos relacionados à Bastilha, ver Sewell (1996, p. 871-8). É importante notar que outros historiadores da Revolução Francesa determinam limites bastante diferentes dos de Sewell.

17. Taleb faz uma afirmação semelhante — a saber, que para termos previsto a invenção do que hoje chamamos de internet precisaríamos

ter sabido muito sobre as aplicações da internet depois de ela ter sido inventada. Nas palavras de Taleb, "para compreender o futuro a ponto de conseguirmos prevê-lo, precisamos incorporar elementos do próprio futuro. Se você conhece a descoberta que está prestes a fazer, então quase já a fez" (Taleb, 2007, p. 172).

Capítulo 7: Os melhores planos

1. Curiosamente, uma reportagem recente da revista *Time* (Kadlec, 2010) afirma que uma nova geração de jogadores de pôquer está se baseando na análise estatística de milhões de jogos jogados on-line para vencer em campeonatos profissionais.

2. Ver Ayres (2008) para detalhes. Ver também Baker (2009) e Mauboussin (2009) para mais exemplos de superanálises.

3. Para mais detalhes sobre mercados preditivos, ver Arrow et al. (2008), Wolfers e Zitzewitz (2004), Tziralis e Tatsiopoulos (2006) e Sunstein (2005). Ver também Surowiecki (2004) para uma análise mais geral da sabedoria das multidões.

4. Ver Rothschild e Wolfers (2008) para detalhes sobre a história da manipulação da Intrade.

5. Em uma postagem recente em seu blog, Ian Ayres (autor de *Super Crunchers*) chama o relativo desempenho de mercados preditivos de "uma das grandes questões não resolvidas da análise preditiva" (http://freakonomics.blogs.nytimes.com/2009/12/23/prediction-markets-vs-super-crunching-which-can-better-predict-how-justice-kennedy-will-vote/).

6. Para ser exato, tivemos quantidades diferentes de informações para cada um dos métodos — por exemplo, nossas próprias enquetes foram feitas apenas durante a temporada 2008-09, enquanto tínhamos cerca de trinta anos de dados de Las Vegas, e as previsões da TradeSports acabaram em novembro de 2008, quando o site saiu do ar, então não pudemos comparar todos os seis métodos por nenhum intervalo de tempo. Contudo, para qualquer intervalo, sempre pudemos comparar diversos métodos. Ver Goel, Reeves et al. (2010) para mais detalhes.

7. Nesse caso, o modelo foi baseado no número de salas de cinema em que o filme deveria estrear e no número de pessoas buscando essa

informação no site da Yahoo! na semana anterior à estreia. Ver Goel, Reeves et al. (2010) para mais detalhes. Ver Sunstein (2005) para mais detalhes sobre o Hollywood Stock Exchange e outros mercados preditivos.

8. Ver Erikson e Wlezien (2008) para detalhes sobre sua comparação entre enquetes e o Iowa Electronic Markets.

9. Ironicamente, o problema com especialistas não é que eles sabem muito pouco, mas que sabem demais. Como resultado, eles são melhores que os leigos em apresentar seus palpites em racionalizações elaboradas, fazendo-as parecer mais autoritárias, embora, na verdade, não sejam mais precisas. Ver Payne, Bettman e Johnson (1992) para mais detalhes sobre como os especialistas pensam. Entretanto, não saber nada também é ruim, porque sem um pouco de conhecimento temos dificuldade até mesmo de saber sobre o que devemos adivinhar. Por exemplo, enquanto a atenção dada ao estudo de Tetlock sobre previsões de especialistas concentrou-se mais no desempenho surpreendentemente fraco dos especialistas — que, lembrem-se, eram mais precisos em suas previsões fora de sua área de especialidade do que dentro dela —, Tetlock também descobriu que previsões feitas por indivíduos fora do contexto analisado (nesse caso, universitários) foram significativamente piores que as previsões dos especialistas. A mensagem correta da pesquisa de Tetlock, portanto, não é que os especialistas não sejam melhores que qualquer um ao fazer previsões, mas que alguém com apenas um conhecimento geral do assunto, mas não nenhum conhecimento, pode se sair melhor que alguém com grande conhecimento na área. Ver Tetlock (2005) para detalhes.

10. Spyros Makridakis e parceiros mostraram, em uma série de pesquisas ao longo dos anos (Makridakis e Hibon, 2000; Makridakis et al., 1979; Makridakis et al., 2009b), que modelos simples são quase tão precisos quanto modelos complexos na previsão de ondas econômicas. Armstrong (1985) também demonstra o mesmo ponto.

11. Ver Dawes (1979) para uma discussão sobre os modelos lineares simples e sua utilidade na tomada de decisão.

12. Ver Mauboussin (2009, capítulos 1 e 3) para uma discussão perspicaz sobre como melhorar previsões, assim como armadilhas que devem ser evitadas.

13. O caso mais simples ocorre quando a distribuição de probabilidades é o que os estatísticos chamam de estacionária, o que significa

que suas propriedades são constantes ao longo do tempo. Uma versão mais geral da condição permite que a distribuição mude, desde que as alterações na distribuição sigam uma tendência previsível, como o preço médio de imóveis crescendo gradualmente com o tempo. Entretanto, em ambos os casos confia-se no passado para prever o futuro.

14. Possivelmente, se os modelos incluíssem informações sobre um período de tempo muito mais longo — o século anterior, em vez de apenas a década anterior —, poderiam ter capturado com mais precisão a probabilidade de uma expansão larga, rápida, de alcance nacional. Mas tantos outros aspectos da economia também mudaram ao longo daquele período que não se sabe a relevância da maior parte dessas informações. Aliás, talvez seja por isso que os bancos decidiram restringir os períodos de tempo de suas informações históricas como fizeram.

15. Ver Raynor (2007, capítulo 2) para a história completa.

16. A Sony, de fato, buscou uma parceria com a Matsushita, mas abandonou o plano à luz dos problemas de qualidade da Matsushita. Assim, a Sony optou pela qualidade de seus produtos, enquanto a Matsushita optou pelos preços baixos — ambas estratégias coerentes que tinham chances de sucesso.

17. Como Raynor escreveu: "As estratégias da Sony para o Betamax e o MiniDisc tinham todos os elementos do sucesso, mas nenhuma foi bem-sucedida. A causa desses fracassos foi, dito simplesmente, azar: as decisões estratégicas tomadas pela Sony eram perfeitamente razoáveis, apenas revelaram-se as escolhas erradas" (p. 44).

18. Para uma visão geral sobre a história do planejamento de cenário, ver Millet (2003). Para discussões teóricas, ver Brauers e Weber (1988), Schoemaker (1991), Perrottet (1996) e Wright e Goodwin (2009). O planejamento de cenário também lembra bastante o que Makridakis, Hogarth e Gaba (2009a) chamam de "pensamento do futuro perfeito" (*future perfect thinking*).

19. Para detalhes sobre o trabalho de Pierre Wack na Royal Dutch/Shell, ver Wack (1985a; 1985b).

20. Na verdade, Raynor faz a distinção entre três tipos de gerenciamento: o gerenciamento funcional, que se concentra na otimização de tarefas diárias; o gerenciamento operacional, que se concentra na execução de

estratégias existentes; e o gerenciamento estratégico, que se concentra no gerenciamento da incerteza estratégica (Raynor, 2007, p. 107-8).

21. Por exemplo, há uma história de 2010 sobre o então diretor da Ford que contava que "o que a Ford não vai fazer é mudar a direção novamente, ao menos não sob o controle do sr. Mulally. Ele promete que — com os 200 mil empregados da Ford — não vai vacilar em seu 'ponto de vista' sobre o futuro da indústria automobilística. 'Estratégia é isso', diz. 'É ter um ponto de vista sobre o futuro e tomar decisões a partir disso. A pior coisa que se pode fazer é não ter um ponto de vista, e não tomar decisões.'" *New York Times*, 9 de janeiro de 2010.

22. Esse exemplo foi originalmente citado em Beck (1983), mas minha discussão sobre ele se baseia na análise de Schoemaker (1991).

23. De acordo com Schoemaker (1991, p. 552), "uma análise de cenário mais profunda teria reconhecido a confluência de circunstâncias especiais (por exemplo, a alta no preço do petróleo, incentivos para exploração, taxas de juro favoráveis etc.) por baixo desse pico temporário. Um bom planejamento de cenário vai além das simples projeções de altos e baixos".

24. Ver Raynor (2007, p. 37).

Capítulo 8: A medida de todas as coisas

1. Mais alguns detalhes sobre o gerenciamento da rede de lojas Zara podem ser encontrados em um estudo de caso sobre a empresa feito pela *Harvard Business Review* (2004, p. 69-70). Detalhes adicionais podem ser encontrados em Kumar e Linguri (2006).

2. Mintzberg, deve-se notar, foi cuidadoso ao diferenciar planejamento estratégico de planejamento "operacional", que se ocupa da otimização a curto prazo de procedimentos já existentes. Os tipos de modelo de planejamento que não funcionam para planos estratégicos funcionam muito bem para o planejamento operacional — de fato, foi para o planejamento operacional que os modelos foram originalmente desenvolvidos, e Mintzberg deve a seu sucesso nesse contexto o encorajamento para que planejadores se reprogramassem para o planejamento estratégico. Dessa forma, o problema não é que o planejamento de qualquer

espécie seja impossível, não mais do que qualquer tipo de previsão, mas que certos tipos de planos podem ser feitos com confiança e outros não, e os planejadores devem ser capazes de apontar as diferenças.

3. Ver Helft (2008) para uma história sobre a reforma da página da Yahoo!.

4. Ver Kohavi et al. (2010) e Tang et al. (2010).

5. Ver Clifford (2009) para uma história sobre empresas inovadoras usando avaliações de desempenho quantitativo para substituir o instinto no design.

6. Ver Alterman (2008) para a descrição original de Peretti sobre a Estratégia do Mullet. Ver Dholakia e Vianello (2009) para uma discussão sobre como a mesma abordagem pode funcionar para comunidades constituídas ao redor de marcas, e as trocas associadas entre controle e *insight*.

7. Ver Howe (2008, p. 206) para uma discussão geral sobre *crowdsourcing*. Ver Rice (2010) para exemplos de tendências recentes no jornalismo on-line.

8. Ver Clifford (2010) para mais detalhes sobre Bravo, e Wortman (2010) para mais detalhes sobre a Cheezburger Network. Ver http://bit.ly/9EAbjR para uma entrevista com Jonah Peretti sobre mídia contagiosa e o BuzzFeed, que ele fundou.

9. Ver http://blog.doloreslabs.com para diversos usos inovadores do *crowdsourcing*.

10. Ver Paolacci et al. (2010) para detalhes sobre as motivações e a demografia dos *turkers*. Ver Kittur et al. (2008) e Snow et al. (2008) para estudos sobre a confiabilidade do Mechanical Turk. E ver Sheng, Provost e Ipeirotis (2008) para um método para aumentar a confiabilidade dos *turkers*.

11. Ver Polgreen et al. (2008) e Ginsberg et al. (2008) para detalhes sobre os estudos da gripe. Recentemente o CDC diminuiu o atraso dos relatórios sobre as ondas de gripe (Mearian, 2009), de certa forma enfraquecendo a vantagem temporal de pesquisas baseadas em buscas.

12. O índice de felicidade do Facebook está disponível em http://apps.facebook.com/usa-gnh. Ver também Kramer (2010) para mais detalhes. Uma abordagem similar foi utilizada para extrair os índices de felicidade em letras de músicas e postagens em blogs (Dodds e Danforth, 2009), assim como em atualizações no Twitter (Bollen et al., 2009).

13. Ver http://yearinreview.yahoo.com/2009 para uma compilação das buscas mais populares em 2009. O Facebook tem um serviço similar baseado em atualizações de status, assim como o Twitter. Como diver-

sos comentadores notaram (http://www.collisiondetection.net/mt/archives/2010/01/the_problem_wit.php), essas listas por vezes produzem resultados um tanto banais, de forma que talvez seriam mais interessantes ou úteis se restringidas a subpopulações específicas de interesse a determinados indivíduos — como seus amigos, por exemplo. Felizmente, modificações como essa são, em parte, simples de serem implementadas; assim, o fato de que tópicos de maior interesse não são surpreendentes ou banais não implica que a capacidade de refletir interesses coletivos seja também desinteressante.

14. Ver Choi e Varian (2008) para mais exemplos de "previsão do presente" usando tendências em mecanismos de buscas.

15. Ver Goel et al. (2010, Lahaie, Hofman) para detalhes sobre o uso de mecanismos de busca na internet para fazer previsões.

16. Steve Hasker e eu escrevemos sobre essa abordagem do planejamento no âmbito do marketing há alguns anos na *Harvard Business Review* (Watts e Hasker, 2006).

17. A relação entre vendas e publicidade é de fato um exemplo típico daquilo que economistas chamam de problema de endogeneidade (Berndt, 1991).

18. Na verdade, houve um tempo em que experiências controladas como essa gozavam de uma breve explosão de entusiasmo entre publicitários; e alguns empresários, especialmente no mundo de vendas diretas, ainda as realizam. Em particular, Leonard Lodish e parceiros conduziram uma série de experiências publicitárias, principalmente no início dos anos 1990, usando a TV por assinatura (Abraham e Lodish, 1990; Lodish et al., 1995a; Lodish et al., 1995b; e Hu et al., 2007). Ver também Bertrand et al. (2010) para um exemplo de experiência de publicidade com vendas diretas. É curioso, entretanto, que a prática de rotineiramente incluir grupos de controle em campanhas publicitárias, seja na TV, boca a boca ou mesmo na promoção da marca, nunca tenha feito sucesso, sendo atualmente ignorada em favor de modelos estatísticos, por vezes chamados de "modelos mistos de marketing" (http://en.wikipedia.org/wiki/Marketing_mix_modeling).

19. Ver, por exemplo, um artigo recente da Harvard Business School escrito pelo presidente e diretor da comScore (Abraham, 2008). Curiosamente, o autor trabalhou com Lodish nas experiências com a TV a cabo.

20. O anonimato dos usuários foi mantido ao longo da experiência utilizando-se um serviço terceirizado para combinar as identidades da Yahoo! e da empresa sem revelar identidades individuais para os pesquisadores. Ver Lewis e Reiley (2009) para detalhes.

21. Campanhas publicitárias mais eficientes podem ser melhores para o restante de nós. Se você apenas visse propagandas quando há a chance de ser persuadido por elas, provavelmente veria bem menos propagandas e talvez não as achasse irritantes.

22. Ver Brynjolfsson e Schrage (2009). Lojas de departamentos fazem experiências com a disposição dos produtos há bastante tempo, experimentando diferentes vitrines ou diferentes preços para o mesmo produto em diferentes lojas para descobrir quais disposições vendem mais. Mas agora que praticamente todos os produtos físicos têm etiquetas com códigos de barras únicos e muitos deles contêm chips de controle, há a possibilidade de se manter controle do inventário e avaliar a variação entre lojas, regiões, horários do dia ou épocas do ano — possivelmente levando àquilo que Marshall Fisher, da University of Pennsylvania Wharton School, chamou de "A era das ciências complicadas" nos negócios (Fisher, 2009). Ariely (2008) também fez uma afirmação bastante parecida.

23. Ver http://povertyactionlab.org/ para informações sobre o Poverty Action Lab do Mit. Ver Arceneaux e Nickerson (2009) e Gerber et al. (2009) para exemplos sobre experiências de campo conduzidas por cientistas políticos. Ver Lazear (2000) e Bandiera, Barankay e Rasul (2009) para exemplos de experiências de campo conduzidas por economistas. Ver O'Toole (2007, p. 342) para o exemplo sobre os parques nacionais e Ostrom (1999, p. 497) para uma atitude similar em respeito ao domínio das enquetes comuns, na qual ela argumenta que "todas as propostas de políticas devem ser consideradas experiências". Finalmente, ver Ayers (2007, capítulo 3) para outros exemplos de experiências de campo.

24. Considerações éticas também limitam o escopo de métodos experimentais. Por exemplo, apesar de o Departamento de Educação poder distribuir alunos aleatoriamente entre as diferentes escolas, e mesmo que esse seja provavelmente o melhor método para se descobrir quais estratégias educacionais efetivamente funcionam, fazer isso imporia dificuldades a estudantes que foram designados a escolas ruins, então esse método seria antiético. Se há uma suspeita razoável de que algo

pode ser prejudicial, não se pode, em termos de ética, forçar pessoas a experimentá-lo mesmo quando não se tem certeza; e nem se pode, em termos de ética, recusar-lhes algo que pode ser bom para elas. Tudo é como deve ser, mas é necessário limitar o alcance das intervenções a que agências de suporte e desenvolvimento podem designar pessoas ou regiões aleatoriamente, mesmo quando podem fazer isso na prática.

25. Para citações específicas, ver Scott (1998), p. 318, 313 e 316, respectivamente.

26. Ver Leonhardt (2010) para uma discussão sobre as virtudes do limite e negociação. Ver Hayek (1945) para a discussão original.

27. Ver Brill (2010) para um interessante relato jornalístico da Corrida ao Topo. Ver Booher-Jennings (2005) e Ravitch (2010) para críticas aos testes padronizados como a avaliação oficial do desempenho dos alunos e da qualidade dos professores.

28. Ver Heath e Heath (2010) para a definição que eles dão dos pontos de luz. Ver Marsh et al. (2004) para mais detalhes sobre a abordagem do desvio positivo. Exemplos podem ser encontrados em http://www.positivedeviance.org/. A história sobre a lavagem das mãos foi tirada de Gawande (2008, p. 13-28), que descreve um experimento inicial em Pittsburgh. Gawande alerta que ainda é incerto por quanto tempo os resultados iniciais serão válidos, ou se serão iguais em outros hospitais; entretanto, um recente experimento controlado (Marra et al., 2010) sugere que de fato serão iguais.

29. Ver Sabel (2007) para uma descrição da *bootstrapping*. Ver Watts (2003, capítulo 9) para um relato da quase catástrofe da Toyota com a fabricação "imediatista", e também sua memorável recuperação. Ver Nishiguchi e Beaudet (2000) para o relato original. Ver Helper, MacDuffie e Sabel (2000) para uma discussão sobre como os princípios do estilo de produção da Toyota foram adotados por empresas americanas.

30. Ver Sabel (2007) para mais detalhes sobre o que garante o sucesso de grupos industriais, e Giuliani, Rabellotti e Van Dijk (2005) para diversos estudos de caso. Ver Lerner (2009) para lições de cautela direcionadas às tentativas do governo de estimular inovações.

31. É claro que ao tentar generalizar soluções locais devemos continuar sensíveis ao contexto em que são usadas. Só porque uma prática de higienização das mãos funciona em um hospital isso não significa necessariamen-

te que vai funcionar em outro, pois lá pode haver conjunto diferente de recursos, restrições, problemas, pacientes e atitudes culturais. Nem sempre sabemos quando uma solução pode ser aplicada de forma mais abrangente — na verdade, é precisamente essa imprevisibilidade a maior responsável por tornar os burocratas centralizados e os administradores incapazes de solucionar o problema. Contudo, esse deve ser o foco do plano.

32. Easterly (2006, p. 6).

Capítulo 9: Equidade e justiça

1. Herrera depois processou a cidade, e em 2006 fez um acordo de 1,5 milhão de dólares. Três outros oficiais de polícia que estavam envolvidos no acidente foram demitidos, e um total de dezessete membros da 72ª delegacia, incluindo o comandante, receberam advertências. O corregedor Kerik abriu uma investigação sobre a operação do turno da meia-noite, que aparentemente era conhecido por ter pouca supervisão e rotinas displicentes. Tanto o prefeito Giuliani quanto seu sucessor, Michael Bloomberg, foram envolvidos no caso, assim como o governador Pataki. O estado legal do bebê não nascido, Ricardo, resultou em uma disputa entre o legista — que afirmava que o bebê não vivia independentemente de sua mãe e portanto não deveria ser considerado uma quarta morte — e o procurador do distrito, que afirmava o oposto. Desde as primeiras reportagens a respeito do acidente até o acordo do processo, o *New York Times* publicou cerca de quarenta matérias sobre a tragédia.

2. Para uma discussão sobre a relação entre princípios racionais de organização e o funcionamento real de organizações sociais, ver Meyer e Rowan (1977), DiMaggio e Powell (1983) e Dobbin (1994). Para uma abordagem abrangente da visão "institucionalista nova" da sociologia organizacional, vide Powell e DiMaggio (1991).

3. Ver Menand (2001, p. 429-33) para uma discussão sobre o raciocínio de Wendell Holmes.

4. O psicólogo Ed Thorndike foi o primeiro a documentar o Efeito Halo em avaliações psicológicas (ver Thorndike, 1920). Para uma revisão da literatura sobre o Efeito Halo, ver Cooper (1981). Para a citação de John Adams, ver Higginbotham (2001, p. 216).

5. Para mais exemplos do Efeito Halo no mundo dos negócios, ver Rosenzweig (2007). Para uma interessante história sobre o sucesso da Steve & Barry's, ver Wilson (2008). Para uma história sobre sua falência subsequente, ver Sorkin (2008).

6. Ver Rosenzweig (2007, p. 54-6) para mais exemplos de erros de atribuição, e Staw (1975) para detalhes do experimento discutido por Rosenzweig.

7. Para ilustrar, considere uma experiência de pensamento em que comparamos um processo "bom", B, com um processo "ruim", R, e no qual, apenas neste exemplo, B tem 60% de chance de sucesso, enquanto R tem 40% de chance. Se você acha que essa não é uma grande diferença, imagine duas roletas que deram vermelho como resultado em 60% e 40% das vezes — ao apostar, respectivamente, no vermelho e no preto, poderíamos rápida e facilmente fazer fortuna. Da mesma forma, uma estratégia para fazer dinheiro em mercados financeiros que apostasse diversas pequenas quantias seria muito boa se rendesse a mesma quantidade de dinheiro em 60% das apostas, e perdesse em 40%. Mas imagine, agora, que em vez de girarmos uma roleta — coisa que podemos repetir muitas vezes — nossos processos correspondem a estratégias empresariais alternativas ou políticas educacionais. Sendo isso um experimento que pode ser conduzido apenas uma vez, nós observamos as seguintes probabilidades:

Prob[B dá certo enquanto R dá errado] = 0,6 * (1 — 0,4) = 0,36
Prob[R dá certo enquanto B dá errado] = 0,4 * (1 — 0,6) = 0,16
Prob[B e R dão certo] = 0,6 * 0,4 = 0,24
Prob[B e R dão errado] = (1 — 0,6) * (1 — 0,4) = 0,24

Em outras palavras, a tendência é B se sair ao menos tão bem quando R — exatamente como poderíamos esperar. Mas apenas uma vez em três, B vai dar certo enquanto R vai dar errado. Em quase metade do tempo, na verdade, ambas as estratégias vão se sair mais ou menos da mesma maneira e uma vez em seis R vai vencer e B vai fracassar. Com quase dois terços de probabilidade, segue-se que quando os processos bons e ruins são colocados lado a lado, os resultados não vão refletir com precisão suas diferenças.

8. Ver Brill (2009) para a citação original.

9. A distinção é importante porque por vezes alega-se que para qualquer população suficientemente grande de gestores de fundos, *alguém* se dará bem por vários anos sucessivos, mesmo que o sucesso em qualquer um desses anos seja determinado pelo lançar de uma moeda. Mas como Mauboussin (2006, 2010) demonstra, o lançar de uma moeda é, na verdade, uma metáfora errônea. Como o desempenho de fundos é medido por taxas, e como o portfólio geral dos fundos não reflete necessariamente o S&P 500, não há razão para pensarmos que 50% dos fundos deveriam "bater o mercado" em qualquer ano. Na verdade, a porcentagem atual variou entre 7,9% (em 1997) a 67,1% (em 2005) durante o intervalo de quinze anos de Miller. Quando esses índices empíricos de sucesso são levados em consideração, a probabilidade de observamos uma sequência como a de Miller é de um em 2,3 milhões (Mauboussin, 2006, p. 50).

10. Para as estatísticas de DiMaggio, ver http://www.baseball-almanac.com/fur:DiMaggio's Statistics.

11. Arbesman e Strogatz (2008), usando simulações, descobriram que a probabilidade de 56 rebatimentos seguidos é algo entre 20% e 50%. Interessantemente, eles também descobriram que DiMaggio não era o jogador com mais chances de atingir essa distinção; assim, seu feito foi uma mistura de habilidade e sorte. Ver também McCotter (2008), que mostra que longos períodos de sucesso acontecem mais frequentemente do que deveriam se a média de rebatimentos for de fato constante, como Arbesman e Strogatz pressupõem, sugerindo que rebatedores em meio a uma maré de sorte têm mais chance de continuar tendo sucesso do que sua média na temporada sugeriria. Apesar de discordarem a respeito das chances de tais "marés" acontecerem, porém, ambos os modelos são consistentes na ideia de que a avaliação correta de desempenho é a média de rebatimentos, não um recorde específico.

12. É claro, também não é fácil concordar sobre o que constitui uma avaliação confiável de talento nos esportes: enquanto para um corredor de 100m é muito claro, no beisebol é muito menos evidente, e fãs discutem exaustivamente sobre quais estatísticas — média de rebatimentos, número de bolas apanhadas, número de corridas — devem contar mais. Mauboussin (2010), por exemplo, afirma que a média de *strikes* é uma medida de desempenho mais confiável do que a média de rebatimentos.

Entretanto, qualquer que seja a medida correta, a questão principal é que os esportes contam com números relativamente grandes de "tentativas" que são concluídas sob condições relativamente comparáveis.

13. Ver Lewis (2009) para um exemplo de medida de desempenho em termos de como um jogador influencia o número de vitórias e derrotas do time.

14. É claro, poderíamos aumentar artificialmente o número de dados observando seu desempenho diário ou semanal em vez do anual; porém, essas medidas são correspondentemente mais contundentes do que as anuais, então é provável que não ajudasse.

15. Ver Merton para o artigo original. Ver também Denrell (2004) para um argumento relacionado sobre como processos aleatórios podem ser responsáveis por diferenças persistentes de lucros entre empresas.

16. Ver Rigney (2010). Ver também DiPrete e Eirich (2006) para uma visão mais técnica acerca da literatura que trata da vantagem acumulada e da desigualdade. Ver Kahn (2010) para detalhes sobre os ganhos de pessoas com diploma do ensino superor.

17. Ver McDonald (2005) para a citação de Miller.

18. Mauboussin (2010) levanta esse ponto com muito mais detalhes.

19. Ironicamente, quanto mais distante de uma avaliação direta de talento uma avaliação de sucesso é, mais poderoso se torna o Efeito Halo. Enquanto a definição de talento se baseia em quão bem você faz uma coisa específica, sempre se pode questionar quão bem ela realmente foi feita, ou quão valiosa era a coisa a se fazer. Mas assim que as conquistas de alguém se abstraem de sua substância — como acontece, por exemplo, quando alguém ganha prêmios importantes, atinge grande reconhecimento ou ganha quantidades fabulosas de dinheiro —, medidas concretas individuais para avaliar o desempenho são pouco a pouco deixadas de lado pelo Halo. Uma pessoa bem-sucedida, da mesma forma que um livro best-seller ou uma ideia que se propaga, é simplesmente vista como alguém que demonstrou o mérito apropriado, a ponto de que o sucesso efetivamente tornou-se um substituto do próprio mérito. Porém, mais do que isso, é o mérito que não pode ser facilmente questionado. Se alguém acredita que a *Mona Lisa* é uma grande obra de arte por causa de X, Y e Z, opositores bem-informados podem imediata-

mente levantar seus próprios critérios, ou apontar outros exemplos que podem ser considerados superiores. Mas se, ao contrário, alguém acredita que a *Mona Lisa* é uma grande obra de arte simplesmente porque é famosa, nosso opositor pode levantar todas as objeções que quiser, e podemos insistir, com razão, que essa pessoa não entendeu a questão. Por mais bem-informados que sejam seus argumentos para defender que as características da *Mona Lisa* não são unicamente especiais, não podemos não suspeitar de que algo foi ignorado, porque certamente se a obra de arte não é realmente especial, então ela não deve ser, bem... especial.

20. Ver http://www.forbes.com/lists/2009/12/best-boss-09_Steven-P-Jobs_HEDB.html

21. Às vezes até os próprios líderes admitem isso — mas, curiosamente, costumam fazê-lo apenas quando as coisas vão mal. Por exemplo, quando os diretores dos quatro maiores bancos de investimentos testemunharam diante do Congresso americano, no início de 2010, eles não assumiram a responsabilidade pelo desempenho de suas empresas, afirmando, em vez disso, que haviam sido vítimas de um "tsunami financeiro", que causara o caos na economia. Porém, nos anos que antecederam a crise, quando suas empresas estavam ganhando mais dinheiro do que nunca, esses mesmos diretores não recusaram seus bônus, não alegaram que todos naquele ramo estavam ganhando dinheiro e que, portanto, eles não deveriam levar o crédito de estar fazendo algo especial. Ver Khurana (2002) para mais detalhes e Wasserman, Anand e Nohira (2010) para os resultados empíricos de quando a liderança é conveniente ou não.

22. Para citar Khurana diretamente: "intensas forças sociais, culturais e psicológicas levam as pessoas a acreditar em relações de causa e efeito como as de liderança corporativa e desempenho corporativo. Nos Estados Unidos, os pressupostos teóricos a respeito do individualismo ignoram a influência de forças sociais, econômicas e políticas em assuntos humanos, de forma que os relatos sobre eventos complexos como guerras e ciclos econômicos reduzem as forças por trás deles a personificações... Esse processo de exagerar as habilidades que os indivíduos têm de influenciar imensamente eventos complexos é reforçada pela mídia, que leva a atenção do público a se fixar nas características pessoais de líderes em detrimento de análises sérias dos eventos" (Khurana, 2002, p. 23).

23. Como Khurana e outros críticos facilmente reconhecem, a pesquisa deles não significa que qualquer um pode ser um CEO eficiente, ou que a atuação dos CEOs é irrelevante. É inteiramente possível, por exemplo, que um CEO arruíne um valor gigante tomando decisões ruins ou irresponsáveis. E como evitar decisões ruins pode ser difícil, até mesmo um desempenho satisfatório exige certo acúmulo de experiência, intelecto e habilidades de liderança. Certamente nem todos têm as qualidades para esse trabalho, ou a disciplina e a energia para levá-lo adiante. Muitos CEOs são pessoas impressionantes que trabalham por longas horas sob condições estressantes e carregam uma carga muito pesada de responsabilidades. Portanto, é perfeitamente compreensível que os diretores escolham CEOs criteriosamente e recompensem-nos de forma apropriada por seu talento e tempo. O argumento, aqui, é apenas que eles não devem ser selecionados ou recompensados se sua influência será pouco mais que fraca sobre o futuro da empresa.

24. Para um resumo das ideias de Rawls e Nozick, ver Sandel (2009). Para os argumentos originais, ver Rawls (1971) e Nozick (1974).

25. Ver DiPrete (2002) para evidências empíricas sobre mobilidade social intergeracional.

26. Ver, por exemplo, Herszenhorn (2009) e Kocieniewski (2010).

27. Ver, por exemplo, Watts (2009).

28. Ver Watts (2003, capítulo 1) para uma discussão detalhada sobre um fracasso em cascata: a falência do oeste dos Estados Unidos em 1996.

29. Ver Perrow (1984) para exemplos do que ele chama de acidentes normais em organizações complexas. Ver também Carlson e Doyle (2002) para uma análise mais técnica da natureza "robusta porém frágil" dos sistemas complexos.

30. Ver Tabibi (2009) para um exemplo sobre como a Goldman Sachs lucrou com diversas formas de assistência do governo.

31. Ver Sandel (2009).

32. Ver Granovetter (1985).

33. Ver Berger e Luckman (1966). A literatura sobre a democracia deliberativa mencionada no capítulo 1, nota 25, também é relevante para o argumento de Sandel.

Capítulo 10: O verdadeiro estudo da humanidade

1. O texto completo do "Ensaio sobre o homem", de Pope, está disponível on-line, em inglês, no Project Gutenberg, http://gutenberg.org/etext/2428.

2. A noção de Parsons de racionalidade foi inspirada por Max Weber, que, curiosamente, não era um funcionalista nem mesmo positivista, aproximando-se, ao contrário, do que ficou conhecido como uma escola interpretativa de sociologia, manifesta em seu argumento de que a ação racional é aquela que é *compreensível* (*verstehen*) para um analista. Contudo, o trabalho de Weber foi rapidamente secundado por teorias positivas fortes, das quais a teoria da escolha racional é a mais óbvia, ilustrando, assim, as profundidades das demandas positivistas ao se manifestarem em todas as formas de ciência, incluindo a social. Parsons é também às vezes elencado como um antipositivista, mas, novamente, suas ideias foram incorporadas às teorias positivistas de ação social.

3. Para críticas sobre Parsons, ver Mayhew (1980, p. 353), Harsanyi (1969, p. 514) e Coleman e Fararo (1992, p. xvii).

4. Muitos sociólogos — tanto antes quanto depois de Merton — criticaram o que chamaram de tentativas fáceis de replicar o sucesso das ciências naturais imitando a forma em vez dos métodos. Nos anos 1940, por exemplo, um contemporâneo de Parsons, Huntington Cairns, escreveu que "não contamos com nenhuma visão sinóptica das ciências sociais que nos encoraje a acreditar que estamos agora num estágio de análise em que podemos, com qualquer precisão, selecionar os conceitos básicos a partir dos quais uma estrutura integrada de conhecimento possa ser erigida" (Cairns, 1945, p.13). Mais recentemente, uma forte onda de críticas se virou para a teoria da escolha racional, em boa parte devido aos mesmos motivos (Quadagno e Knapp, 1992; Somers, 1998).

5. As citações foram extraídas de Merton (1968a).

6. Ver Merton (1968a) para sua descrição de teorias de médio alcance, incluindo a teoria da privação relativa e a teoria do conjunto de papéis.

7. Tanto Harsanyi (1969, p. 514) quanto Diermeier (1996) referenciam Newton, enquanto os cientistas políticos Donald Green e Ian Shapiro chamaram a teoria da escolha racional de "uma tenda que se expande continuamente para abrigar todas as proposições plausíveis desenvol-

vidas pela antropologia, a sociologia ou a psicologia social" (Green e Shapiro, 2005).

8. Deve-se notar que o "sucesso" ou "fracasso" da teoria da escolha racional é altamente controverso, com os defensores da escolha racional afirmando que é injusto avaliar a teoria da escolha racional como uma "teoria", quando na verdade ela deve ser vista como uma família de teorias unificadas apenas por sua ênfase em ações propositais como a causa de resultados sociais, ao invés de acidentes, conformidade ou hábito (Farmer, 1992; Kiser e Hechter, 1998; Cox, 1999). Talvez essa seja uma descrição precisa daquilo que a teoria da escolha racional se tornou (apesar de, curiosamente, alguns teóricos da escolha racional incluírem até mesmo o hábito entre o leque de incentivos racionais [Becker e Murphy, 2000]), mas certamente não é o que os proponentes iniciais como Harsanyi propuseram. Harsanyi, na verdade, criticou explicitamente a teoria de Parsons por não ser uma "teoria" de fato, faltando com a habilidade de derivar conclusões logicamente de um conjunto de axiomas — ou, em suas palavras, "o próprio conceito de função social em um senso coletivo dá vazão a problemas insolúveis de definição e identificação empírica" (1969, p. 533). Se isso subsequentemente se metamorfoseou ou não em algo mais realista não deve, portanto, distrair-nos da questão de que sua missão original era, sim, ser uma teoria, e que nesse sentido ela não foi mais bem-sucedida que nenhuma de suas antecessoras.

9. Sem dúvida, como Becker (1945, p. 84) notou há muito tempo, cientistas naturais são tão propensos quanto cientistas sociais a superestimar sua capacidade de construir modelos de previsão do comportamento humano.

10. Stouffer (1947).

11. Deve-se notar que nem todos os sociólogos concordam que a avaliação é realmente o problema que indico ser. De acordo com pelo menos uma escola de pensamento, teorias sociológicas deveriam nos ajudar a compreender o mundo e nos dar uma linguagem através da qual pudéssemos discutir esse tópico; mas elas não deveriam ter o objetivo de fazer previsões ou solucionar problemas, portanto não deveriam ser julgadas a partir de questões pragmáticas. Se essa visão "interpretativa" da sociologia estiver correta, toda a empreitada positivista que se iniciou com Comte se baseia em um engano fundamental sobre a natureza da ciência social, começando com a pressuposição de que ela

deve ser considerada um ramo da ciência (Boudon, 1988b). Portanto, os sociólogos deveriam era se concentrar no desenvolvimento de "abordagens" e "enquadramentos" — maneiras de pensar sobre o mundo que nos permitem ver o que eles poderiam perder, e questionar o que outras pessoas ignoram — e esquecer as tentativas de construir teorias do tipo que são familiares a nós no âmbito das ciências naturais. Foi essencialmente esse tipo de abordagem à sociologia, na verdade, que Howard Becker defendia em seu livro *Tricks of the Trade*, cuja resenha encontrei em 1998 e que John Gribbin — o resenhista, que, lembrem-se, é um físico — evidentemente julgou absurda.

12. Ver, por exemplo, Paolacci et al. (2010).

13. O debate sobre a privacidade é importante e levanta uma variedade de questões não resolvidas. Primeiramente, quando perguntadas, as pessoas dizem que se importam muito com sua privacidade (Turow et al., 2009); entretanto, suas ações frequentemente vão na contramão de suas respostas às perguntas de pesquisas. Não apenas muitas pessoas postam publicamente diversas informações pessoais sobre si mesmas, como também recusam-se a pagar por serviços que lhes garantiriam um nível maior de privacidade. Talvez essa desconexão entre as preferências adotadas na prática e as reveladas oralmente implique apenas que as pessoas não compreendem as consequências de suas ações; mas pode também indicar que questões abstratas sobre "privacidade" são menos significativas do que trocas concretas em situações específicas. Um segundo problema, ainda mais complicado, é que não importa como as pessoas se "sentem" quanto a revelar informações específicas sobre si mesmas, elas certamente não conseguem apreciar a habilidade de terceiros em construir perfis sobre elas e, portanto, inferem *outras* informações sobre as quais não se sentiriam confortáveis em revelar.

14. Ver Sherif (1937) e Asch (1953) para detalhes sobre suas experiências pioneiras. Ver Zelditch (1969) para sua discussão sobre estudos de grupos pequenos *versus* grupos grandes. Ver Adar e Adamic (2005), Sun et al. (2009) e Bakshy e Adamic (2009) para outros exemplos de registros da difusão de informações em redes on-line.

15. Agora que comprovaram o conceito, Reiley e Lewis estão embarcando em uma nova onda de experimentos semelhantes — em lojas de departamentos, serviços de telefonia, empresas de serviços financeiros

etc. —, com o objetivo de avaliar as diferenças entre domínios (será que propagandas funcionam para celulares de maneira diferente de como funcionam para cartões de crédito?), índices demográficos (será que as pessoas mais velhas são mais suscetíveis que as jovens?) e até mesmo entre layouts e designs específicos (fundo azul *versus* fundo branco?).

16. Ver Lazarsfeld e Merton (1954) para a definição original de "homofilia", e McPherson et al. (2001) para uma recente visão geral da literatura. Ver Feld (1981) e McPherson e Smith-Lovin (1987) para uma discussão sobre a importância de oportunidades estruturais.

17. A razão é que a estrutura social não apenas molda nossas escolhas, como também é moldada por elas. É verdade, por exemplo, que as pessoas que tendemos a conhecer no futuro próximo são determinadas em alguma instância por nossos círculos sociais existentes e nossas atividades. Mas em uma escala temporal um pouco maior também é verdadeiro que podemos escolher alguma coisa e não outra precisamente devido às pessoas que esperamos conhecer enquanto fazemos essas coisas. O ponto principal de todos os eventos de "redes sociais" no mundo dos negócios, por exemplo, é colocar-se em uma situação em que você pode conhecer pessoas interessantes. Da mesma forma, a determinação de alguns pais de colocar seus filhos nas escolas "certas" tem menos a ver com a qualidade da educação que as crianças receberão e mais com os colegas que eles terão. Isso posto, é claro que não é igualmente fácil para todos entrar para Harvard, ou ser convidado para os melhores eventos sociais. Em um período maior de tempo, portanto, sua posição na estrutura social limita não apenas as pessoas que você pode vir a conhecer, como também as escolhas que vão determinar sua posição futura na estrutura social. Discussões sobre a importância relativa de preferências individuais e estrutura social invariavelmente ficam presas nessa teia, e então tendem a ser solucionadas mais por ideologia do que por dados. Aqueles que acreditam no poder da escolha individual podem sempre alegar que estruturas são simplesmente consequências das escolhas feitas por indivíduos, enquanto aqueles que acreditam no poder da estrutura podem sempre alegar que as escolhas são ilusórias.

18. Uma descoberta semelhante foi subsequentemente registrada em outro estudo de homofilia usando dados coletados no Facebook (Wimmer e Lewis, 2010).

19. Alguns estudos demonstraram que a polarização está aumentando (Abramowitz e Saunders, 2008; Bishop, 2008), enquanto outros demonstraram que os americanos concordam mais do que discordam, e que as opiniões sobre uma determinada questão — digamos, aborto — acabam se revelando, surpreendentemente, não relacionadas a opiniões sobre outros tópicos, como posse de armas ou imigração (Baldassari e Gelman, 2008; Gelman et al., 2008; DiMaggio et al., 1996; Fiorina et al., 2005).

20. Ver Baldassari e Bearman (2007) para uma discussão sobre argumentos reais *versus* argumentos percebidos. Apesar das dificuldades práticas, alguns estudos pioneiros precisamente desse tipo foram conduzidos, inicialmente por Laumann (1969) e, mais tarde, por Huckfeldt e parceiros (Huckfeldt et al., 2004; Huckfeldt e Sprague, 1987).

21. É claro que o Facebook é uma representação imperfeita das redes de amizade das pessoas. Nem todos estão no Facebook, então alguns amigos próximos podem estar faltando, enquanto vários "amigos" são apenas conhecidos no mundo real. Contar amigos mútuos pode ajudar a diferenciar amizades genuínas e ilusórias, mas esse método também é imperfeito, pois mesmos conhecidos mútuos no Facebook podem ter os mesmos amigos. Uma abordagem mais precisa pode ser observar quão frequentemente os amigos se comunicam ou desempenham outras atitudes relacionais (por exemplo, clicando em uma atualização de status, comentando, curtindo etc.); entretanto, esses dados ainda não são analisáveis para desenvolvedores terceirizados.

22. Para detalhes sobre o estudo do Friend Sense, ver Goel, Mason e Watts (2010).

23. A projeção é um fenômeno bastante estudado na psicologia, mas é difícil de ser avaliado em redes sociais, em grande parte devido às mesmas razões que bloquearam pesquisas de rede em geral. Para uma crítica da literatura sobre projeção, ver Krueger e Clement (1994), Krueger (2007) e Robbins e Krueger (2005).

24. Ver Aral, Muchnik e Sundararajan (2009) para um estudo recente sobre influência no marketing viral.

25. Para outros trabalhos recentes usando dados de e-mails, ver Tyler et al. (2005), Cortes et al. (2003), Kossinets e Watts (2006), Malmgren et al. (2009), De Choudhury et al. (2010) e Clauset e Eagle (2007). Para estudos relacionados utilizando dados de celulares, ver Eagle et al. (2007)

e Onnela et al. (2007); e para trabalhos usando dados de mensagens instantâneas, ver Leskovec e Horvitz (2008).

26. Para informações sobre o progresso em estudos sobre câncer, veja uma excelente série de artigos, "The Forty Years War", publicada no *New York Times*. Busque "forty years war cancer" ou acesse http://bit.ly/c4bsc9. Para um relato similar da revolução do genoma, veja artigos recentes de Wade (2010) e Pollack (2010).

27. Fiz uma afirmação semelhante anteriormente (Watts, 2007), assim como outros autores (Schneiderman, 2008; Lazer et al., 2009).

Bibliografia

ABE, Sumiyoshi e SUZUKI, Norikuzu. "Scale-free Network of Earthquakes". *Europhysics Letters* 65 (4):581-86, 2004.

ABRAHAM, Magid M. e LODISH, Leonard M. "Getting the Most Out of Advertising and Promotion". *Harvard Business Review* 68 (3): 50, 1990.

ABRAHAM, Magid. "The Off-line Impact of On-line Ads". *Harvard Business Review* (abril): 28, 2008.

ABRAMOWITZ, Alan e SAUNDERS, Kyle L. "Is Polarization a Myth?" *Journal of Politics* 70 (2): 542-55, 2008.

ADAMIC, Lada A. e ADAR, Eytan. "How to Search a Social Network". *Social Networks* 27 (3): 187-203, 2005.

ADAR, Eytan e ADAMIC, Lada A. "Tracking Information Epidemics in Blogspace". Lido na Conferência Internacional IEEE/WIC/ACM de Inteligência na Web, 19-22 de setembro de 2005, na Universidade de Tecnologia Compiègne, França.

ADLER, Moshe. "Stardom and Talent". *American Economic Review* 75 (1): 208-12, 1985.

ALICKE, Mark D. e GOVORUN, Olesya. "The Better-Than-Average Effect", in ALICKE, M.D.; DUNNING, D.A. e KRUEGER, J.I. (eds.), *The Self in Social Judgment*. 85-106, 2005.

ALTERMAN, Eric. "Out of Print: The Death and Life of the American Newspaper". *The New Yorker*, 31 de março de 2008.

ANDERSON, Philip W. "More Is Different". *Science* 177 (4.047): 393-6, 1972.

ANDREOZZI, Luciano. "A Note on Paradoxes in Economics". *Kyklos* 57 (1): 3-20, 2004.

ARAL, Sinan; MUCHNIK, Lev e SUNDARARAJAN, Arun. "Distinguishing Influence-Based Contagion from Homophily-Driven Diffusion in Dy-

namic Networks". *Proceedings of the National Academy of Sciences* 106 (51): 21.544-9, 2009.
ARANGO, Tim. "How the AOL-Time Warner Merger Went So Wrong". *New York Times*, 10 de janeiro de 2010.
ARBESMAN, Sam e STROGATZ, Steven H. "A Monte Carlo Approach to Joe DiMaggio and Streaks in Baseball", in http://arxiv.org/abs/0807.5082, verificado em 2008.
ARCENEAUX, Kevin e NICKERSON, David. "Who Is Mobilized to Vote? A Re-Analysis of 11 Field Experiments". *American Journal of Political Science* 53 (1): 1-16, 2009.
ARIELY, Dan. *Previsivelmente irracional: como as situações do dia a dia influenciam as nossas decisões*. Rio de Janeiro: Campus, 2008.
ARIELY, Dan; LOEWENSTEIN, George e PRELEC, Drazen. "Coherent Arbitrariness:
Stable Demand Curves Without Stable Preferences". *Quarterly Journal of Economics* 118 (1): 73-105, 2003.
ARIELY, Dan; GNEEZY, Uri; LOWENSTEIN, George e MAZAR, Nina. "Large Stakes and Big Mistakes". *Review of Economic Studies*, 76 (2): 451-469, 2009.
ARMSTRONG, J. Scott. *Long-Range Forecasting: From Crystal Ball to Computer*. Nova York: John Wiley, 1985.
ARROW, Kenneth J.; FORSYTHE, Robert; GORHAM, Michael et al. "The Promise of Prediction Markets". *Science* 320 (5.878): 877-8, 2008.
ARTHUR, W. Brian. "Competing Technologies, Increasing Returns, e Lock-in by Historical Events". *Economic Journal* 99 (394): 116-31, 1989.
ASCH, Solomon E. "Effects of Group Pressure Upon the Modification and Distortion of Judgments", in CARTWRIGHT, D. e ZANDER A. (eds.), *Group Dynamics: Research and Theory*. Evanston, IL: Row, Peterson and Co, 1953.
AYRES, Ian. *Super Crunchers*. Rio de Janeiro: Ediouro, 2008.
BAKER, George P. "Incentive Contracts and Performance Measurement". *Journal of Political Economy* 100 (3): 598-614, 1992.
BAKER, Stephen. *Numerati*. São Paulo: Arx, 2009.
BAKSHY, Eytan; KARRER, Brian e ADAMIC, Lada A. "Social Influence and the Diffusion of User-Created Content". Lido na 10ª Conferên-

cia ACM sobre Comércio Eletrônico. Stanford, Califórnia: 6-10 de julho de 2009.

BALDASSARI, Delia e BEARMAN, Peter S. "Dynamics of Political Polarization". *American Sociological Review* 72 (5): 784-811, 2007.

BALDASSARI, Delia e GELMAN, Andrew. "Partisans Without Constraint: Political Polarization and Trends in American Public Opinion". *American Journal of Sociology* 114 (2): 408-46, 2008.

BANDIERA, Oriana; BARANKAY, Iwan e RASUL, Imran. "Team Incentives: Evidence from a Field Experiment". Manuscrito inédito, 2009.

BARBERA, Robert. *The Cost of Capitalism: Understanding Market Mayhem and Stabilizing Our Economic Future*. Nova York: McGraw-Hill, 2009.

BARGH, John A. e CHARTRAND, Tanya L. "The Unbearable Automaticity of Being". *American Psychologist* 54 (7): 462-79, 1999.

BARGH, John A.; CHEN, Mark e BURROWS, Lara. "Automaticity of Social Behavior: Direct Effects of Trait Construct and Stereotype Activation on Action". *Journal of Personality and Social Psychology* 71: 230-44, 1996.

BARNES, Brooks. "Audiences Laughed to Forget Troubles". *New York Times*, 29 de dezembro de 2009.

BASS, Frank M. "A New Product Growth for Model Consumer Durables". *Management Science* 15 (5): 215-27, 1969.

BASSETTI, Stefano; BISCHOFF, Werner E. e SHERERTZ, Robert J. "Are SARS Superspreaders Cloud Adults". *Emerging Infectious Diseases (serial on the Internet)*. 2005.

BECK, P.W. *Forecasts: Opiates for Decision Makers*. Reino Unido: Shell, 1983.

BECKER, Gary S. *The Economic Approach to Human Behavior*. Chicago: University of Chicago Press, 1976.

BECKER, Gary S. e MURPHY, Kevin M. *Social Economics: Market Behavior in a Social Environment*. Cambridge, Massachusetts: The Belknap Press of Harvard University Press, 2000.

BECKER, Howard. "Interpretive Sociology and Constructive Typology", in GURVITCH, G. e MOORE, W.E. (eds.), *Twentieth-Century Sociology*. Nova York: Philosophical Library, 1945.

BECKER, Howard S. *Tricks of the Trade: How to Think About Your Research While You're Doing it*. Chicago: University of Chicago Press, 1998.

BENGSTON, William F. e HAZZARD, John W. "The Assimilation of Sociology in Common Sense: Some Implications for Teaching". *Teaching Sociology* 18 (1): 39-45, 1990.

BERGER, Jonah e FITZSIMONS, Grinne. "Dogs on the Street, Pumas on Your Feet: How Cues in the Environment Influence Product Evaluation and Choice". *Journal of Marketing Research (JMR)* 45(1): 1-14, 2008.

BERGER, Jonah e HEATH, Chip. "Where Consumers Diverge from Others: Identity Signaling and Product Domains". *Journal of Consumer Research* 34 (2): 121-34, 2007.

BERGER, Peter L. e LUCKMAN, Thomas. *A construção social da realidade*. Rio de Janeiro: Vozes, 2006.

BERLIN, Isaiah. "History and Theory: The Concept of Scientific History". *History and Theory* 1 (1): 1-31, 1960.

BERLIN, Isaiah. *The Proper Study of Mankind: An Anthology of Essays*. Londres: Chatto and Windus, 1997.

BERMAN, Eli. *Radical, Religious, and Violent: The New Economics of Terrorism*. Cambridge, Massachusetts: MIT Press, 2009.

BERNARD, H. Russell; JOHNSEN, Eugene C.; KILLWORTH, Peter D. e ROBINSON, Scott. "Estimating the Size of an Average Personal Network and of an Event Population", in KOCHEN Manfred (ed.), *The Small World*. Norwood, Nova Jersey: Ablex Publishing, 1989.

———. "Estimating the Size of an Average Personal Network and of an Event Population: Some Empirical Results". *Social Science Research* 20: 109-21, 1991.

BERNARD, H. Russell; KILLWORTH, Peter D.; KRONENFELD, David e SAILER, Lee. "The Problem of Informant Accuracy: The Validity of Retrospective Data". *Annual Review of Anthropology* 13: 495-517, 1984.

BERNARD, Tara S. "A Toolkit for Women Seeking a Raise". *New York Times*, 14 de maio de 2010.

BERNDT, Ernst R. *The Practice of Econometrics: Classic and Contemporary*. Reading, Massachusetts: Addison Wesley, 1991.

BERTRAND, Marianne; KARLAN, Dean S.; MULLAINATHAN, Sendhil et al. "What's Advertising Content Worth? Evidence from a Consumer Credit Marketing Field Experiment". *Quarterly Journal of Economics* 119(2): 353-402, 2010.

BETTMAN, James R.; LUCE, Mary Frances e PAYNE, John W. "Constructive Consumer Choice Processes". *Journal of Consumer Research* 25 (3):187-217, 1998.

BIELBY, William T. e BIELBY, Denise D. "'All Hits Are Flukes': Institutionalized Decision Making and the Rhetoric of Network Prime-Time Program Development". *American Journal of Sociology* 99 (5): 1.287-313, 1994.

BISHOP, Bill. *The Big Sort: Why the Clustering of Like-Minded America Is Tearing Us Apart*. Nova York: Houghton Mifflin, 2008.

BISHOP, Christopher M. *Pattern Recognition and Machine Learning*. Nova York: Springer, 2006.

BLACK, Donald. "Common Sense in the Sociology of Law". *American Sociological Review* 44 (1): 18-27, 1979.

BLASS, Thomas. *The Man Who Shocked the World: The Life and Legacy of Stanley Milgram*. Nova York: PublicAffairs Books, 2009.

BOLLEN, Johan; Alberto, PEPE e Huina, MAO. "Modeling Public Mood and Emotion: Twitter Sentiment and Socio-economic Phenomena". Arxiv preprint arXiv:0911.1583, 2009.

BOND, Sumuel D.; CARLSON, Kurt A.; MELOY, Margaret G. et al. "Information Distortion in the Evaluation of a Single Option". *Organizational Behavior and Human Decision Processes* 102 (2): 240-54, 2007.

BOOHER-JENNINGS, Jennifer. "Below the Bubble: 'Educational Triage' and the Texas Accountability System". *American Educational Research Journal* 42 (2): 231-68, 2005.

———. "Rationing Education". *Washington Post*, 5 de outubro de 2006.

BOUDON, Raymond. "Common Sense and the Human Sciences". *International Sociology* 3 (1): 1-22, 1988a.

———. "Will Sociology Ever Be a 'Normal Science?'" *Theory and Society* 17 (5): 747-71, 1988b.

———. "Limitations of Rational Choice Theory". *American Journal of Sociology* 104 (3): 817-28, 1998.

BOWLES, Samuel; FEHR, Ernst e GINTIS, Herbert. "Strong Reciprocity May Evolve With or Without Group Selection". *Theoretical Primatology Project Newsletter*, 11 de dezembro de 2003.

BRAUERS, Jutta e WEBER, Martin. "A New Method of Scenario Analysis for Strategic Planning". *Journal of Forecasting* 7 (1): 31-47, 1988.

BRILL, Steven. "What's a Bailed-Out Banker Really Worth?" *New York Times Magazine*, 29 de dezembro de 2009.

———. "The Teachers' Unions' Last Stand". *New York Times Magazine*, 23 de maio de 2010: 32-47.

BROOKER, Katrina. "Citi's Creator, Alone with His Regrets". *New York Times*, 2 de janeiro de 2010.

BROWN, Bernice B. "Delphi Process: A Methodology Used for the Elicitation of Opinions of Experts". Santa Monica, Califórnia: RAND Corporation, 1968.

BRYNJOLFSSON, Erik e SCHRAGE, Michael. "The New, Faster Face of Innovation". *MIT Sloan Management Review*, agosto de 2009.

BUCHANAN, James. "Rational Choice Models in the Social Sciences", in TOLLISON, R.D. e VANBERG, V.J. (eds.), *Explorations into Constitutional Economics*. College Station, Texas: Texas A&M University Press, 1989.

BUMILLER, Elisabeth. "Top Defense Officials Seek to End 'Don't Ask, Don't Tell.'" *New York Times*, 2 de fevereiro de 2010.

BURSON-MARSTELLER. *The E-fluentials*. Nova York: Burson-Marsteller, 2001.

CAIRNS, Huntington. "Sociology and the Social Science", in GURVITCH, G. e MOORE, W.E. (eds.), *Twentieth-Century Sociology*. Nova York: Philosophical Library, 1945.

CAMERER, Colin F.; LOEWENSTEIN, George e RABIN, Matthew. *Advances in Behavioral Economics*. Princeton, Nova Jersey: Princeton University Press, 2003.

CARLSON, Jean M. e John, DOYLE. "Complexity and Robustness". *Proceedings of the National Academy of Sciences* 99: 2.538, 2002.

CARTER, Bill. *Desperate Networks*. Nova York: Doubleday, 2006.

CASSIDY, John. *How Markets Fail: The Logic of Economic Calamities*. Nova York: Farrar, Straus and Giroux, 2009.

CAVES, Richard E. *Creative Industries: Contracts Between Art and Commerce*. Cambridge, Massachusetts: Harvard University Press, 2000.

CHAPMAN, Gretchen B. e JOHNSON, Eric J. "The Limits of Anchoring". *Journal of Behavioral Decision Making* 7 (4): 223-42, 1994.

CHOI, Hyunyoung e VARIAN, Hal. *Predicting the Present with Google Trends*. 2008. Disponível em http://www.google.com/googleblogs/pdfs/google_predicting_the_present.pdf, verificado em 2011.

CHRISTAKIS, Nicholas A. e FOWLER, James H. *Connected: The Surprising Power of Social Networks and How They Shape Our Lives*. Nova York: Little, Brown, 2009.

CIALDINI, Robert B. *Influence: Science and Practice*, 4ª ed. Needham Heights, Massachusetts: Allyn and Bacon, 2001.

CIALDINI, Robert B. e GOLDSTEIN, Noah J. "Social Influence: Compliance and Conformity". *Annual Review of Psychology* 55: 591-621, 2004.

CLARK, Kenneth. "Mona Lisa". *The Burlington Magazine* 115 (840): 144-51, 1973.

CLAUSET, Aaron e EAGLE, Nathan. "Persistence and Periodicity in a Dynamic Proximity Network", in *DIMACS Workshop on Compututional Methods for Dynamic Interaction Networks*, 2007.

CLIFFORD, Stephanie. "Put Ad on Web. Count Clicks. Revise", *New York Times*, 30 de maio de 2009.

———. "We'll Make You a Star (if the Web Agrees)". *New York Times*, 4 de junho de 2010.

COHEN-COLE, Ethan e FLETCHER, Jason M. "Are All Health Outcomes 'Contagious'? Detecting Implausible Social Network Effects in Acne, Height, and Headaches". 2008a. Disponível em http://papers.ssrn.com/sol3/papers.cfm?abstract_id=1333901, verificado em 2011.

———. "Is Obesity Contagious? Social Networks vs. Environmental Factors in the Obesity Epidemic". *Journal of Health Economics* 27 (5): 1.382-7, 2008b.

COHN, Jonathan. *Sick: The Untold Story of America's Health Care Crisis — and the People Who Pay the Price*. Nova York: HarperCollins, 2007.

COLEMAN, James S. *Individual Interests and Collective Action*. Cambridge, Reino Unido: Cambridge University Press, 1986.

COLEMAN, James S. e FARARO, Thomas J. *Rational Choice Theory: Advocacy and Critique*. Thousand Oaks, Califórnia: Sage, 1992.

COLEMAN, James Samuel. "The Impact of Gary Becker's Work on Sociology". *Acta Sociologica* 36: 169-78, 1993.

COLLINS, Harry. "Bicycling on the Moon: Collective Tacit Knowledge and Somatic-Limit Tacit Knowledge". *Organization Studies* 28 (2): 257, 2007.

COOK, Karen S.; EMERSON, Richard M.; GILLMORE, Mary R. e YAMAGISHI, Toshio. "The Distribution of Power in Exchange Networks: Theory and Experimental Results". *American Journal of Sociology* 89: 275-305, 1983.

COOK, Karen S.; MOLM, Linda D. e YAMAGISHI, Toshio. "Exchange Relations and Exchange Networks: Recent Developments in Social Exchange Theory", in J. Berger e M. Zelditch (eds.), *Theoretical Research Programs: Studies in Theory Growth*. Palo Alto, Califórnia: Stanford University Press, 1993.

COOPER, William H. "Ubiquitous Halo". *Psychological Bulletin* 90 (2): 218-44, 1981.

CORBUSIER, Le. "Towards a New Architecture". Nova York: Dover. Primeiramente publicado como "Vers une Architecture", 1923.

CORTES, Corinna, PREGIBON Daryl e VOLINSKY Chris. "Computational Methods for Dynamic Graphs". *Journal of Computational and Graphical Statistics* 12 (4): 950-70, 2003.

COX, Gary W. "The Empirical Content of Rational Choice Theory: A Reply to Green and Shapiro". *Journal of Theoretical Politics* 11 (2): 147-69, 1999.

CUTTING, James E. "Gustave Caillebotte, French Impressionism, and Mere Exposure". *Psychonomic Bulletin & Review* 10 (2): 319, 2003.

DANTO, Arthur C. *Analytical Philosophy of History*. Cambridge, Reino Unido: Cambridge University Press, 1965.

DAWES, Robyn M. *Everyday Irrationality: How Pseudo-Scientists, Lunatics, and the Rest of Us Systematically Fail to Think Rationally*. Boulder, Colorado: Westview Press, 2002.

DAWES, Robyn. "The Robust Beauty of Improper Linear Models in Decision Making". *American Psychologist* 34 (7): 571-82, 1979.

DE CHOUDHURY, Munmun; HOFMAN, Jake M.; MASON, Winter A. e WATTS, Duncan J. "Inferring Relevant Social Networks from Interpersonal Communication". Lido na 19ª Conferência Internacional de World Wide Web em Raleigh, Estados Unidos, 2010.

DE MESQUITA, Bruce B. *The Predictioneer's Game: Using the Logic of Brazen Self-Interest to See and Shape the Future*. Nova York: Random House, 2009.

DENNETT, Daniel C. "Cognitive Wheels: The Frame Problem of AI", in HOOKAWAY C. (ed.), *Minds, Machines and Evolution*. Cambridge, Reino Unido: Cambridge University Press, 1984.

DE VANY, Arthur. *Hollywood Economics: How Extreme Uncertainty Shapes the Film Industry*. Londres: Routledge, 2004.

DE VANY, Arthur e WALLS, W. David. "Bose-Einstein Dynamics and Adaptive Contracting in the Motion Picture Industry". *The Economic Journal* 106 (439): 1.493-1.514, 1996.

DENRELL, Jerker. "Random Walks and Sustained Competitive Advantage". *Management Science* 50 (7): 922-34, 2004.

DHOLAKIA, Utpal M. e VIANELLO, Silvia. "The Fans Know Best". *MIT Sloan Management Review*, 17 de agosto de 2009.

DIERMEIER, Daniel. "Rational Choice and the Role of Theory in Political Science", in FRIEDMAN J. (ed.), *The Rational Choice Controversy: Economic Models of Politics Reconsidered*. New Haven, Connecticut: Yale University Press, 1996.

DIMAGGIO, Paul; EVANS, John e BRYSON, Bethany. "Have American's Social Attitudes Become More Polarized?" *American Journal of Sociology* 102 (3): 690-755, 1996.

DIMAGGIO, Paul, e POWELL W.W. "The Iron Cage Revisited: Institutional Isomorphism and Collective Rationality in Organizational Fields". *American Sociological Review*: 147-60, 1983.

DIPRETE, Thomas A. "Life Course Risks, Mobility Regimes, and Mobility Consequences: A Comparison of Sweden, Germany, and the United States". *American Journal of Sociology* 108 (2): 267-309, 2002.

DIPRETE, Thomas A. e EIRICH, Gregory M. "Cumulative Advantage as a Mechanism for Inequality: A Review of Theoretical and Empirical Developments". *Annual Review of Sociology* 32 (1): 271-97, 2006.

DOBBIN, Frank. "Cultural Models of Organization: The Social Construction of Rational Organizing Principles", in CRANE D. (ed.), *The Sociology of Culture: Emerging Theoretical Perspectives*. Oxford: Basil Blackwell, 1994.

DODDS, Peter S. e DANFORTH, Christopher M. "Measuring the Happiness of Large-Scale Written Expression: Songs, Blogs, and Presidents". *Journal of Happiness Studies* 11(4): 44-56, 2009.

DODDS, Peter S.; MUHAMAD, Roby e WATTS, Duncan J. "An Experimental Study of Search in Global Social Networks". *Science* 301 (5634): 827-29, 2003.

DUESENBERRY, James. "Comment on 'An Economic Analysis of Fertility'", in National Bureau of Economic Research (ed.), *Demographic and Economic Change in Developed Countries: A Conference of the Universities*. Princeton, Nova Jersey: Princeton University Press, 1960.

DUNNING, David; MEYEROWITZ, Judith A. e HOLZBERG, Amy D. "Ambiguity and Self-Evaluation: The Role of Idiosyncratic Trait Definitions in Self-Serving Assessments of Ability". *Journal of Personality and Social Psychology* 57 (6): 1.082-90, 1989.

EAGLE, Nathan; PENTLAND, Alex e LAZER, David. "Inferring Social Network Structure Using Mobile Phone Data". *Proceedings of the National Academy of Sciences* 106(36): 15.274-15.278, 2009.

EASTERLY, William. *The White Man's Burden: Why the West's Efforts to Aid the Rest Have Done So Much Ill and So Little Good*. Nova York: Penguin, 2006.

ELSTER, Jon. "Some Unresolved Problems in the Theory of Rational Behavior". *Acta Sociologica* 36: 179-90, 1993.

———. *Reason and Rationality*. Princeton, Nova Jersey: Princeton University Press, 2009.

ERIKSON, Robert S. e WLEZIEN, Christopher. "Are Political Markets Really Superior to Polls as Election Predictors?" *Public Opinion Quarterly* 72 (2): 190-215, 2008.

FARMER, Mary K. "On the Need to Make a Better Job of Justifying Rational Choice Theory". *Rationality and Society* 4 (4): 411-20, 1992.

FEHR, Ernst e FISCHBACHER, Urs. "The Nature of Human Altruism". *Nature* 425: 785-91, 2003.

FEHR, Ernst e GACHTER, Simon. "Cooperation and Punishment in Public Goods Experiments". *American Economic Review* 90 (4): 980-94, 2000.

———. "Altruistic Punishment in Humans". *Nature* 415: 137-40, 2002.

FELD, Scott L. "The Focused Organization of Social Ties". *American Journal of Sociology* 86 (5): 1.015-35, 1981.

FERDOWS, Kasra; LEWIS, Michael A. e MACHUCA, Jose A.D. "Rapid-Fire Fulfillment". *Harvard Business Review* 82 (11), 2004.

FESTINGER, Leon. *A Theory of Cognitive Dissonance*. Palo Alto, Califórnia: Stanford University Press, 1957.

FIORINA, Morris P.; ABRAMS, Samuel J. e POPE, Jeremy C. *Culture Wars? The Myth of a Polarized America*. Nova York: Pearson Longman, 2005.

FISCHHOFF, Baruch. "For Those Condemned to Study the Past: Heuristics and Biases in Hindsight", in SLOVIC, D. Kahneman P. e TVERSKY, A. (eds.), *Judgment Under Uncertainty: Heuristics and Biases*. Nova York: Cambridge University Press, 1982.

FISHER, Marshall. "Rocket Science Retailing: The 2006 Philip Mc-Cord Morse Lecture". *Operations Research* 57 (3): 527-40, 2009.

FODOR, Jerry. "How the Mind Works: What We Still Don't Know". *Daedalus* 135 (3): 86-94, 2006.

FRANK, Robert H. *O naturalista da economia: explicação para os enigmas do dia a dia*. Rio de Janeiro: Best Business, 2009.

FREEMAN, Linton C. *The Development of Social Network Analysis*. Vancouver, British Columbia: Empirical Press, 2004.

FRIEDMAN, Jeffrey (org.). *The Rational Choice Controversy: Economic Models of Politics Reconsidered*. New Haven, Connecticut: Yale University Press, 1996.

FRIST, Bill; MCCELLAN, Mark; PINKERTON, James P. et al. "How the G.O.P. Can Fix Health Care". *New York Times*, 21 de fevereiro de 2010.

GABEL, Jon R. "Congress's Health Care Numbers Don't Add Up". *New York Times*, 25 de agosto de 2009.

GADDIS, John Lewis. *The Landscape of History: How Historians Map the Past*. Oxford, Reino Unido: Oxford University Press, 2002.

GAWANDE, Atul. *Better: A Surgeon's Notes on Performance*. Londres: Profile Books, 2008.

GEERTZ, Clifford. "Common Sense as a Cultural System". *The Antioch Revew* 33 (1): 5-26, 1975.

GELB, Leslie. *Power Rules: How Common Sense Can Rescue American Foreign Policy*. Nova York: Harper Collins, 2009.

GELMAN, Andrew; PARK, David; SHOR, Boris et al. *Red State, Blue State, Rich State, Poor State: Why Americans Vote the Way They Do*. Princeton, Nova Jersey: Princeton University Press, 2008.

GERBER, Alan S.; KARLAN, Dean e BERGAN, Daniel. "Does the Media Matter? A Field Experiment Measuring the Effect of Newspapers on Voting Behavior and Political Opinions". *American Economic Journal: Applied Economics* 1 (2): 35-52, 2009.

GIGERENZER, Gerd. *Gut Feelings: The Intelligence of the Unconscious*. Nova York: Viking, 2007.

GIGERENZER, Gerd; TODD, Peter M. e ABC Research Group. *Simple Heuristics That Make Us Smart*, ed. S. Rich. Nova York: Oxford University Press, 1999.

GILBERT, Daniel. *Stumbling on Happiness*. Nova York: Alfred A. Knopf, 2006.

GILOVICH, Thomas; GRIFFIN, Dale e KAHNEMAN, Daniel (orgs.). *Heuristics and Biases: The Psychology of Intuitive Judgment*. Cambridge, Reino Unido: Cambridge University Press, 2002.

GINSBERG, Jeremy, MOHEBBI Matthew H., PATEL Rajan S. et al. "Detecting Influenza Epidemics Using Search Engine Query Data". *Nature* 457 (7.232): 1.012-14, 2008.

GIULIANI, Elisa; RABELLOTTI, Roberta e VAN DIJK, Meine P. *Clusters Facing Competition: The Importance of External Linkages*. Farnham, Reino Unido: Ashgate Publishing Co, 2005.

GLADWELL, Malcolm. "Six Degrees of Lois Weisberg". *New Yorker* 11: 52-63, 1999.

———. *O ponto da virada*. Rio de Janeiro: Sextante, 2009.

GELMAN, Andrew, LAX Jeffery e PHILLIPS Justin. "Over Time, a Gay Marriage Groundswell". *New York Times*, 21 de agosto de 2010.

GLEICK, James. "Chaos: Making a New Science". Nova York: Viking Penguin, 1987.

GLENN, David. "Senator Proposes an End to Federal Support for Political Science". *Chronicle of Higher Education*, 7 de outubro de 2009.

GOEL, Sharad; LAHAIE, Sebastien; HOFMAN, Jake et al. "Predicting Consumer Behavior with Web Search". *Proceedings of the National Academy of Sciences* (DOI: 10.1073/pnas.1005962107), 2010.

GOEL, Sharad; MASON, Winter e WATTS, Duncan J. "Perceived and Real Attitude Similarity in Social Networks". *Journal of Personality and Social Psychology*, 99(4): 611-621, 2010.

GOEL, Sharad; MUHAMAD, Roby e WATTS, Duncan J. "Social Search in 'Small-World' Experiments", in *Proceedings of the 18th International Conference on World Wide Web*. Madri, Espanha: Association of Computing Machinery, 2009.

GOEL, Sharad; REEVES, Daniel; PENNOCK, David M. e WATTS, Duncan J. "Prediction Without Markets", in *11th ACM Conference on Electronic Commerce*. Harvard University, Cambridge, MA: Association of Computing Machinery, 2010c, p. 357-66.

GOLDSTEIN, Daniel G.; JOHNSON, Eric J.; HERRMANN, Andreas e HEITMANN, Mark. "Nudge Your Customers Toward Better Choices". *Harvard Business Review* 86 (12): 99-105, 2008.

GOLDTHORPE, John H. "Rational Action Theory for Sociology". *British Journal of Sociology* 49 (2): 167-92, 1998.

GOODMAN, Peter S. "Reluctance to Spend May Be Legacy of Recession". *New York Times*, 28 de agosto de 2009.

GRANOVETTER, Mark. "Threshold Models of Collective Behavior". *American Journal of Sociology*, 83(6): 1.420-43, 1978.

———. "Economic Action and Social Structure: The Problem of Embeddedness". *American Journal of Sociology*, 91 (3): 481-510, 1985.

GREEN, Donald P. e SHAPIRO, Ian. *Pathologies of Rational Choice Theory*. New Haven, Connecticut: Yale University Press, 1994.

———. "Revisiting the Pathologies of Rational Choice", in SHAPIRO, I. (ed.), *The Flight from Reality in the Human Sciences*. Princeton, Nova Jersey: Princeton University Press, 2005.

GRIBBIN, John. "Review: How Not to Do It". *New Scientist*, 10 de janeiro de 1998.

GRIFFIN, Dale; LIU, Wendy e KHAN, Uzma. "A New Look at Constructed Choice Processes". *Marketing Letters* 16 (3): 321, 2005.

GURERK, Ozgur; IRLENBUSCH, Bernd e ROCKENBACH, Bettina. "The Competitive Advantage of Sanctioning Institutions". *Science* 312 (5770): 108-11, 2006.

HALL, Brian e LIEBMAN, Jeffrey B. "Are CEOs Really Paid Like Bureaucrats?" *The Quarterly Journal of Economics* 113(3) 653-91, 1998.

HARDING, David J.; FOX, Cybelle e MEHTA, Jal D. "Studying Rare Events Through Qualitative Case Studies: Lessons from a Study of Rampage School Shootings". *Sociological Methods & Research* 31 (2): 174, 2002.

HARFORD, Timothy. *O economista clandestino*. Rio de Janeiro: Record, 2009.

HARMON-JONES, Eddie e MILLS, Judson (orgs.). *Cognitive Dissonance: Progress on a Pivotal Theory in Social Psychology*. Washington, DC: American Psychological Association, 1999.

HARSANYI, John C. "Rational-Choice Models of Political Behavior vs. Functionalist and Conformist Theories". *World Politics* 21 (4): 513-38, 1969.

HAYEK, Friedrich A. "The Use of Knowledge in Society". *American Economic Review* 35(4): 519-30, 1945.

HEATH, Chip e HEATH, Dan. *A guinada*. Rio de Janeiro: Best Business, 2009.

HELFT, Miguel. "Changing That Home Page? Take Baby Steps". *New York Times*, 17 de outubro de 2008.

HELPER, Susan; MACDUFFIE, John Paul e SABEL, Charles F. "Pragmatic Collaborations: Advancing Knowledge While Controlling Opportunism". *Industrial and Corporate Change* 9: 443-83, 2000.

HENRICH, Joseph; BOYD, Robert; BOWLES, Samuel et al. "In Search of Homo Economicus: Behavioral Experiments in 15 Small-Scale Societies". *American Economic Review* 91 (2): 73-78, 2001.

HERSZENHORN, David M. "Plan to Change Student Lending Sets Up a Fight". *New York Times*, 12 de abril de 2009.

HERZBERG, Frederick. "One More Time: How Do You Motivate Employees?" *Harvard Business Review* 65(5): 109-120, 1987.

HIGGINBOTHAM, Don. *George Washington Reconsidered*. University of Virginia Press, 2001.

HODGSON, Geoffrey M. "Institutions and Individuals: Interaction and Evolution". *Organization Studies* 28 (1): 95-116, 2007.

HOLMSTROM, Bengt e MILGROM, Paul. "Multitask Principal-Agent Analyses: Incentive Contracts, Asset Ownership, and Job Design". *Journal of Law, Economics & Organization* 7: 24-52, 1991.

HOORENS, Vera. "Self-Enhancement and Superiority Biases in Social Comparison". *European Review of Social Psychology* 4 (1): 113-39, 1993.

HOWARD, Philip K. *The Death of Common Sense*. Nova York: Warner Books, 1997.

HOWE, Jeff. "The Rise of Crowdsourcing". *Wired Magazine* 14 (6): 1-4, 2006.

———. *Crowdsourcing: Why the Power of the Crowd Is Driving the Future of Business*. Nova York: Crown Business, 2008.

HU, Ye; LODISH, Leonard M. e KRIEGER, Abba M. "An Analysis of Real World TV Advertising Tests: A 15-year Update". *Journal of Advertising Research* 47 (3): 341, 2007.

HUCKFELDT, Robert; JOHNSON, Paul E. e SPRAGUE, John. *Political Disagreement: The Survival of Disagreement with Communication Networks*. Cambridge, Reino Unido: Cambridge University Press, 2004.

HUCKFELDT, Robert e SPRAGUE, John. "Networks in Context: The Social Flow of Political Information". *American Political Science Review* 81 (4): 1197-1216, 1987.

IJIRI, Yuji e SIMON, Herbert A. "Some Distributions Associated with Bose-Einstein Statistics". *Proceedings of the National Academy of Sciences of the United States of America* 72 (5): 1.654-7, 1975.

JACKSON, Matthew O. *Social and Economic Networks.* Princeton, Nova Jersey: Princeton University Press, 2008.

JACOBS, Jane. *Morte e vida de grandes cidades*. São Paulo: Martins Fontes, 2009.

JAMES, William. *Pragmatismo*. São Paulo: Martin Claret, 2006.

JANIAK, Andrew (org.). *Newton: Philosophical Writings*. Cambridge, Reino Unido: Cambridge University Press, 2004.

JOHNSON, Eric J. e GOLDSTEIN, Daniel. "Do Defaults Save Lives?" *Science*, 302: 1.538-9, 2003.

KADLEC, Dan. "Attack of the Math Brats". *Time*, junho de 2010. 28: 36-9.

KAHN, Lisa B. "The Long-Term Labor Market Consequences of Graduating from College in a Bad Economy". *Labour Economics* 17 (2): 303-16, 2010.

KATZ, Elihu e LAZARSFELD, Paul Felix. *Personal Influence: the Part Played by People in the Flow of Mass Communications*. Glencoe, Illinois: Free Press, 1955.

KEAY, Douglas. "Aids, Education and the Year 2000!" *Woman's Own*. 31 de outubro de 1987.

KELLER, Ed e BERRY, Jon. *The Influentials: One American in Ten Tells the Other Nine How to Vote, Where to Eat, and What to Buy*. Nova York: Free Press, 2003.

KHURANA, Rakesh. *Searching for a Corporate Savior: The Irrational Quest of Charismatic CEOs*. Princeton, Nova Jersey: Princeton University Press, 2002.

KINDLEBERGER, Charles. *Manias, pânico e crashes: um histórico das crises financeiras.* Rio de Janeiro: Nova Fronteira, 2000.

KIRMAN, Alan D. "Whom or What Does the Representative Individual Represent?" *Journal of Economic Perspectives* 6 (2): 117-36, 1992.

KISER, Edgar e HECHTER, Michael. "The Debate on Historical Sociology: Rational Choice Theory and Its Critics". *American Journal of Sociology* 104 (3): 785-816, 1998.

KITTUR, Aniket; CHI, Ed H. e SUH, Bongwon. "Crowdsourcing User Studies with Mechanical Turk". *Proceedings of the Twenty-sixth Annual SIGCHI Conference on Human Factors in Computing Systems*. Florença, Itália: 2008, p. 453-6.

KLAR, Yechiel e GILADI, Eilath E. "Are Most People Happier Than Their Peers, or Are They Just Happy?" *Personality and Social Psychology Bulletin* 25 (5): 586, 1999.

KLEIN, Lisl. "Applied Social Science: Is It Just Common Sense?" *Human Relations* 59 (8): 1.155-72, 2006.

KLEINBERG, Jon M. "Navigation in a Small World: It Is Easier to Find Short Chains Between Points in Some Networks Than Others". *Nature* 406 (6.798): 845, 2000a.

———. "The Small-World Phenomenon: An Algorithmic Perspective". 2000b. Lido nos Procedimentos do 32º Simpósio Anual ACM da Teoria da Computação, em Nova York.

KLEINBERG, Jon e EASLEY, David. *Networks, Crowds, and Markets: Reasoning About a Highly Connected World*. Cambridge, Reino Unido: Cambridge University Press, 2010.

KLEINFELD, Judith S. "The Small World Problem". *Society* 39 (2): 61-66, 2002.

KNEE, Jonathan A.; GREENWALD, Bruce C. e SEAVE, Ava. *The Curse of the Mogul: What's Wrong with the World's Leading Media Companies*. Nova York: Portfolio, 2009.

KOCIENIEWSKI, David. "As Oil Industry Fights a Tax, It Reaps Subsidies". *New York Times*, 3 de julho de 2010.

KOHAVI, Ron; LONGBOTHAM, Roger e WALKER, Toby. "On-line Experiments: Practical Lessons". *Computer*, 82-5, 2010.

KOHN, Alfie. "Why Incentive Plans Cannot Work". *Harvard Business Review* 71(5): 54-63, 1993.

KOSSINETS, Gueorgi e WATTS, Duncan J. "Empirical Analysis of an Evolving Social Network". *Science* 311 (5.757): 88-90, 2006.

KRAMER, Adam D.I. "An Unobtrusive Model of 'Gross National Happiness'" *Proceedings of CHI*. ACM Press, 287-90, 2010.

KRUEGER, Joachim e CLEMENT, Russell W. "The Truly False Consensus Effect: An Ineradicable and Egocentric Bias in Social Perception". *Journal of Personality and Social Psychology* 67: 596-610, 1994.

KRUEGER, Joachim I. "From Social Projection to Social Behaviour". *European Review of Social Psychology* 18 (1): 1-35, 2007.

KUMAR, Nirmalya e LINGURI, Sophie. "Fashion Sense". *Business Strategy Review.* 17(2): 80-84, 2006.

KURAN, Timur. "Now Out of Never: The Element of Surprise in the East European Revolution of 1989". *World Politics* 44 (1): 7-48, 1991.

LANDSBURG, Steven E. *The Armchair Economist: Economics and Everyday Life*. Nova York: Free Press, 1993.

———. *More Sex Is Safer Sex*. Nova York: Simon and Schuster, 2007.

LAUMANN, Edward O. "Friends of Urban Men: An Assessment of Accuracy in Reporting Their Socioeconomic Attributes, Mutual Choice, and Attitude Agreement". *Sociometry* 32 (1): 54-69, 1969.

LAWLESS, John. "The Interview: Nigel Newton: Is There Life After Harry Potter? You Bet Your Hogwarts There Is". *Independent*, 3 de julho de 2005.

LAYMAN, Geoffrey C.; CARSEY, Thomas M. e HOROWITZ, Juliana M. "Party Polarization in American Politics: Characteristics, Causes, and Consequences". *Annual Review of Political Science* 9: 83-110, 2006.

LAZARSFELD, Paul F. "The American Soldier: An Expository Review". *Public Opinion Quarterly* 13 (3): 377-404, 1949.

LAZARSFELD, Paul e MERTON, Robert. "Friendship as Social Process: A Substantive and Methodological Analysis", in BERGER M.; ABEL, T. e PAGE, C. (eds.), *Freedom and Control in Modern Society*. Nova York: Van Nostrand, 1954.

LAZEAR, Edward P. "Performance Pay and Productivity". *American Economic Review* 90 (5): 1.346-61, 2000.

LAZER, David; PENTLAND, Alex; ADAMIC, Lada et al. "Social Science: Computational Social Science". *Science* 323 (5.915): 721, 2009.

LEONHARDT, David. "Medical Malpractice System Breeds More Waste". *New York Times*, 22 de setembro de 2009.

———. "Saving Energy, and Its Cost". *New York Times*, 15 de junho de 2010.

LERNER, Josh. *Boulevard of Broken Dreams: Why Public Efforts to Boost Entrepreneurship and Venture Capital Have Failed: and What to Do About It*. Princeton, Nova Jersey: Princeton University Press, 2009.

LESKOVEC, Jure e HORVITZ, Eric. "Planetary-Scale Views on a Large Instant-Messaging Network". 17ª Conferência Internacional de World Wide Web, 21-25 de abril de 2008, em Pequim, China.

LEVITT, Steven D. e DUBNER, Stephen J. *Freakonomics: o lado oculto e inesperado de tudo o que nos afeta*. São Paulo: Campus, 2007.

LEWIS, Michael. "The No-Stats All-Star". *New York Times Magazine*, 13 de fevereiro de 2009.

LEWIS, Randall e REILEY David. "Retail Advertising Works! Measuring the Effects of Advertising on Sales via a Controlled Experiment on Yahoo". Documento de trabalho, Yahoo, 2009.

LODISH, Leonard M.; ABRAHAM, Magid; KALMENSON, Stuart et al. "How TV Advertising Works: A Meta-analysis of 389 Real World Split Cable TV Advertising Experiments". *Journal of Marketing Research* 32: 125-39, 1995a.

LODISH, Leonard M.; ABRAHAM, Magid; LIVELSBERGER, Jeanne et al. "A Summary of Fifty-five In-Market Experimental Estimates of the Long--term Effect of TV Advertising". *Marketing Science* 14 (3): 133-40, 1995b.

LOHMANN, Susanne. "The Dynamics of Informational Cascades: The Monday Demonstrations in Leipzig, East Germany, 1989-91". *World Politics* 47 (1): 42-101, 1994.

LOMBROZO, Tania. "The Structure and Function of Explanations". *Trends in Cognitive Sciences* 10 (10): 464-70, 2006.

———. "Simplicity and Probability in Causal Explanation". *Cognitive Psychology* 55 (3): 232-57, 2007.

LOWENSTEIN, Roger. *Quando os gênios falham*. São Paulo: Gente, 2009.

LUKES, Steven. "Methodological Individualism Reconsidered". *British Journal of Sociology* 19 (2): 119-29, 1968.

LUO, Michael. "'Excuse Me. May I Have Your Seat?'" *New York Times*, 14 de setembro de 2004.

LYONS, Russell. "The Spread of Evidence-Poor Medicine via Flawed Social--Network Analysis". Documento de trabalho, Indiana University, 2010.

MACKAY, Charles. *Ilusões populares e a loucura das massas*. Rio de Janeiro: Ediouro, 2001.

MAKRIDAKIS, Spyros e HIBON, Michele. "The M3-Competition: Results, Conclusions and Implications". *International Journal of Forecasting* 16: 451-76, 2000.

MAKRIDAKIS, Spyros; HIBON, Michele e MOSER, Claus. "Accuracy of Forecasting: An Empirical Investigation". *Journal of the Royal Statistical Society*, Series A 142 (2): 97-145, 1979.

MAKRIDAKIS, Spyros; HOGARTH, Robin M. e GABA, Anil. *Dance with Chance: Making Luck Work for You*. Chino Valley, Arizona: OneWorld Press, 2009a.

———. "Forecasting and Uncertainty in the Economic and Business World". *International Journal of Forecasting* 25(4), 794-812, 2009b.

MALMGREN, R. Dean; HOFMAN, Jacob M.; AMARAL, Luis A.N. e WATTS, Duncan J. "Characterizing Individual Communication Patterns". 15ª Conferência ACM SIGKDD sobre descoberta de conhecimento e mineração de dados, em Paris, p. 607-16. ACM Press, 2009.

MANDEL, Naomi e JOHNSON, Eric J. "When Web Pages Influence Choice: Effects of Visual Primes on Experts and Novices". *Journal of Consumer Research* 29 (2): 235-45, 2002.

MARCUS, Gary. *Kluge: a construção desordenada da mente humana*. São Paulo: Unicamp, 2011.

MARRA, Alexandre; GUASTELLI, R. Luciana Reis e ARAÚJO, Carla Manuela Pereira de. "Positive Deviance: A New Strategy for Improving Hand Hygiene Compliance". *Infection Control and Hospital Epidemiology* 31 (1): 12-20, 2010.

MARSH, David R.; SCHROEDER, Dirk G.; DEARDEN, Kirk A. et al. "The Power of Positive Deviance". *British Medical Journal* 329 (7.475): 1.177, 2004.

MASON, Winter A. e WATTS, Duncan J. "Financial Incentives and the Performance of Crowds". *Proceedings of the ACM SIGKDD Workshop on Human Computation*, 77-85, 2009.

MASUDA, Naoki; KONNO, Norio e AIHARA, Kazuyuki. "Transmission of Severe Acute Respiratory Syndrome in Dynamical Small-World Networks". *Physical Review E* 69 (3): 03.197, 2004.

MATHISEN, James A. "A Further Look at 'Common Sense' in Introductory Sociology". *Teaching Sociology* 17 (3): 307-15, 1989.

MAUBOUSSIN, Michael J. *More Than You Know: Finding Financial Wisdom in Unconventional Places*. Nova York: Columbia University Press, 2006.

———. *Pense duas vezes: como evitar as armadilhas da intuição*. Rio de Janeiro: Best Business, 2011.

MAYHEW, Bruce H. "Structuralism *Versus* Individualism: Part 1, Shadowboxing in the Dark". *Social Forces* 59 (2): 335-75, 1980.

MCCORMICK, Tyler; SALGANIK, Matthew J. e ZHENG, Tian. "How Many People Do You Know? Efficiently Estimating Personal Network Size". *Journal of the American Statistical Association* 105: 59-70, 2008.

MCCOTTER, Trent. "Hitting Streaks Don't Obey Your Rules". *New York Times*, 30 de março de 2008.

MCDONALD, Ian. "Bill Miller Dishes on His Streak and His Strategy". *Wall Street Journal*, 6 de janeiro de 2005.

MCDONALD, Lawrence G. e ROBINSON, Patrick. *Uma colossal falta de bom senso*. Rio de Janeiro: Record, 2011.

MCFADDEN, Daniel. "Rationality for Economists?" *Journal of Risk and Uncertainty* 19 (1-3): 73-105, 1999.

MCPHERSON, Miller J. e SMITH-LOVIN, Lynn. "Homophily in Voluntary Organizations: Status Distance and the Composition of Face-to--Face Groups". *American Sociological Review* 52: 370-9, 1980.

MCPHERSON, Miller; SMITH-LOVIN, Lynn e COOK, James M. "Birds of a Feather: Homophily in Social Networks". *Annual Review of Sociology* 27: 415-44, 2001.

MEARIAN, Lucas. "CDC Adopts New, Near Real-Time Flu Tracking System". *Computer World*, 5 de novembro de 2009.

MENAND, Luis. *The Metaphysical Club: A Story of Ideas in America*. Nova York: Farrar, Straus and Giroux, 2001.

MERTON, Robert K. "The Matthew Effect in Science". *Science* 159 (3.810): 56-63, 1968.

———. "On Sociological Theories of the Middle Range", in *Social Theory and Social Structure*. Nova York: Free Press, 1968a, p. 39-72.

———. "Patterns of Influence: Local and Cosmopolitan Influentials", in MERTON, R.K. (org.), *Social Theory and Social Structure*. Nova York: Free Press, 1968b, p. 441-7.

MERVIS, Jeffrey. "Senate Panel Chair Asks Why NSF Funds Social Sciences". *Science* 312(575): 829, 2006.

MEYER, John W. e ROWAN, Brian. "Institutionalized Organizations: Formal Structure as Myth and Ceremony". *American Journal of Sociology* 83 (2): 340, 1977.

MEYER, Marshall W. *Rethinking Performance Measurement: Beyond the Balanced Scorecard*. Cambridge, Reino Unido: Cambridge University Press, 2002.

MILGRAM, Stanley. *Obedience to Authority*. Nova York: Harper and Row, 1969.

MILGRAM, Stanley e SABINI, John. "On Maintaining Social Norms: A Field Experiment in the Subway", in BAUM, Andrew; SINGER, Jerome E. e VALINS, S. (eds.), *Advances in Environmental Psychology*. Hillsdale, Nova Jersey: Lawrence Erlbaum Associates, 1983.

MILGRAM, Stanley. *The Individual in a Social World*, 2ª ed. Nova York: McGraw Hill, 1992.

MILLETT, Stephen M. "The Future of Scenarios: Challenges and Opportunities". *Strategy & Leadership* 31 (2): 16-24, 2003.

MINSKY, Marvin. *The Emotion Machine*. Nova York: Simon & Schuster, 2006.

MINTZBERG, Henry. *Ascensão e queda do planejamento estratégico*. São Paulo: Bookman, 2004.

MITCHELL, Melanie. *Complexity: A Guided Tour*. Nova York: Oxford University Press, 2009.

MOYO, Dambias. *Dead Aid: Why Aid Is Not Working and How There Is Another Way for Africa*. Nova York: Farrar, Straus and Giroux, 2009.

MURPHY, Kevin J. "*Executive Compensation*". *Handbook of Labour Economics* 3(2) 2.485-563, 1999.

NEWMAN, M.E.J. "The Structure and Function of Complex Networks". *SIAM Review*, 45(2): 167-256, 2003.

NIELSEN. "Global Faces and Networked Places: A Nielsen Report on Social Networking's New Global Footprint". 27 de fevereiro de 2009.

NICKERSON, Raymond S. "Confirmation Bias: A Ubiquitous Phenomenon in Many Guises". *Review of General Psychology* 2: 175-220, 1998.

NISHIGUCHI, Toshihiro e BEAUDET, Alexandre. "Fractal Design: Self-Organizing Links in Supply Chain", in VON KROGH, G.; NONAKA, I. e NISHIGUCHI, T. (orgs.), *Knowledge Creation: A New Source of Value*. Londres: MacMillan, 2000.

NORTH, Adrian C.; HARGREAVES, David J. e MCKENDRICK, Jennifer. "In-Store Music Affects Product Choice". *Nature* 390: 132, 1997.

NORTON, Michael I.; FROST, Jeana H. e ARIELY, Dan. "Less Is More: The Lure of Ambiguity, or Why Familiarity Breeds Contempt". *Journal of Personality and Social Psychology* 92 (1): 97-105, 2007.

NOZICK, Robert. *Anarquia, Estado e Utopia*. Rio de Janeiro: Zahar, 1991.

ONNELA, J.P.; SARAMÄKI, J.; HYVÖNEN, J. et al. "Structure and Tie Strengths in Mobile Communication Networks". *Proceedings of the National Academy of Sciences* 104 (18): 7.332, 2007.

ORRELL, David. *The Future of Everything: The Science of Prediction*. Nova York: Basic Books, 2007.

O'TOOLE, Randal. *Best-Laid Plans: How Government Planning Harms Your Quality of Life, Your Pocketbook, and Your Future*. Washington, D.C.: Cato Institute, 2007.

OSTROM, Elinor. "Coping with Tragedies of the Commons". *Annual Review of Political Science* 2 (1): 493-535, 1999.

PAOLACCI, Gabriele; CHANDLER, Jess e IPEIROTIS, Panos G. "Running Experiments on Amazon Mechanical Turk". *Judgment and Decision Making* 5 (5): 411-9, 2010.

PARISH, James Robert. *Fiasco: A History of Hollywood's Iconic Flops*. Hoboken, Nova Jersey: John Wiley, 2006.

PAYNE, John W.; BETTMAN, James R. e JOHNSON, Eric J. "Behavioral Decision Research: A Constructive Processing Perspective". *Annual Review of Psychology* 43 (1): 87-131, 1992.

PERROTTET, Charles M. "Scenarios for the Future". *Management Review* 85 (1): 43-6, 1996.

PERROW, Charles. *Normal Accidents*. Princeton, Nova Jersey: Princeton University Press, 1984.

PLOSSER, Charles I. "Understanding Real Business Cycles". *The Journal of Economic Perspectives* 3 (3): 51-77, 1989.

POLGREEN, Philip M.; CHEN,Yiling; PENNOCK, David M. e NELSON, Forrest D. "Using Internet Searches for Influenza Surveillance". *Clinical Infectious Diseases* 47 (11): 1.443-8, 2008.

POLLACK, Andrew. "Awaiting the Genome Payoff". *New York Times*, 14 de junho de 2010.

PONTIN, Jason. "Artificial Intelligence, with Help from the Humans". *New York Times*, 25 de março de 2007.

POWELL, Walter W. e DIMAGGIO, Paul J. (orgs.). *The New Institutionalism in Organizational Analysis*. Chicago: University of Chicago Press, 1991.

PRENDERGAST, Carice. "The Provision of Incentives in Firms". *Journal of Economic Literature* 37 (1): 7-63, 1999.

QUADAGNO, Jill e KNAPP, Stan J. "Have Historical Sociologists Forsaken Theory? Thoughts on the History/Theory Relationship". *Sociological Methods & Research* 20 (4): 481-507, 1992.

RAMIREZ, Anthony e MEDINA, Jennifer. "Seeking a Favor, and Finding It, Among the Strangers on a Train". *New York Times*, 14 de setembro de 2004.

RAMPELL, Catherine. "Stiffening Political Backbones for Fiscal Discipline". *New York Times*, 12 de fevereiro de 2010.

RAND, Paul M. "Identifying and Reaching Influencers". 2004. Disponível no site http://www.marketingpower.com/content20476.php.

RAVITCH, Diane. *The Death and Life of the Great American School System*. Nova York: Basic Books, 2010.

RAWLS, John. *Uma teoria da justiça*. Rio de Janeiro: Martins, 2008.

RAYNOR, Michael. *The Strategy Paradox: Why Commiting to Success Leads to Failure.* Nova York: Penguin, 2009.

REID, T.R. "The Healing of America: A Global Quest for Better, Cheaper, and Fairer Health Care". Nova York: Penguin, 2009.

REINHART, Carmen M. e ROGOFF, Kenneth. *This Time Is Different: Eight Centuries of Financial Folly*. Princeton, Nova Jersey: Princeton University Press, 2009.

RESCHER, Nicholas. *Common-Sense: A New Look at Old Tradition*. Milwaukee, Wisconsin: Marquette University Press, 2005.

RICE, Andrew. "Putting a Price on Words". *New York Times Magazine*, 10 de maio de 2010.

RIDING, Alan. "In Louvre, New Room with View of 'Mona Lisa'". *New York Times*, 6 de abril de 2005.

RIGNEY, Daniel. *The Matthew Effect: How Advantage Begets Further Advantage*. Nova York: Columbia University Press, 2010.

ROBBINS, Jordan M. e KRUEGER, Joachim I. "Social Projection to Ingroups and Outgroups: A Review and Meta-analysis". *Personality and Social Psychology Review* 9: 32-47, 2005.

ROGERS, Everett M. *Diffusion of Innovations*, 4ª ed. Nova York: Free Press, 1995.

ROESE, Neal J. e OLSON, James M. "Counterfactuals, Causal Attributions, and the Hindsight Bias: A Conceptual Integration". *Journal of Experimental Social Psychology* 32 (3): 197-227, 1996.

ROSEN, Emmanuel. *Marketing boca a boca*. São Paulo: Futura, 2001.

ROSENBLOOM, Stephanie. "Retailers See Slowing Sales in Key Season". *New York Times*, 15 de agosto de 2009.

ROSENZWEIG, Phil. *Derrubando mitos: como evitar os nove equívocos básicos do mundo corporativo*. São Paulo: Globo, 2008.

ROTHSCHILD, David e WOLFERS, Justin. "Market Manipulation Muddies Election Outlook". *Wall Street Journal*, 2 de outubro de 2008.

SABEL, Charles F. "Bootstrapping Development", in NEE, V. e SWEDBERG, R. (org.), *On Capitalism*. Palo Alto, Califórnia: Stanford University Press, 2007.

SACHS, Jeffrey. *O fim da pobreza: como acabar com a miséria mundial nos próximos vinte anos*. São Paulo: Companhia das Letras, 2005.

SALDOVNIK, Alan; O'DAY, Jennifer e BOHRNSTEDT, George. *No Child Left Behind and the Reduction of the Achievement Gap: Sociological Perspectives on Federal Educational Policy*. Nova York: Routledge, 2007.

SALGANIK, Matthew J.; DODDS, Peter Sheridan e WATTS, Duncan J. "Experimental Study of Inequality and Unpredictability in an Artificial Cultural Market". *Science* 311 (5.762): 854-6, 2006.

SALGANIK, Matthew J. e WATTS, Duncan J. "Social Influence: The Puzzling Nature of Success in Cultural Markets", in HEDSTROM, P. e BEARMAN, P. (orgs.), *The Oxford Handbook of Analytical Sociology*. Oxford, Reino Unido: Oxford University Press, 2009a, p. 315-41.

______. "Web-Based Experiments for the Study of Collective Social Dynamics in Cultural Markets". *Topics in Cognitive Science* 1: 439-68, 2009b.

SANDEL, Michael J. *Justiça: o que é fazer a coisa certa?* Rio de Janeiro: Civilização Brasileira, 2011.

SANTAYANA, George. *Reason in Common Sense*. Nova York: George Scribner's Sons, vol. 1, 1905.

SASSOON, Donald. *Mona Lisa: a história da pintura mais famosa do mundo*. Rio de Janeiro: Record, 2004.

SCHACTER, Daniel L. *Os sete pecados da memória: como a mente esquece e lembra*. Rio de Janeiro: Rocco, 2003.

SCHNAARS, Steven P. *Megamistakes: Forecasting and the Myth of Rapid Technological Change*. Nova York: Free Press, 1989.

SCHOEMAKER, Paul J.H. "When and How to Use Scenario Planning: A Heuristic Approach with Illustration". *Journal of Forecasting* 10 (6): 549-64, 1991.

SCHUMPETER, Joseph. "On the Concept of Social Value". *Quarterly Journal of Economics* 23 (2): 213-32, 1909.

SCHWARZ, Norbert. "Metacognitive Experiences in Consumer Judgment and Decision Making". *Journal of Consumer Psychology* 14 (4): 332-48, 2004.

SCOTT, James C. *Seeing Like a State: How Certain Schemes to Improve the Human Condition Have Failed*. New Haven, Connecticut: Yale University Press, 1998.

SEABROOK, John. *Nobrow: The Culture of Marketing, the Marketing of Culture*. Nova York: Vintage Books, 2000.

SEGAL, David. "It's Complicated: Making Sense of Complexity". *New York Times*, 30 de abril de 2010.

SETHI, Rajiv e YILDIZ, Muhamet. "Public Disagreement", in *MIT Department of Economics Working Paper Series*. Cambridge, Massachusetts: 2009.

SEWELL, William H. "Historical Events as Transformations of Structures: Inventing Revolution at the Bastille". *Theory and Society* 25 (6): 841-81, 1996.

SHALIZI, Cosma e THOMAS, Andrew C. "Homophily and Contagion Are Generically Confounded in Observational Social Network Studies". arxiv: 1.004-104, 2010.

SHENG, Victor S.; PROVOST, Foster e IPEIROTIS, Panos G. *Get Another Label? Improving Data Quality and Data Mining Using Multiple, Noisy Labelers*. 14ª Conferência Internacional ACMSIGKDD de Descoberta de Conhecimento e Mineração de Dados. Las Vegas, Nevada: ACM Press, 2008.

SHERDEN, William A. *The Fortune Sellers: The Big Business of Buying and Selling Predictions*. Nova York: John Wiley, 1998.

SHERIF, Muzafer. "An Experimental Approach to the Study of Attitudes". *Sociometry* 1: 90-8, 1937.

SHNEIDERMAN, Ben. "Science 2.0". *Science* 319 (5.868): 1.349-50, 2008.

SMALL, Michael; SHI, Pengliang L. e TSE, Chi Kong. "Plausible Models for Propagation of the SARS Virus". *IEICE Transactions on Fun-*

damentals of Electronics Communications and Computer Sciences E87A (9): 2.379-86, 2004.

SNOW, Rion; O'CONNOR, Brendan; JURAFSKY, Daniel e NG, Andrew Y. "Cheap and Fast: But Is It Good? Evaluating Non-Expert Annotations for Natural Language Tasks", in *Empirical Methods in Natural Language Processing*. Honolulu, Havaí: Association for Computational Linguistics, 2008.

SOMERS, Margaret R. "'We're No Angels': Realism, Rational Choice, and Relationality in Social Science". *American Journal of Sociology* 104 (3): 722-84, 1998.

SORKIN, Andrew Ross. "Steve & Barry's Files for Bankruptcy". *New York Times*, 9 de julho de 2008.

SORKIN, Andrew Ross. *Too Big to Fail: The Inside Story of How Wall Street and Washington Fought to Save the Financial System from Crisis — and Themselves*. Nova York: Viking Adult, 2009a.

SORKIN, Andrew Ross. "A Friend's Tweet Could Be an Ad". *New York Times*, 23 de novembro de 2009b.

STAW, Barry M. "Attribution of the "'Causes' of Performance: A General Alternative Interpretation of Cross-Sectional Research on Organizations". *Organizational Behavior & Human Performance* 13 (3): 414-32, 1975.

STEPHEN, Andrew. "Why Do People Transmit Word-of-Mouth? The Effects of Recipient and Relationship Characteristics on Transmission Behaviors". Departamento de Marketing, Universidade da Columbia, 2009.

STOUFFER, Samuel A. "Sociology and Common Sense: Discussion". *American Sociological Review* 12 (1): 11-12, 1947.

SUN, Eric; ROSENN, Itamar; MARLOW, Cameron A. e LENTO, Thomas M. "Gesundheit! Modeling Contagion Through Facebook News Feed". 3ª Conferência Internacional de Weblogs e Mídia Social, em San Jose, Califórnia: AAAI Press, 2009.

SUNSTEIN, Cass R. "Group Judgments: Statistical Means, Deliberation, and Information Markets". *New York Law Review* 80 (3): 962-1.049, 2005.

SUROWIECKI, James. *A sabedoria das multidões: por que muitos são mais inteligentes que alguns e como a inteligência coletiva pode transformar os negócios, a economia, a sociedade e as nações*. Rio de Janeiro: Record, 2006.

SVENSON, Ola. "Are We All Less Risky and More Skillful Than Our Fellow Drivers?" *Acta Psychologica* 47 (2): 143-8, 1981.

TABIBI, Matt. "The Real Price of Goldman's Giganto-Profits". 16 de julho de 2009. Disponível em http://trueslant.com/matttaibbi/2009/07/16/on-goldmans-giganto-profits/, verificado em 2011.

TALEB, Nassim Nicholas. *Fooled by Randomness*. Nova York: W.W. Norton, 2001.

———. *A lógica do cisne negro: o impacto do altamente improvável*. Rio de Janeiro: BestSeller, 2008.

TANG, Diane; AGARWAL, Ashish; O'BRIEN, Dierdre e MEYER, Mike. *Overlapping Experiment Infrastructure: More, Better, Faster Experimentation*. 16ª Conferência Internacional ACMSIGKDD de Descoberta de Conhecimento e Mineração de Dados. Washington, DC: ACM Press, 2010.

TAYLOR, Carl C. "Sociology and Common Sense". *American Sociological Review* 12 (1): 1-9, 1947.

TETLOCK, Philip E. *Expert Political Judgment: How Good Is It? How Can We Know?* Princeton, Nova Jersey: Princeton University Press, 2005.

THALER, Richard H. e SUNSTEIN, Cass R. *Nudge: o empurrão para a escolha certa*. Rio de Janeiro: Campus, 2008.

THOMPSON, Clive. "What Is I.B.M.'s Watson?" *New York Times Magazine*, 20 de junho de 2010, p. 30-45.

THORNDIKE, Edward L. "A Constant Error on Psychological Rating". *Journal of Applied Psychology* 4: 25-9, 1920.

TOMLINSON, Brian e COCKRAM, Clive. "SARS: Experience at Prince of Wales Hospital, Hong Kong". *The Lancet* 361 (9.368): 1.486-7, 2003.

TUCHMAN, Barbara W. *A marcha da insensatez: de Troia ao Vietnã*. Rio de Janeiro: José Olympio, 2003.

TUCKER, Nicholas. "The Rise and Rise of Harry Potter". *Children's Literature in Education* 30 (4): 221-34, 1999.

TUROW, Joseph; KING, Jennifer; HOOFNAGLE, Chris J. et al. "Americans Reject Tailored Advertising and Three Activities That Enable It". 2009. Disponível em SSRN: http://papers.ssrn.com/sol3/papers.cfm?abstract_id=1478214, verificado em 2011.

TVERSKY, Amos e KAHNEMAN, Daniel. "Extensional *Versus* Intuitive Reasoning: The Conjunction Fallacy in Probability Judgment". *Psychological Review* 90 (4): 293-315, 1983.

———. "Judgment Under Uncertainty: Heuristics and Biases". *Science* 185 (4157): 1.124-31, 1974.

TYLER, Joshua R.; WILKINSON, Dennis M. e HUBERMAN, Bernardo A. "Email as Spectroscopy: Automated Discovery of Community Structure Within Organizations". The Information Society 21(2): 143-153, 2005.

TZIRALIS, George e TATSIOPOULOS, Ilias. "Prediction Markets: An Extended Literature Review". *Journal of Prediction Markets* 1 (1), 2006.

WACK, Pierre. "Scenarios: Shooting the Rapids". *Harvard Business Review* 63 (6): 139-50, 1985a.

———. "Scenarios: Uncharted Waters Ahead". *Harvard Business Review*, 63(5), 1985b.

WADE, Nicholas. "A Decade Later, Genetic Map Yields Few New Cures". *New York Times*, 12 de junho de 2010.

WADLER, Joyce. "The No Lock People". *New York Times*, 13 de janeiro de 2010.

WASSERMAN, Noam; ANAND, Bharat e NOHRIA, Nitin. "When Does Leadership Matter?", in NOHRIA, N. e KHURANA, R. (orgs.), *Handbook of Leadership Theory and Practice*. Cambridge, Massachusetts: Harvard Business Press, 2010.

WATTS, Duncan J. *Small Worlds: The Dynamics of Networks Between Order and Randomness*. Princeton, Nova Jersey: Princeton University Press, 1999.

———. *Seis graus de separação*. São Paulo: Leopardo, 2010.

———. "The 'New' Science of Networks". *Annual Review of Sociology*, 30: 243-270, 2004.

———. "A 21st Century Science". *Nature* 445: 489, 2007.

———. "Too Big to Fail? How About Too Big to Exist?" *Harvard Business Review*, 87(6): 16, 2009.

WATTS, Duncan J.; DODDS, P.S. e NEWMAN, M.E.J. "Identity and Search in Social Networks". *Science* 296 (5.571): 1.302-5, 2002.

WATTS, Duncan J. e DODDS, Peter Sheridan. "Influentials, Networks, and Public Opinion Formation". *Journal of Consumer Research* 34: 441-58, 2007.

WATTS, Duncan J. e HASKER, Steve. "Marketing in an Unpredictable World". *Harvard Business Review* 84(9): 25-30, 2006.

WATTS, Duncan J. e STROGATZ, S.H. "Collective Dynamics of 'Small-World' Networks". *Nature* 393 (6.684): 440-2, 1998.

WEAVER, Warren. "A Quarter Century in the Natural Sciences". *Public Health Reports* 76: 57-65, 1958.

WEIMANN, Gabriel. *The Influentials: People Who Influence People*. Albany, Nova York: State University of New York Press, 1994.

WHITFORD, Josh. "Pragmatism and the Untenable Dualism of Means and Ends: Why Rational Choice Theory Does Not Deserve Paradigmatic Privilege". *Theory and Society* 31 (3): 325-63, 2002.

WILSON, Eric. "Is This the World's Cheapest Dress?" *New York Times*, 1 de maio de 2008.

WIMMER, Andreas e LEWIS, Kevin. "Beyond and Below Racial Homophily: ERG Models of a Friendship Network Documented on Facebook". *American Journal of Sociology* 116 (2): 583-642, 2010.

WOLFERS, Justin e ZITZEWITZ, Eric. "Prediction Markets". *Journal of Economic Perspectives* 18 (2): 107-26, 2004.

WORTMAN, Jenna. "Once Just a Site with Funny Cat Pictures, and Now a Web Empire". *New York Times*, 13 de junho de 2010.

WRIGHT, George, e Paul GOODWIN. "Decision Making and Planning Under Low Levels of Predictability: Enhancing the Scenario Method". *International Journal of Forecasting* 25 (4): 813-25, 2009.

ZELDITCH, Morris. "Can You Really Study an Army in the Laboratory?", in ETZIONI, A. e LEHMAN, E.N. (orgs.). *A Sociological Reader on Complex Organizations*. Nova York: Holt, Rinehent, and Winston, 1969, p. 528-39.

ZHENG, Tian; SALGANIK, Matthew J. e GELMAN, Andrew. "How Many People Do You Know in Prison?: Using Overdispersion in Count Data to Estimate Social Structure in Networks". *Journal-American Statistical Association* 101 (474): 409, 2006.

ZUCKERMAN, Ezra W. e JOST, John T. "What Makes You Think You're So Popular? Self-Evaluation Maintenance and the Subjective Side of the 'Friendship Paradox'". *Social Psychology Quarterly* 64 (3): 207-23, 2001.

Índice

G

H

R

S

T

V

W

Y

Z

Coordenação editorial
Izabel Aleixo

Produção editorial
Mariana Elia

Revisão de tradução
Sheila Louzada

Revisão
Eduardo Carneiro

Indexação
Rayana Faria

Projeto gráfico
Priscila Cardoso

Diagramação
Filigrana

Este livro foi composto na tipografia Dante MT Std, em corpo 12/14,5, e impresso em papel off-white no Sistema Digital Instant Duplex da Divisão Gráfica da Distribuidora Record.